# 日商簿記3級 光速マスターNEO

## 問題集

［第6版］

# はしがき

簿記とは、取引を帳簿に記入するための技術です。簿記の力を身につけるためには、テキストを読んで理解するだけではなく、理解した技術を自らの手で実践することが重要です。

本書は、テキストである「日商簿記３級光速マスターNEO テキスト」で学んだことを、実際どのくらい理解しているかどうかを試し、確認していただくための問題集です。本書に掲載されている厳選された問題を繰り返し解くことで、日商簿記検定３級の合格に必要な知識を効果的に身につけることができるように工夫しています。

## 〈本書の特長〉

本書は、これまでご好評いただいた『日商簿記３級光速マスター問題集』の内容を、『日商簿記３級光速マスターNEO テキスト』の発刊に合わせて見直したものです。

上記テキストの学習進度に合わせて問題を解いていくことで、より効率的に知識を定着させ、応用力を養成することができるようにしています。

これにより、日商簿記3級試験合格をスピーディーに引き寄せることができます。

本書は、問題編を〈基本〉と〈応用〉に分け、さらにすべての問題の解答と詳細な解説を掲載した解答・解説編の３部で構成しています。

### 問題編

問題１から問題76までの76題を掲載しています。このうち、問題１から問題39までの39題を基本問題、問題40から問題76までの37題を応用問題と位置づけています。

基本：基礎的な力を養うための問題です。各問題に、「日商簿記３級光速マスターNEO テキスト」に対応した章のほか、目標解答時間、解答・解説の掲載ページを示しています。

応用：本試験に対応していく力を養うための問題です。各問題に重要度、目標解答時間、解答・解説の掲載ページを示しています。

### 解答・解説編

問題１から問題76までの解答・解説を掲載しています。

簿記の力は、就職、キャリアアップ、または独立開業など、社会のあらゆる場面で活かすことができます。身につけた力がこれほど直接役立つ資格はありません。

本書を活用していただき、みなさまが合格の栄冠を勝ちとられることを祈念しております。

2022年２月吉日

株式会社東京リーガルマインド
ＬＥＣ総合研究所　日商簿記試験部

# ■■■ 本書を使用するにあたって ■■■

## 1 学習を始める前に

簿記の学習にあたり、電卓を用意して下さい。

日商簿記検定は、自分で用意した電卓を持って受験します。

電卓は、日商簿記検定３級の受験に際しては、一般的に販売されているものを使っていただいてかまいません。新たに購入するのであれば、12桁表示、早打ち機能、00キー付きで、手のひらくらいの大きさのものが、大きく使いやすいでしょう。

なお、例えば、関数電卓等の多機能な電卓は使用できませんので注意が必要です。

使用可能な電卓の詳細は、日本商工会議所のホームページでご確認ください。

## 2 勉強の方法

本書は、「日商簿記３級光速マスターNEO テキスト」で得た知識を用いて演習を行う問題集です。テキストと問題集を効果的に使用して、簿記の力を身につけていきましょう。

### 1. 問題編〈基本〉で基礎的な力を養いましょう。

**学習方法**

「日商簿記３級光速マスターNEO テキスト」では、日商簿記検定３級の合格のために必要な知識を解説しており、自分の学習ペースに合った７日・10日・15日を目安にした進度で学習できるように構成しています。本書の問題編〈基本〉に掲載した39題には、テキストに対応する章番号が示してあります。

１日目で「日商簿記３級光速マスターNEO テキスト」の第１章を学習したら、本書の問題編〈基本〉に掲載した問題のうち、「第１章」というマークのついたものを解きましょう。同じように、２日目で第２章を学習したら、問題編〈基本〉の「第２章」の問題を解く、といった章ごとに対応した順序で学習を進めていきます。

#### 学習の効果

理解と問題演習を並行した学習によって、十分な基礎力を獲得することができます。この基礎力が、より難易度の高い問題や、さまざまな論点を組み合わせた応用的な問題を解くための土台となります。

## 2. 問題編〈応用〉で本試験に対応していく力を養いましょう。

#### 学習方法

「日商簿記3級光速マスターNEO テキスト」と本書の問題編〈基本〉を使っての学習を終えたら、問題編〈応用〉に掲載した問題を解いていきましょう。

#### 学習の効果

問題編〈応用〉の問題は、日商簿記検定3級の出題内容に合わせて、仕訳問題、試算表、決算問題、補助簿、勘定記入、訂正仕訳、伝票会計、理論問題、本試験形式の9つの論点に分類してあります。さらに、重要度も示してあるため、本試験で合格点をとるための目安をつかむことができます。

## 3. 解答・解説編で復習し、何度も解き直しましょう。

#### 学習方法

本書ではすべての問題に目標解答時間を示しています。しかし、初めて解くときはあまり時間にこだわる必要はありません。解答手順や計算方法をそのまま覚えてしまうのではなく、まずは、解説をよく読み、本質的な理解に努めましょう。また、テキストのどの項目から出題された問題かがわかるようにしてありますので、必要に応じてテキストに戻って丁寧に復習しましょう。

すべての問題を解き終えたら、もう一度解き直しましょう。解き直す際は、目標解答時間を意識して、時間内に解き終えることができるようにしてください。

## 学習の効果

簿記は技術です。技術を身につけるためには、知識を得るだけでなく、その知識を使って実践してみることが重要です。たとえば、スノーボードが上手になるためには、スクールに行って習っただけではなかなかうまくいきません。自分で実際に練習することで上達していくのです。これと同じように、簿記の力も問題演習で練習を積むことによって身についていきます。

### 解答用紙のダウンロード・サービス

本書に直接書き込んでしまった方が解き直しの際に不都合を感じないように、解答用紙のダウンロード・サービスを提供しています。下記の URL にアクセスしてください。

**アクセス方法**

**LECのインターネットホームページにアクセス**
**URL www.lec-jp.com/boki/book**

↓

**「書籍購入者専用ページ」の中の「日商簿記」から書籍名を選んでクリック**

↓

**ID入力画面で本書専用ID「BBDD」を入力し、後は画面の指示に従って登録してください**

専用ID: BBDD 送信

↓

**解答用紙のダウンロード・サービスがご利用できます**

# ■CONTENTS■



## 問題編

## 解答・解説編



※A、B、Cは重要度を表しています。A重要度が特に高い　B重要度が高い　C余裕がある時に解く問題

# 本書の効果的活用法

## ■テキストと一緒に解こう！

問題編〈基本〉には、問題番号1～39の問題を掲載しています。
「光速マスターNEOテキスト」での学習と並行して解くことができます。

## ■学習後のチェック

すべての問題にチェック欄がついています。解き終わった問題にチェックを入れたり、理解できたときに日付を入れたりして利用しましょう。

## ■テキストと対応した構成

「光速マスターNEOテキスト」の何章の内容に対応した問題なのかがわかります。
「光速マスターNEOテキスト」と問題編〈基本〉を使って自分のペースに合わせた学習を行うことで、合格のための基礎力がつきます。

**問題編〈基本〉**

●第1章 仕訳と転記

基本 1 目標 15分 解答・解説▶P139 check ☑☑☑ テキスト第1章 1章

### 1 仕訳と転記

次の取引を仕訳し、勘定に転記しなさい。

4月1日 株式会社を設立することとなり、株式¥500,000を発行し、出資者より現金で受け取った。なお、発行価額の全額を資本金とする。
4月10日 現金¥100,000を借入れた。
4月20日 手数料として現金¥12,000を受取った。
4月25日 給料として現金¥40,000を支払った。
4月30日 備品¥70,000を現金で購入した。

解答用紙

| 日付 | 借方科目 | 金額 | 貸方科目 | 金額 |
|---|---|---|---|---|

## ■解答・解説頁

ここで解答・解説が本書の何頁に載っているのかを確認することができます。
解答・解説は、解答・解説編にまとめて掲載しています。

## ■解答時間の目安

目標解答時間を示しています。問題を解く際の目安にしてください。

## ■本試験対策をしよう！

問題編〈応用〉には、問題番号40～76の問題を掲載しています。
本試験レベルの問題に対応するための演習として解いていきましょう。

## ■論点ごとの構成

問題編〈応用〉には、9つの分野に分けて問題を掲載しています。
論点ごとに集中して問題を解くことで、より理解を深めることができます。

## ■出重要度

学習の重要度をA、B、Cで示しています。

重要度 **A**→重要度が特に高い
重要度 **B**→重要度が高い
重要度 **C**→余裕がある時に解く問題

特に、重要度が高いAが付された問題は、重点的に練習しましょう。

**問題編〈応用〉**

●仕訳問題－仕訳問題1

応用 40 目標 20分 解答・解説▶P239 check ☑☑☑ 重要度 A 仕訳問題

### 40 仕訳問題1

次の取引を仕訳しなさい。ただし、勘定科目は、次の中から最も適当と思われるものを選び、正確に記入すること。

| 現金 | 当座預金 | 普通預金 | 受取手形 |
|---|---|---|---|
| 売掛金 | 未収入金 | 前払金 | 受取商品券 |
| 貯蔵品 | 支払手形 | 買掛金 | 未払金 |
| 前受金 | 借入金 | 当座借越 | 貸倒引当金 |
| 売上 | 仕入 | 発送費 | 支払手数料 |
| 消耗品費 | 貸倒引当金繰入 | 通信費 | 貸倒損失 |

1. 以前、取引先に内金を支払い注文していた商品¥200,000が手許に届いた。なお、内金は代金の3割相当額であり、小切手を振出して支払済みである。また、

## ■テキストと一緒に解こう！

問題ごとに、「光速マスターNEOテキスト」の何章からの出題なのかがわかります。テキストに戻ってじっくり復習したい場合に便利です。

**解答・解説編**

●第1章　仕訳と転記

基本　テキスト 第1章

# 1 仕訳と転記

**解答**

| 日付 | 借方科目 | 金額 | 貸方科目 | 金額 |
|---|---|---|---|---|
| 4/ 1 | 現金 | 500,000 | 資本金 | 500,000 |
| | | 100,000 | 借入金 | 100,000 |
| | | 12,000 | 受取手数料 | 12,000 |
| | | 40,000 | 現金 | 40,000 |

●解答・解説編

**解説**

ここがポイント！ 取引を行ったときは、仕訳帳に仕訳し、総勘定元帳に転記します。その際、資産・負債・純資産・収益・費用の増減を読み取る必要があります。

4/ 1　株式を発行し、現金を受け取りました。現金という資産が増加し、資本金という純資産が増加しています。資産が増加したときは借方(左)に、純資産が増加したときは貸方(右)に記入します。
　仕訳帳に仕訳し、総勘定元帳に転記します。

## ■問題の要点を確認できる

問題を解く時に注目すべき点や中心となっている論点を説明していきます。出題者の意図をつかみ、解法のポイントを確認しましょう。

## ■解法の注意点がわかる

受験生が間違いやすいところや、わかりにくい部分を詳しく解説しています。解答を導く過程で特に重要な点や、見逃してはならない点を意識することで、解答のテクニックを身につけることができます。

**ここに注意！**

支払利息(費用)の未払いがあるときに計上されるのが未払利息(負債)、前払いがあるときに計上されるのが前払利息(資産)です。また、受取利息(収益)の未収があるときに計上されるのが未収利息(資産)、前受けがあるときに計上されるのが前受利息(負債)です。

(借) 支払利息　125　(貸) 未払利息　125

支払利息: ×××　375 / 未払利息　125 （当期分）

未払利息: 支払利息　125 （当期分にもかかわらずまだ支払っていない分）

| 勘定科目 | 試算表 | | 修正記入 | | 損益計算書 | | 貸借対照表 | |
|---|---|---|---|---|---|---|---|---|
| | 借方 | 貸方 | 借方 | 貸方 | 借方 | 貸方 | 借方 | 貸方 |
| 支払利息 | 375 | | 125 | | 500 | | | |
| (未払)利息 | | | | 125 | | | | 125 |

決算整理前残高　決算整理　決算整理後残高

## ■関連事項を整理できる

問題で問われた論点と関わりのある内容をまとめています。関係した論点を合わせて復習することで、さらに理解を深めることができます。

**復習しよう！** 試算表欄の金額に修正記入欄の金額を加減算すると、損益計算書欄または貸借対照表欄に記入する金額になるはずです。確かめてみましょう。また、最後に当期純利益を求めて精算表を完成させます。

## ■解法の手順がわかる

特に解法に注意した問題は、解答を導くまでの手順をわかりやすく示しました。簿記全体の流れを把握し、ひとつひとつの処理の意味を理解して解くことができるようになります。

●解答・解説編

決算整理仕訳と転記を行います。

1. 受取手形と売掛金は¥61,700＋¥75,300より合計¥137,000、貸倒見積額は¥137,000×３％より¥4,110です。貸倒引当金は¥4,600あるので、¥490減らします。

(借) 貸倒引当金　490　(貸) 貸倒引当金戻入　490

2. 決算整理前の繰越商品勘定の残高¥11,000は、期首商品を表しています。期末商品は問題文から¥10,700とわかります。

(借) 仕入　11,000　(貸) 繰越商品　11,000

# 日商簿記３級 検定ガイド

## 「ネット試験（CBT方式）」導入でますます受験しやすい検定試験に!!

日商簿記３級検定試験は基礎的な商業簿記原理および記帳、決算などに関する初歩的実務について出題されています。つまり、３級で学ぶのは、小規模な会社の簿記と考えてください。

合格点は70点です。競争試験ではありませんので、十分な対策・勉強をすることで合格できる試験といえます。

日商簿記検定試験３級は、従来からの「答案用紙」に解答を記入する「ペーパー試験」（以下、「統一試験」）に加え、安定した受験機会の確保やデジタル社会にふさわしい試験とするために、2020年12月からは「ネット試験（CBT方式）」（以下、「ネット試験」）も実施されるようになりました。

ネット試験では、自分の希望で試験日が決められます。つまり自分の都合に合わせて学習スケジュールを組み立てることができます。これにより、たとえば「統一試験」を受験する予定で勉強をすすめている途中でも、実力がついたところで「ネット試験」を受験するということもできます。選択肢が増えたことで、これまでにも増してますます受験しやすい試験となりました。

以下、試験概要と受験までの流れについてご案内いたします。

### 1. 試験概要

下記は、「ネット試験」「統一試験」共通です。

◉ 受験資格　年齢・性別・学歴・国籍による制限はありません。誰でも受験できます。

◉ 合格基準点　合格点　70点以上（100点満点）

◉ 試験科目　商業簿記（レベル初歩）

◉「合格」の扱い　「ネット試験」「統一試験」の合格は同じ扱いになります。履歴書等には「日商簿記検定３級取得」と記載できます。

## 2.「ネット試験（CBT方式）」と「統一試験（ペーパー試験）」の申込みから受験までの流れ

| | ネット試験（CBT方式）※1 | 統一試験（ペーパー試験）※1 |
|---|---|---|
| **試験日** | 試験センターが定める日時において随時受験可 | 6月第2週、11月第3週、2月第4週 |
| **試験会場** | 日本商工会議所が指定する試験センター | 各商工会議所が指定する会場 |
| **受験申込み方法** | 「株式会社CBT-Solutions」の日商簿記申込専用ページから申込み<br>https://cbt-s.com/examinee/examination/jcci.html<br>※受験希望日時、希望受験会場、受験者情報を入力し、受験料・申込み手数料を決済 | 各商工会議所の指定する方法で申込み（ネット・窓口・書店など）※2 |
| **試験時間・出題数** | 60分（3問出題）<br>（出題内容は次ページ参照） | |
| **出題範囲** | 日本商工会議所が定める「簿記検定出題区分表」に則して出題 | |
| **受験料** | 3,300円（ネット試験・統一試験同額） | |
| **解答方法** | ①試験センター設置の端末に、受験者ごとに問題が配信される。<br>②キーボード・マウスを使用して解答を入力（プルダウン＋入力式） | 答案用紙に解答を記載。<br>ネット試験の「プルダウン式」や「入力式」と共通にするため、一覧から選択する方式となる問題もある。 |
| **合格発表** | ①試験終了後に自動採点され、パソコン画面に結果が表示される。<br>②QRコードから＜**デジタル合格証**＞が即日取得できる。 | 実施後、2～3週間程度必要となる。 |
| **その他** | 計算用紙が配付され、試験終了後に回収。筆記用具は貸し出し。 | 計算用紙は冊子に綴じ込まれています。筆記用具は持ち込み。 |

※1　詳細は商工会議所検定（HP）の案内をご確認ください。
https://www.kentei.ne.jp/

※2　各商工会議所により申込期間および申込方法が異なりますので、最寄りの商工会議所の案内でご確認ください。
http://www5.cin.or.jp/examrefer/

# 日商簿記３級 傾向と対策

## ■ 試験の出題形式 ■

試験は、第１問から第３問まで、大きく分けて３つの問題が出題されます。制限時間は60分です。100点満点で、70点以上得点できれば合格となります。

| | | |
|---|---|---|
| 第1問 | [出題内容]<br>仕訳問題が15題<br>[配点]<br>45点 | 幅広い範囲から15題の仕訳問題が出題されます。解答に使用する勘定科目は、語群やプルダウンから選択します。１題あたり１分程度で解答する必要があるため、速さと正確性の両方を身に付ける必要があります。 |
| 第2問 | [出題内容]<br>勘定記入、補助簿、適語補充などに関する問題<br>[配点]<br>20点 | ２問構成です。勘定記入では、有形固定資産・経過勘定項目・繰越利益剰余金などについて取引資料等から勘定への記入が問われます。補助簿では、取引ごとに記入すべき補助簿を選択する問題や、商品有高帳への記入などが出題されます。適語補充の問題では、基本的な用語の意味や会計処理のルールに関する文章の空欄に適切な語句を選択して埋める問題が出題されます。これらの他、伝票会計に関する問題の出題も想定されます。 |
| 第3問 | [出題内容]<br>決算に関する問題<br>[配点]<br>35点 | 精算表、財務諸表、決算整理後残高試算表の出題が想定されます。特に、財務諸表作成問題が大事です。決算の問題では、基本的な決算整理項目について、仕訳パターンを完全に習得しておく必要があります。 |

【ネット試験における注意点】
1．仕訳問題における勘定科目は選択式（プルダウン方式）です。
2．金額を入力する時は数字のみ入力します。カンマを入力する必要はありません。
3．財務諸表作成などの問題で、科目名の入力が必要な場合もあります。

※その他「ネット試験」詳細は商工会議所の案内をご確認ください。
https://www.kentei.ne.jp/

# 問　題　編

## 基本

問題編〈基本〉には、本試験レベルの問題を解くための基本となる問題を掲載しました。「日商簿記３級光速マスターNEO テキスト」を使って１章分の学習が終わったら、問題編〈基本〉の対応する各章の問題を解いて理解を深めましょう。自分に合ったペースで、問題編〈基本〉を進めていくことで、本試験レベルの問題に対応するための基礎力を身につけていきます。

基本 目標 15分 解答・解説 ▶P139 check

テキスト 第1章

1章

# 基本1 仕訳と転記

次の取引を仕訳し、勘定に転記しなさい。

4月1日　株式会社を設立することとなり、株式￥500,000を発行し、出資者より現金で受け取った。なお、発行価額の全額を資本金とする。
4月10日　現金￥100,000を借入れた。
4月20日　手数料として現金￥12,000を受取った。
4月25日　給料として現金￥40,000を支払った。
4月30日　備品￥70,000を現金で購入した。

## 解答用紙

| 日付 | 借方科目 | 金　　額 | 貸方科目 | 金　　額 |
|---|---|---|---|---|
| 4/ 1 | | | | |
| 4/10 | | | | |
| 4/20 | | | | |
| 4/25 | | | | |
| 4/30 | | | | |

現　　　金

資　本　金

借　入　金

受 取 手 数 料

給　　　料

備　　　品

基本 目標 5分 解答・解説 ▶P143 check

テキスト 第2章

# 2 商品売買の記帳方法

次の一連の取引について、三分法により仕訳をしなさい。

4月11日　商品￥60,000を仕入れ、代金を現金で支払った。

4月17日　仕入原価￥40,000の商品を￥50,000で売上げ、代金は現金で受取った。

**解答用紙**

| 日付 | 借方科目 | 金　　額 | 貸方科目 | 金　　額 |
|---|---|---|---|---|
| 4/11 | | | | |
| 4/17 | | | | |

基本 目標 15分 解答・解説 ▶P144 check

テキスト 第2章

# 3 掛け取引



次の仕訳をしなさい。なお、商品売買取引の記帳方法は三分法によること。

4月7日　商品￥200,000を仕入れ、代金は掛とした。
4月10日　7日に仕入れた商品のうち￥10,000を品違いのため返品した。
4月15日　7日の残りの買掛金を現金で支払った。
5月10日　商品を￥300,000で売上げ、代金は掛とした。
5月13日　10日に売上げた商品のうち￥20,000が返品された。
5月25日　10日の残りの売掛金を現金で回収した。

解答用紙

| 日付 | 借方科目 | 金　額 | 貸方科目 | 金　額 |
|---|---|---|---|---|
| 4/ 7 | | | | |
| 4/10 | | | | |
| 4/15 | | | | |
| 5/10 | | | | |
| 5/13 | | | | |
| 5/25 | | | | |

基本 目標 10分 解答・解説 ▶ P146 check

# 4 諸掛

**次の取引を仕訳しなさい。なお、商品売買取引の記帳方法は三分法によること。**

1. 商品¥25,000を掛で仕入れ、引取運賃¥1,500は現金で支払った。
2. 商品¥50,000を掛で仕入れ、先方負担である引取運賃¥2,200を現金で支払った。立替金勘定を用いて処理すること。
3. 上記2の取引を立替金勘定を用いずに処理した場合。
4. 商品¥30,000を掛で売上げ、当社負担である発送運賃¥2,000を現金で支払った。発送費勘定を用いて処理すること。
5. 上記4の取引を支払運賃勘定を用いて処理した場合。
6. 商品¥30,000を掛けで売上げ、先方負担である発送運賃¥2,000を含めた合計額を掛けとした。なお、発送運賃は現金で支払っている。発送費勘定を用いて処理すること。

## 解答用紙

| | 借方科目 | 金　額 | 貸方科目 | 金　額 |
|---|---|---|---|---|
| 1 | | | | |
| 2 | | | | |
| 3 | | | | |
| 4 | | | | |
| 5 | | | | |
| 6 | | | | |

基　本　目標 15分　解答・解説 ▶P149　check

テキスト 第3章

# 5 現金・現金過不足

**以下の問いに答えなさい。**

問１　金庫の中には、次のものが入っていた。現金の実際有高はいくらか。

| | | | |
|---|---|---|---|
| 硬貨 | ￥1,500 | 紙幣 | ￥45,000 |
| 郵便為替証書 | ￥5,500 | 他店振出の小切手 | ￥25,000 |
| 当社振出の小切手 | ￥20,000 | | |

問２　次の仕訳をしなさい。

７月15日　現金の実際有高が帳簿残高より￥5,000不足していることが判明した。
７月18日　15日の不足額は手数料の支払いの記入漏れであることが判明した。
８月11日　現金の実際有高が帳簿残高より￥9,000超過していることが判明した。
８月16日　11日の超過額のうち、￥5,000 は手数料の受取りの記入漏れであることが判明した。
８月22日　11日の超過額のうち、￥4,000 は現金による売上げの記入漏れであることが判明した。

**解答用紙**

問１　￥ ＿＿＿＿＿

問２

| 日付 | 借方科目 | 金　　額 | 貸方科目 | 金　　額 |
|---|---|---|---|---|
| 7/15 | | | | |
| 7/18 | | | | |
| 8/11 | | | | |
| 8/16 | | | | |
| 8/22 | | | | |

基本 目標 15分 解答・解説 ▶ P151 check

テキスト 第3章

# 6 当座預金

次の一連の取引を仕訳し、勘定に転記しなさい。なお、4月1日における当座預金口座の残高は¥100,000であり、銀行とは限度額¥300,000の当座借越契約を結んでいる。

4月5日　商品¥40,000を仕入れ、代金は小切手を振出して支払った。
4月11日　商品を¥70,000で売上げ、代金のうち¥50,000は得意先振出の小切手で受取り、残額は以前当社が振出した小切手で受取った。
4月18日　商品¥100,000を仕入れ、代金は小切手を振出して支払った。
4月24日　商品を¥150,000で売上げ、代金は得意先振出の小切手で受取り、ただちに当座預金へ預入れた。

## 解答用紙

| 日付 | 借方科目 | 金　額 | 貸方科目 | 金　額 |
|---|---|---|---|---|
| 4/ 5 | | | | |
| 4/11 | | | | |
| 4/18 | | | | |
| 4/24 | | | | |

現　金

| | |
|---|---|
| 4/ 1 前期繰越 300,000 | |

当座預金

| | |
|---|---|
| 4/ 1 前期繰越 100,000 | |

売　上

| | |
|---|---|
| | |

仕　入

| | |
|---|---|
| | |

基本　目標 10分　解答・解説 ▶ P153　check

テキスト 第3章

# 7 様々な預金の勘定

次の取引を仕訳しなさい。なお、当社では、銀行の口座管理のために口座ごとに勘定科目を設定している。

1.　当社は、A銀行に当座預金口座を開設し、現金￥100,000を預入れた。
2.　当社は、B銀行に当座預金口座を開設し、B銀行の普通預金口座から当座預金口座へ￥1,000,000を預入れた。
3.　当社は、C信用金庫において定期預金を組むこととなり、C信用金庫の普通預金口座から定期預金口座へ￥5,000,000を預入れた。
4.　D銀行の普通預金口座に、普通預金の利息￥200が振込まれた。なお、利息に関する税金については考慮しなくてよい。

## 解答用紙

| | 借方科目 | 金　額 | 貸方科目 | 金　額 |
|---|---|---|---|---|
| 1 | | | | |
| 2 | | | | |
| 3 | | | | |
| 4 | | | | |

基本 目標 10分 解答・解説 ▶P154 check 

テキスト 第3章

# 8 小口現金

**以下の問いに答えなさい。**

問1　次の取引を仕訳しなさい。

9月1日　定額資金前渡制度(月末補給)を開始することとなり、用度係に小口現金￥50,000を小切手を振出して支払った。

9月30日　月末となり、用度係から今月中の支払について次の報告を受け、同額の小切手を振出して補給した。なお、小口現金は相殺して解答すること。

旅費交通費　￥4,000　　通信費　￥3,500　　消耗品費　￥6,000

問2　次の取引を仕訳しなさい。ただし、使用する勘定科目は、次の中から最も適当と思われるものを選ぶこと。

| 現金 | 小口現金 | 当座預金 | 旅費交通費 |
|---|---|---|---|
| 通信費 | 水道光熱費 | 消耗品費 | 雑費 |

取引：当社は、小口現金について定額資金前渡制度を採用しており、本日、用度係(小口現金係)から、1週間分の支払報告を受け、支払額と同額の現金を渡し補給した。(1)小口現金を相殺しない場合、(2)小口現金を相殺する場合について仕訳を示しなさい。

バス代 ￥1,800　　切手代 ￥700　　文房具代 ￥400　　お茶代 ￥800

## 解答用紙

(1)

| 日付 | 借方科目 | 金　　額 | 貸方科目 | 金　　額 |
|---|---|---|---|---|
| 9/ 1 | | | | |
| 9/30 | | | | |

(2)

| | 借方科目 | 金　　額 | 貸方科目 | 金　　額 |
|---|---|---|---|---|
| (1) | | | | |
| (2) | | | | |

基本　目標 15分　解答・解説 ▶P156　check 

テキスト第4章

# 9　約束手形

**次の取引を仕訳し、勘定に転記しなさい。**

4月1日　千葉商店より商品￥150,000を仕入れ、代金は同店宛の約束手形を振出して支払った。

4月30日　4月1日に振出した約束手形の満期日につき、手形代金￥150,000が当座預金から引落とされた。

5月3日　東京商店へ商品￥200,000を販売し、代金として同店振出、当社宛の約束手形を受取った。

6月3日　5月3日に受取った約束手形の満期日につき、手形代金￥200,000が当座預金に入金された。

**解答用紙**

| 日付 | 借方科目 | 金　額 | 貸方科目 | 金　額 |
|---|---|---|---|---|
| 4/ 1 | | | | |
| 4/30 | | | | |
| 5/ 3 | | | | |
| 6/ 3 | | | | |

当　座　預　金

| | |
|---|---|
| 4/ 1　前期繰越　500,000 | |

受　取　手　形

| | |
|---|---|
| 4/ 1　前期繰越　300,000 | |

支　払　手　形

| | |
|---|---|
| | 4/ 1　前期繰越　270,000 |

売　　　上

| | |
|---|---|
| | |

仕　　　入

| | |
|---|---|
| | |

テキスト
第4章

基本　目標 20分　解答・解説 ▶ P158　check

解答・解説 ▶ P158

# 10 小切手・約束手形

次の取引を仕訳しなさい。ただし、使用する勘定科目は、次の中から最も適当と思われるものを選ぶこと。

| | | | |
|---|---|---|---|
| 現　　　金 | 当 座 預 金 | 受 取 手 形 | 売　掛　金 |
| 支 払 手 形 | 買　掛　金 | 売　　　上 | 仕　　　入 |

1. 当社は、埼玉商店に原価￥180,000の商品を￥200,000で売上げ、代金は掛とした。
2. 当社は、売掛金￥180,000の回収にあたり、￥80,000は埼玉商店振出の小切手で受取り、￥100,000は埼玉商店振出、当社宛の約束手形を受取った。
3. 当社は、京都商店から商品￥500,000を仕入れ、代金のうち￥200,000は小切手を振出し、￥300,000は掛とした。なお、商品の引取運賃￥10,000は現金で支払った。
4. 当社は、京都商店への買掛金￥300,000の支払いにあたり、￥200,000は約束手形を振出し、￥100,000は小切手を振出した。
5. 当社は、売掛金￥300,000の回収にあたり、￥100,000は当社振出の小切手で受取った。また、残額の￥200,000は広島商店振出の小切手で受取り、ただちに当座預金に入金した。
6. 株式会社秋田商会は、仕入先から商品￥750,000を仕入れ、代金のうち￥500,000は仕入先宛の約束手形を振出し、￥150,000は小切手を振出し、残額は掛とした。
7. ㈱愛知商事は、㈱三重商店に商品￥640,000を売上げ、￥200,000は㈱三重商店振出の小切手を受取り、￥300,000は㈱三重商店振出、当社宛の約束手形で受取り、残額は掛とした。

## 解答用紙

| | 借方科目 | 金　　額 | 貸方科目 | 金　　額 |
|---|---|---|---|---|
| 1 | | | | |
| 2 | | | | |
| 3 | | | | |
| 4 | | | | |
| 5 | | | | |
| 6 | | | | |
| 7 | | | | |

基本　目標 10分　解答・解説 ▶ P160　check

テキスト第4章

# 11 手付金

次の取引を仕訳し、勘定に転記しなさい。

1月5日　徳島商店から商品￥550,000を購入する契約を結び、手付金￥55,000を現金で支払った。

1月15日　1月5日に契約した商品を徳島商店から受取り、手付金を差引いた残額を現金で支払った。

2月12日　高知商店へ商品￥460,000を販売する契約を結び、手付金￥92,000を現金で受取った。

2月28日　2月12日に契約した商品を高知商店へ引渡し、手付金を差引いた残額を現金で受取った。

4 章

**解答用紙**

| 日付 | 借方科目 | 金　額 | 貸方科目 | 金　額 |
|---|---|---|---|---|
| 1/ 5 | | | | |
| 1/15 | | | | |
| 2/12 | | | | |
| 2/28 | | | | |

現　金

| | |
|---|---|
| 1/ 1 前期繰越 700,000 | |

前 払 金

| | |
|---|---|
| | |

前 受 金

| | |
|---|---|
| | |

売　上

| | |
|---|---|
| | |

仕　入

| | |
|---|---|
| | |

基本　目標 10分　解答・解説 ▶ P162　check

# 12 商品券・クレジット売掛金

次の仕訳をしなさい。なお、商品売買の記帳方法は三分法によること。

5月10日　商品￥50,000を売上げ、代金のうち￥40,000は自治体が発行した商品券で受取り、￥10,000は現金で受取った。

5月30日　10日に受取った自治体発行の商品券￥40,000について、自治体に引渡して換金請求し、ただちに￥40,000が当座預金口座に振込まれた。

6月15日　商品￥100,000をクレジット払いの条件で販売した。なお、当社は、信販会社への手数料(販売代金の2％)を販売時に計上している。

7月25日　6月15日の代金が、信販会社から当座預金口座へ振込まれた。

解答用紙

| 日付 | 借方科目 | 金　額 | 貸方科目 | 金　額 |
|---|---|---|---|---|
| 5/10 | | | | |
| 5/30 | | | | |
| 6/15 | | | | |
| 7/25 | | | | |

基本　目標 15分　解答・解説 ▶ P164　check

# 13 電子記録債権・債務

次の取引を仕訳しなさい。なお、商品売買の記帳方法は三分法による。

4月12日　A社は、B社から商品￥400,000を掛けで仕入れた。

4月20日　A社は、12日に発生した買掛金について、取引銀行を通じて電子記録債務￥400,000の発生記録を行った。

5月25日　￥400,000の電子記録債務につき、支払期限が到来し、A社の当座預金口座から引落とされた。

6月17日　A社は、C社に商品￥700,000を掛けで売上げた。

6月28日　A社は、C社の同意を得て、17日に発生した売掛金について、取引銀行を通じて電子記録債権￥700,000の発生記録を行った。

7月25日　￥700,000の電子記録債権につき、支払期限が到来し、A社の当座預金口座へ振込まれた。



## 解答用紙

| 日付 | 借方科目 | 金　額 | 貸方科目 | 金　額 |
|---|---|---|---|---|
| 4/12 | | | | |
| 4/20 | | | | |
| 5/25 | | | | |
| 6/17 | | | | |
| 6/28 | | | | |
| 7/25 | | | | |

基本 目標 20分 解答・解説 ▶ P166 check

テキスト第5章

# 14 貸付・借入・未収・未払

次の取引を仕訳し、勘定に転記しなさい。

1月10日　愛媛商店に現金¥100,000を貸付け、借用証書を受取った。
2月10日　愛媛商店に貸付けていた¥100,000を、利息とともに同店振出の小切手で受取った。なお、貸付期間は31日、利率は年7.3%として計算する。
3月15日　香川商店から現金¥300,000を約束手形を振出して借入れた。
4月15日　香川商店から借入れていた¥300,000を、利息とともに現金で支払った。なお、借入期間は1ヵ月、利率は年2%として計算する。
5月10日　営業用の土地¥800,000を購入し、代金は翌月に支払うことにした。
6月28日　5月10日に購入した土地の代金¥800,000を現金で支払った。
7月15日　土地の一部(帳簿価額¥200,000)を¥250,000で売却し、代金は翌月に受取ることにした。
8月15日　7月15日に売却した土地の代金¥250,000を現金で受取った。

## 解答用紙

| 日付 | 借方科目 | 金　額 | 貸方科目 | 金　額 |
|---|---|---|---|---|
| 1/10 | | | | |
| 2/10 | | | | |
| 3/15 | | | | |
| 4/15 | | | | |
| 5/10 | | | | |
| 6/28 | | | | |
| 7/15 | | | | |

| 8/15 | | | | |
|---|---|---|---|---|

現　　　金

| | |
|---|---|
| 1/ 1　前期繰越　950,000 | |

貸　付　金

| | |
|---|---|

手 形 借 入 金

| | |
|---|---|

受 取 利 息

| | |
|---|---|

支 払 利 息

| | |
|---|---|

未 収 入 金

| | |
|---|---|

土　　　地

| | |
|---|---|

未　払　金

| | |
|---|---|

固定資産売却益

| | |
|---|---|

基本 目標 15分 解答・解説 ▶P168 check

# 15 仮払・仮受・立替・預り

次の取引を仕訳しなさい。

4月15日　従業員の出張にあたり、旅費の概算額￥95,000を現金で渡した。

4月18日　従業員が出張から戻り、仮払金￥95,000を旅費￥92,000と精算するとともに残金￥3,000を受取った。

5月13日　出張中の従業員より当座預金口座に￥200,000が振込まれていたが、その内容は不明である。

5月16日　13日の入金は、得意先からの売掛金の回収分であることが判明した。

6月17日　給料の前貸しとして従業員に￥25,000を現金で立替払いした。

6月25日　従業員に、給料総額￥400,000から従業員に対する前貸し分￥25,000、所得税の源泉徴収額￥50,000を控除した額を現金で支払った。

7月10日　25日の給与支給時に控除した源泉所得税を現金で納付した。

## 解答用紙

| 日付 | 借方科目 | 金　額 | 貸方科目 | 金　額 |
|---|---|---|---|---|
| 4/15 | | | | |
| 4/18 | | | | |
| 5/13 | | | | |
| 5/16 | | | | |
| 6/17 | | | | |
| 6/25 | | | | |
| 7/10 | | | | |

基本　目標 20分　解答・解説 ▶P170　check

# 16 税金

テキスト 第6章

**以下の問いに答えなさい。**

問1　次の仕訳をしなさい。

⑴　収入印紙￥2,000を購入し、代金は現金で支払った。なお、収入印紙の購入時に費用で処理すること。
⑵　固定資産税の納税通知書が届いたので、第１期分￥25,000を現金で納付した。なお、固定資産税の納付時に費用で処理すること。
⑶　固定資産税￥80,000の納税通知書が届いたので、全額を未払計上した。
⑷　上記⑶のうち、第１期分￥20,000の納期となり、現金で納付した。

問2　次の仕訳をしなさい。なお、消費税の処理は税抜方式により、商品売買の記帳は三分法によること。

⑴　商品￥165,000（うち、消費税￥15,000）を掛けで仕入れた。
⑵　商品￥198,000（うち、消費税￥18,000）を掛けで売上げた。
⑶　決算を迎え、消費税の納付額が確定した。なお、消費税の仮払分は￥450,000、仮受分は￥560,000である。
⑷　確定申告を行い、上記⑶で確定した消費税の未払分を現金で納付した。

問3　次の仕訳をしなさい。

⑴　法人税等の中間申告を行い、法人税￥360,000、住民税￥160,000、事業税￥55,000を現金で納付した。
⑵　決算を迎え、当期の法人税等が確定した。法人税￥810,000、住民税￥360,000、事業税￥123,000を計上する。
⑶　確定申告を行い、上記⑵で確定した法人税等の未払分を当座預金口座から納付した。

## 解答用紙

問1

| | 借方科目 | 金　　額 | 貸方科目 | 金　　額 |
|---|---|---|---|---|
| (1) | | | | |
| (2) | | | | |
| (3) | | | | |
| (4) | | | | |

問2

| | 借方科目 | 金　　額 | 貸方科目 | 金　　額 |
|---|---|---|---|---|
| (1) | | | | |
| (2) | | | | |
| (3) | | | | |
| (4) | | | | |

問3

| | 借方科目 | 金　　額 | 貸方科目 | 金　　額 |
|---|---|---|---|---|
| (1) | | | | |
| (2) | | | | |
| (3) | | | | |

基本　目標 10分　解答・解説 ▶ P173　check

テキスト第7章

# 17 有形固定資産

次の仕訳をしなさい。

1.　事務用パソコン￥150,000を備品として購入し、代金は翌月末に支払うこととした。
2.　倉庫用建物￥3,000,000を購入し、小切手を振出して支払った。なお、不動産会社への手数料￥60,000は現金で支払った。
3.　故障したパソコンの修理代金として￥15,000を現金で支払った。
4.　建物の耐震補強工事を行い、工事代金￥8,000,000を小切手を振出して支払った。なお、工事代金の全額が、建物の取得原価に加算するべき内容(資本的支出)であった。
5.　建物の修繕を行い、修繕代金￥5,000,000を後日、支払うこととなった。なお、修繕代金のうち￥4,000,000は建物の機能が向上して価値を増加させる支出(資本的支出)であり、残額は建物の機能の回復のための支出である。

## 解答用紙

| | 借方科目 | 金　額 | 貸方科目 | 金　額 |
|---|---|---|---|---|
| 1 | | | | |
| 2 | | | | |
| 3 | | | | |
| 4 | | | | |
| 5 | | | | |

基本 目標 10分 解答・解説 ▶P175 check

テキスト 第7章

# 18 様々な取引

次の仕訳をしなさい。

1. 封筒￥500、はがき￥2,400、切手￥1,500を購入し、代金は現金で支払った。なお、消耗品等の物品は購入時に費用で処理している。
2. 新規に店舗を出店するために店舗の賃貸借契約を結び、敷金￥240,000および不動産会社への手数料￥80,000を不動産会社の当座預金口座へ普通預金口座から振込んで支払った。
3. 上記2.の契約にもとづき、当月および翌月の家賃￥160,000を不動産会社の当座預金口座へ普通預金口座から振込んで支払った。
4. 今月分の給料￥900,000について、源泉所得税￥35,000、従業員負担分の社会保険料￥135,000を控除した残額を、普通預金口座から振込んだ。
5. 上記4.の社会保険料の従業員負担分￥135,000に会社負担分￥135,000を加えた金額を、普通預金口座から振込んで納付した。なお、会社負担分は納付時に費用で処理している。

解答用紙

| | 借方科目 | 金　　額 | 貸方科目 | 金　　額 |
|---|---|---|---|---|
| 1 | | | | |
| 2 | | | | |
| 3 | | | | |
| 4 | | | | |
| 5 | | | | |

基本 目標 10分 解答・解説 ▶P177 check

テキスト 第7章

# 19 訂正仕訳

帳簿への記入内容を確認したところ、次の誤りを発見した。よって、これを訂正する仕訳を行いなさい。

(1)　仕入先に買掛金￥240,000を現金で支払った際に、誤って貸借反対に仕訳していた。

(2)　商品￥360,000を掛で売上げた際に、借方科目を買掛金としていた。

## 解答用紙

| | 借方科目 | 金　額 | 貸方科目 | 金　額 |
|---|---|---|---|---|
| (1) | | | | |
| (2) | | | | |

7章

基本 目標 20分 解答・解説 ▶P179 check

テキスト 第8章

# 20 試算表の基礎 1

次の６月28日から30日までの取引から、６月末における残高試算表を作成しなさい。

【６月28日から30日までの取引】

28日　商品を￥90,000で売上げ、代金は掛とした。
　　　商品を￥80,000で仕入れ、代金は掛とした。
　　　売掛金￥30,000を現金で回収した。

29日　商品を￥70,000で売上げ、得意先振出しの小切手を受取った。
　　　商品を￥45,000で仕入れ、小切手を振出して支払った。
　　　売掛金の回収として得意先振出の小切手￥98,000を受取り、ただちに当座預金に入金した。
　　　買掛金の支払のため、約束手形￥100,000を振出した。

30日　買掛金￥30,000について、現金で支払った。
　　　約束手形￥120,000の支払期日が到来し、当座預金に入金がされた。

## 解答用紙

残高試算表

| 借方 | | 勘定科目 | 貸方 | |
|---|---|---|---|---|
| 6/30残高 | 6/27残高 | | 6/27残高 | 6/30残高 |
| | 125,000 | 現　　　　金 | | |
| | 2,474,000 | 当　座　預　金 | | |
| | 220,000 | 受　取　手　形 | | |
| | 490,000 | 売　　掛　　金 | | |
| | | 支　払　手　形 | 180,000 | |
| | | 買　　掛　　金 | 310,500 | |
| | | 預　　り　　金 | 4,500 | |
| | | 資　　本　　金 | 2,000,000 | |
| | | 繰越利益剰余金 | 780,000 | |
| | | 売　　　　上 | 725,000 | |
| | 580,000 | 仕　　　　入 | | |
| | 96,000 | 給　　　　料 | | |
| | 15,000 | 支払手数料 | | |
| | 4,000,000 | | 4,000,000 | |

8
章

基本 目標 35分 解答・解説 ▶ P182 check

# 21 試算表の基礎2

次の当社(年1回3月31日決算)の資料に基づき、解答用紙の合計残高試算表を作成しなさい。

〔資料Ⅰ〕×8年5月1日現在の合計試算表

合 計 試 算 表
×8年5月1日

| 借方合計 | 勘定科目 | 貸方合計 |
|---:|---|---:|
| 29,950 | 現金 | 3,100 |
| 62,700 | 当座預金 | 7,400 |
| 19,900 | 受取手形 | 8,700 |
| 48,900 | 売掛金 | 13,300 |
| 1,100 | 支払手形 | 12,500 |
| 4,800 | 買掛金 | 26,700 |
| 600 | 前受金 | 1,400 |
| | 未払金 | 2,600 |
| 1,500 | 借入金 | 9,000 |
| | 資本金 | 50,000 |
| | 繰越利益剰余金 | 30,000 |
| 400 | 売上 | 84,100 |
| 57,200 | 仕入 | 300 |
| 16,200 | 給料 | |
| 5,650 | 旅費 | |
| 200 | 支払利息 | |
| 249,100 | | 249,100 |

〔資料Ⅱ〕×8年5月中の取引

2日　商品￥12,000を仕入れ、代金は掛とした。
6日　商品￥7,500を売上げ、代金は掛とした。
9日　6日に売上げた商品のうち￥200が返品され、掛代金より差引くこととした。
11日　従業員の出張にあたり、旅費の概算額￥3,000を現金で支払った。
12日　買掛金￥4,000につき、約束手形を振出して支払った。
13日　借入金￥5,000を利息￥150とともに現金で返済した。
14日　商品￥8,000を売上げ、代金は得意先振出の約束手形で受取った。
15日　11日に出張した従業員が出張から戻り、旅費￥2,500との報告を受け、残額を現金で受取った。
17日　商品￥16,000を売上げ、代金は得意先振出の小切手で受取り、ただちに当座預金に預入れた。
19日　先に受取っていた約束手形￥11,000が満期日を迎え、当座預金に入金された。
21日　商品￥8,500を仕入れ、代金は掛とした。なお、引取費用￥100は現金で支払った。
24日　商品￥13,000を売上げ、代金は掛とした。
26日　給料￥15,000を現金で支払った。
27日　先に振出した約束手形￥5,000が満期日を迎え、当座預金から引落とされた。
28日　売掛金￥20,000が当座預金に入金された。
29日　商品の注文を受け、手付金￥5,000を現金で受取った。
30日　買掛金￥7,000を小切手を振出して支払った。
31日　商品￥14,000を仕入れ、代金は掛とした。

合 計 残 高 試 算 表
×8年5月31日

| 借方残高 | 借方合計 | 勘定科目 | 貸方合計 | 貸方残高 |
|---|---|---|---|---|
| | | 現　　　　金 | | |
| | | 当　座　預　金 | | |
| | | 受　取　手　形 | | |
| | | 売　　掛　　金 | | |
| | | 支　払　手　形 | | |
| | | 買　　掛　　金 | | |
| | | 前　　受　　金 | | |
| | | 未　　払　　金 | | |
| | | 借　　入　　金 | | |
| | | 資　　本　　金 | | |
| | | 繰越利益剰余金 | | |
| | | 売　　　　上 | | |
| | | 仕　　　　入 | | |
| | | 給　　　　料 | | |
| | | 旅　　　　費 | | |
| | | 支　払　利　息 | | |
| | | 仮　　払　　金 | | |
| | | | | |

基本　目標 35分　解答・解説 ▶ P185　check

テキスト 第8章

# 22 試算表の基礎３

次の〔資料〕６月中の取引から、解答用紙の月中取引高欄と合計欄の記入をしなさい。

〔資料〕６月中の取引

(1)　商品の売上

| | | |
|---|---|---|
| ① | 掛による売上 | ¥ 11,000 |
| ② | 約束手形の受入による売上 | ¥ 8,000 |
| ③ | 現金による売上 | ¥ 5,500 |

(2)　商品の仕入

| | | |
|---|---|---|
| ① | 掛による仕入 | ¥ 7,000 |
| ② | 約束手形の振出による仕入 | ¥ 4,000 |
| ③ | 小切手の振出による仕入 | ¥ 3,000 |

(3)　現金の増減

| | | |
|---|---|---|
| ① | 現金による売上 | ¥ 5,500 |
| ② | 交通費の支払 | ¥ 600 |
| ③ | 給料の支払 | ¥ 10,000 |
| ④ | 消耗品費の支払 | ¥ 700 |

(4)　当座預金の増減

| | | |
|---|---|---|
| ① | 売掛金の回収 | ¥ 16,000 |
| ② | 手形代金の取立 | ¥ 3,000 |
| ③ | 小切手の振出による仕入 | ¥ 3,000 |
| ④ | 手形代金の支払 | ¥ 2,000 |

(5)　その他の取引

①　買掛金の支払いのための約束手形の振出　　¥ 2,000

8 章

## 解答用紙

合計試算表

| 借方 | | | 勘定科目 | 貸方 | | |
|---|---|---|---|---|---|---|
| 当月までの合計 | 月中取引高 | 前月までの合計 | | 前月までの合計 | 月中取引高 | 当月までの合計 |
| | | 47,000 | 現金 | 21,000 | | |
| | | 123,000 | 当座預金 | 15,000 | | |
| | | 29,000 | 受取手形 | 13,000 | | |
| | | 37,000 | 売掛金 | 18,000 | | |
| | | 25,000 | 繰越商品 | | | |
| | | 40,000 | 備品 | | | |
| | | 5,000 | 支払手形 | 23,000 | | |
| | | 7,000 | 買掛金 | 16,000 | | |
| | | | 貸倒引当金 | 6,000 | | |
| | | | 減価償却累計額 | 8,000 | | |
| | | | 資本金 | 100,000 | | |
| | | | 繰越利益剰余金 | 80,000 | | |
| | | | 売上 | 220,000 | | |
| | | 174,000 | 仕入 | | | |
| | | 30,000 | 給料 | | | |
| | | 1,000 | 消耗品費 | | | |
| | | 2,000 | 交通費 | | | |
| | | 520,000 | | 520,000 | | |

基　本　目標 15分　解答・解説 ▶ P188　check

テキスト 第9章

# 23 決算整理１

**以下の各問いについて仕訳をしなさい。なお、問３については、勘定への転記もしなさい。**

問１

⑴　収入印紙￥20,000、切手￥14,000、はがき￥15,500を購入し、代金は現金で支払った。なお、当社は、購入時に費用の勘定で処理している。

⑵　⑴のあと、期末を迎え、収入印紙￥6,000、切手￥5,600、はがき￥5,270が未使用であった。

⑶　⑵のあと、翌期首を迎え、再振替仕訳を行った。

問２

⑴　決算日を迎え、当座預金口座の残高の状態が、￥125,000の当座借越であることが判明したので、借入金勘定に振替えた。

⑵　決算日を迎え、A銀行の当座預金口座の残高の状態が、￥125,000の当座借越であることが判明したので、当座借越勘定に振替えた。なお、当社は、複数の当座預金口座を開設しているため、口座ごとに勘定を設定している。

問３

⑴　３月10日、現金の実際有高は￥95,000、帳簿残高は￥100,000であった。原因を調査することとする。

⑵　⑴のあと、３月15日、上記の不足額のうち￥4,000は、手数料を現金で支払った際に未記帳であったことによるものと判明した。

⑶　⑵のあと、３月31日、決算日を迎えた。現金過不足の残額は原因不明のため、雑損勘定に振替えた。

## 解答用紙

問1

| | 借方科目 | 金　額 | 貸方科目 | 金　額 |
|---|---|---|---|---|
| (1) | | | | |
| (2) | | | | |
| (3) | | | | |

問2

| | 借方科目 | 金　額 | 貸方科目 | 金　額 |
|---|---|---|---|---|
| (1) | | | | |
| (2) | | | | |

問3

| | 借方科目 | 金　額 | 貸方科目 | 金　額 |
|---|---|---|---|---|
| (1) | | | | |
| (2) | | | | |
| (3) | | | | |

現　金

| 借方 | 貸方 |
|---|---|
| ××× 100,000 | |

現金過不足

| 借方 | 貸方 |
|---|---|
| | |

支払手数料

| 借方 | 貸方 |
|---|---|
| | |

雑　損

| 借方 | 貸方 |
|---|---|
| | |

基本　目標 10分　解答・解説 ▶ P192　check

テキスト第10章

# 24 決算整理2

次の各問いに答えなさい。

問1　次の文章を読んで仕訳し、勘定に転記しなさい。

(1)　3月31日、決算日を迎えた。期末商品棚卸高は¥35,000である。売上原価は仕入勘定で計算する。

(2)　3月31日、決算日を迎えた。売掛金の期末残高¥550,000に対して2％の貸倒引当金を設定する。

問2　次の文章を読んで、仕訳をしなさい。

(1)　3月31日、決算を迎えた。受取手形の期末残高¥800,000および売掛金の期末残高¥400,000の合計に対して3％の貸倒引当金を設定する。なお、貸倒引当金の残高が¥15,000ある。

(2)　3月31日、決算を迎えた。売掛金の期末残高¥500,000に対して2％の貸倒引当金を設定する。なお、貸倒引当金の残高が¥13,000ある。

## 解答用紙

問1

| | 借方科目 | 金　額 | 貸方科目 | 金　額 |
|---|---|---|---|---|
| (1) | | | | |
| (2) | | | | |

繰　越　商　品

| | |
|---|---|
| 4/ 1　前　期　繰　越　27,000 | |

仕　　　入

| | |
|---|---|
| ×　×　×　930,000 | |

貸 倒 引 当 金

| | |
|---|---|
| | ×　×　×　9,000 |

貸倒引当金繰入

| | |
|---|---|
| | |

問2

| | 借方科目 | 金　額 | 貸方科目 | 金　額 |
|---|---|---|---|---|
| (1) | | | | |
| (2) | | | | |

基本 目標 20分 解答・解説 ▶ P197 check

テキスト 第11章

# 25 決算整理３

３月31日、決算日を迎えた。次の文章を読んで仕訳し、勘定に転記しなさい。

1.　取得原価￥600,000の備品の減価償却を定額法により行う。なお、耐用年数は５年、残存価額は取得原価の10％、記帳方法は間接法である。
2.　保険料￥84,000は当期の11月１日に向こう１年分を支払ったものである。
3.　受取家賃￥132,000は当期の１月１日に向こう６ヵ月分を受取ったものである。
4.　借入金￥200,000は当期の８月１日に借入期間１年、年利率６％で借入れたものであり、利息は返済時に支払うこととなっている。
5.　貸付金￥300,000は当期の12月１日に貸付期間８ヵ月、年利率５％で貸付けたものであり、利息は返済時に受取ることとなっている。

## 解答用紙

| | 借方科目 | 金　額 | 貸方科目 | 金　額 |
|---|---|---|---|---|
| 1 | | | | |
| 2 | | | | |
| 3 | | | | |
| 4 | | | | |
| 5 | | | | |

11 章

未収利息

| | |
|---|---|
| | |

未払利息

| | |
|---|---|
| | |

減価償却累計額

| | |
|---|---|
| | ×××　216,000 |

受取家賃

| | |
|---|---|
| | ×××　132,000 |

支払利息

| | |
|---|---|
| | |

前払保険料

| | |
|---|---|
| | |

前受家賃

| | |
|---|---|
| | |

受取利息

| | |
|---|---|
| | |

減価償却費

| | |
|---|---|
| | |

保険料

| | |
|---|---|
| ×××　84,000 | |

基本　目標 20分　解答・解説▶P201　check

テキスト 第11章

# 26 貸倒れ・固定資産の売却

以下の各問いについて、仕訳をしなさい。

問1

1. 得意先が倒産したため、前期に発生した売掛金￥40,000を貸倒れとして処理する。なお、貸倒引当金の残高は￥0である。
2. 得意先が倒産したため、前期に発生した得意先に対する売掛金￥240,000が貸倒れとなった。ただし、貸倒引当金残高が￥300,000ある。
3. 得意先が倒産したため、前期に発生した得意先に対する売掛金￥350,000が貸倒れとなった。ただし、貸倒引当金残高が￥300,000ある。
4. 得意先が倒産したため、当期に発生した売掛金￥150,000が貸倒れとなった。ただし、貸倒引当金残高が￥100,000ある。

問2

1. 当期首に倉庫用建物(取得原価：￥6,000,000、期首減価償却累計額：￥2,000,000)を売却し、代金￥5,000,000を現金で受取った。なお、記帳方法は間接法である。
2. 当期首に配送用トラック(取得原価：￥1,500,000、期首減価償却累計額：￥900,000)を売却し、代金￥300,000は翌月末に受取ることとした。なお、記帳方法は間接法である。
3. ×5年4月1日に車両(取得日：×1年12月1日、取得原価：￥900,000、期首減価償却累計額：￥337,500、残存価額：取得原価の10％、耐用年数：8年、減価償却方法：定額法、記帳方法：間接法)を￥450,000で売却し、代金は翌月末に受取ることとした。なお、決算日は年1回3月31日である。
4. ×6年1月31日に備品(取得日：×3年7月1日、取得原価：￥400,000、期首減価償却累計額：￥105,000、減価償却方法：定額法、残存価額：取得原価の10％、耐用年数：6年、記帳方法：間接法)を￥280,000で売却し、代金は翌月末に受取ることとした。また、当期首から売却日までの減価償却費は月割により計上する。なお、決算日は年1回3月31日である。

## 解答用紙

問1

| | 借方科目 | 金　　額 | 貸方科目 | 金　　額 |
|---|---|---|---|---|
| 1 | | | | |
| 2 | | | | |
| 3 | | | | |
| 4 | | | | |

問2

| | 借方科目 | 金　　額 | 貸方科目 | 金　　額 |
|---|---|---|---|---|
| 1 | | | | |
| 2 | | | | |
| 3 | | | | |
| 4 | | | | |

基本 目標 15分 解答・解説 ▶ P205 check

# 27 精算表の基礎

テキスト 第12章

12 章

次の資料に基づき、精算表を作成しなさい。

〔資料〕決算整理事項

1.　受取手形と売掛金の期末残高合計額の２％の貸倒引当金を設定する。
2.　期末商品棚卸高は￥20,000である。売上原価は「仕入」の行で計算する。
3.　建物の減価償却を定額法により行う。耐用年数は30年、残存価額は取得原価の10％、記帳方法は間接法である。
4.　保険料の前払額が￥4,000ある。

## 解答用紙

精　算　表

| 勘定科目 | 試算表 | | 修正記入 | | 損益計算書 | | 貸借対照表 | |
|---|---|---|---|---|---|---|---|---|
| | 借方 | 貸方 | 借方 | 貸方 | 借方 | 貸方 | 借方 | 貸方 |
| 現　　　金 | 41,000 | | | | | | | |
| 当座預金 | 120,000 | | | | | | | |
| 受取手形 | 65,000 | | | | | | | |
| 売　掛　金 | 110,000 | | | | | | | |
| 繰越商品 | 25,000 | | | | | | | |
| 建　　　物 | 300,000 | | | | | | | |
| 支払手形 | | 80,500 | | | | | | |
| 買　掛　金 | | 109,000 | | | | | | |
| 貸倒引当金 | | 2,500 | | | | | | |
| 減価償却累計額 | | 18,000 | | | | | | |
| 資　本　金 | | 200,000 | | | | | | |
| 繰越利益剰余金 | | 100,000 | | | | | | |
| 売　　　上 | | 470,000 | | | | | | |
| 仕　　　入 | 280,000 | | | | | | | |
| 給　　　料 | 23,000 | | | | | | | |
| 保　険　料 | 16,000 | | | | | | | |
| | 980,000 | 980,000 | | | | | | |
| 貸倒引当金繰入 | | | | | | | | |
| 減価償却費 | | | | | | | | |
| 前払保険料 | | | | | | | | |
| 当期純利益 | | | | | | | | |
| | | | | | | | | |

基本 目標 15分 解答・解説 ▶ P209 check

テキスト 第12章



# 28 精算表の推定

精算表を完成させなさい。

## 解答用紙

精　算　表

| 勘定科目 | 試算表 | | 修正記入 | | 損益計算書 | | 貸借対照表 | |
|---|---|---|---|---|---|---|---|---|
| | 借方 | 貸方 | 借方 | 貸方 | 借方 | 貸方 | 借方 | 貸方 |
| 現　　金 | 92,590 | | | | | | 92,590 | |
| 売　掛　金 | 35,000 | | | | | | 35,000 | |
| 繰越商品 | | | 7,200 | | | | | |
| 買　掛　金 | | 12,770 | | | | | | 12,770 |
| 借　入　金 | | 50,000 | | | | | | 50,000 |
| 貸倒引当金 | | | | | | | | 700 |
| 資　本　金 | | 50,000 | | | | | | 50,000 |
| 繰越利益剰余金 | | 20,000 | | | | | | 20,000 |
| 売　　上 | | 68,105 | | | | 68,105 | | |
| 仕　　入 | 51,000 | | | | 49,800 | | | |
| 給　　料 | 16,440 | | | | 16,440 | | | |
| 支払利息 | | | | | 500 | | | |
| | | | | | | | | |
| 貸倒引当金繰入 | | | | | 170 | | | |
| (　　)利息 | | | | | | | | 125 |
| 当期純利益 | | | | | | | | |
| | | | | | | | | |

基本 目標 30分 解答・解説 ▶ P212 check

# 29 帳簿の締切り・財務諸表

次の資料に基づき、当期(×2年4月1日～×3年3月31日)の(1)決算整理後残高試算表、(2)損益計算書と貸借対照表を作成しなさい。

〔資料Ⅰ〕決算整理前残高試算表

残高試算表

| 借方 | 勘定科目 | 貸方 |
|---|---|---|
| 5,300 | 現金 | |
| 106,000 | 当座預金 | |
| 61,700 | 受取手形 | |
| 75,300 | 売掛金 | |
| 11,000 | 繰越商品 | |
| 20,000 | 備品 | |
| | 支払手形 | 37,300 |
| | 買掛金 | 65,500 |
| | 貸倒引当金 | 4,600 |
| | 減価償却累計額 | 9,000 |
| | 資本金 | 100,000 |
| | 繰越利益剰余金 | 50,000 |
| | 売上 | 119,200 |
| | 受取手数料 | 4,500 |
| 89,600 | 仕入 | |
| 21,200 | 給料 | |
| 390,100 | | 390,100 |

〔資料Ⅱ〕決算整理事項

1. 受取手形と売掛金の期末残高の3％の貸倒引当金を設定する。
2. 期末商品棚卸高は¥10,700である。売上原価は仕入勘定で計算する。
3. 備品の減価償却を定額法により行う。耐用年数は8年、残存価額は取得原価の10％である。
4. 受取手数料について未収額が¥1,500ある。

## 解答用紙

(1)

決算整理後残高試算表

| 借　　方 | 勘定科目 | 貸　　方 |
|---|---|---|
| | 現　　　　金 | |
| | 当　座　預　金 | |
| | 受　取　手　形 | |
| | 売　　掛　　金 | |
| | 繰　越　商　品 | |
| | 未 収 手 数 料 | |
| | 備　　　　品 | |
| | 支　払　手　形 | |
| | 買　　掛　　金 | |
| | 貸 倒 引 当 金 | |
| | 減価償却累計額 | |
| | 資　　本　　金 | |
| | 繰越利益剰余金 | |
| | 売　　　　上 | |
| | 受 取 手 数 料 | |
| | 貸倒引当金戻入 | |
| | 仕　　　　入 | |
| | 給　　　　料 | |
| | 減 価 償 却 費 | |
| | | |

(2)

損 益 計 算 書

自×2年4月1日　至×3年3月31日

| 借　　方 | 金　　額 | 貸　　方 | 金　　額 |
|---|---|---|---|
| (　　　　) | (　　　　) | (　　　　) | (　　　　) |
| 給　　　料 | (　　　　) | 受取手数料 | (　　　　) |
| 減価償却費 | (　　　　) | 貸倒引当金戻入 | (　　　　) |
| (　　　　) | (　　　　) | | |
| | (　　　　) | | (　　　　) |

貸 借 対 照 表

×3年3月31日

| 借　　方 | 金　　額 | | 貸　　方 | 金　　額 |
|---|---|---|---|---|
| 現　　　金 | | (　　　) | 支払手形 | (　　　) |
| 当座預金 | | (　　　) | 買　掛　金 | (　　　) |
| 受取手形 | (　　　) | | 資　本　金 | (　　　) |
| 貸倒引当金 | (　　　) | (　　　) | 繰越利益剰余金 | (　　　) |
| 売　掛　金 | (　　　) | | | |
| 貸倒引当金 | (　　　) | (　　　) | | |
| 商　　　品 | | (　　　) | | |
| 未収収益 | | (　　　) | | |
| 備　　　品 | (　　　) | | | |
| 減価償却累計額 | (　　　) | (　　　) | | |
| | | (　　　) | | (　　　) |

テキスト 第13章

基 本　目標 10分　解答・解説 ▶ P218　check

解答・解説 ▶ P218

# 30 株式会社の資本



次の仕訳をしなさい。なお、使用する勘定科目は、以下の中から最も適当なものを選び、正確に記入すること。

当 座 預 金　未払配当金　資　本　金
利益準備金　繰越利益剰余金　損　　益

1.　当社は、追加の資金調達のため増資を行うことになり、新株式200株を１株あたり￥5,000で発行し、出資者からの払込金額が当座預金に振込まれた。なお、払込金額の全額を資本金とする。
2.　当社は、決算を迎え、当期純利益￥500,000を計上した。
3.　当社は、株主総会において、繰越利益剰余金(貸方残高)￥3,000,000の一部につき、以下のとおり処分する決議を行った。
株主への配当金：￥300,000　　利益準備金の積立て：￥30,000
4.　上記 3. の配当金の支払いを当座預金口座からの振込みにより行った。

## 解答用紙

| | 借方科目 | 金　額 | 貸方科目 | 金　額 |
|---|---|---|---|---|
| 1 | | | | |
| 2 | | | | |
| 3 | | | | |
| 4 | | | | |

基本 目標 10分 解答・解説 ▶ P220 check

# 31 主要簿

次の取引を仕訳し、勘定に転記しなさい。

9月15日　東京商会は、横浜商店から商品￥50,000を仕入れ、代金のうち￥10,000は現金で支払い、残額は掛とした。

## 解答用紙

仕　訳　帳　　　　1

| ×年 | | 摘　　要 | 元丁 | 借　方 | 貸　方 |
|---|---|---|---|---|---|
| | | | | | |
| | | | | | |
| | | | | | |
| | | 横浜商店より仕入れ | | | |

総勘定元帳

現　　金　　　　1

| ×年 | | 摘　要 | 仕丁 | 金額 | ×年 | | 摘　要 | 仕丁 | 金額 |
|---|---|---|---|---|---|---|---|---|---|
| | | | | | | | | | |

買 掛 金　　　　5

| ×年 | | 摘　要 | 仕丁 | 金額 | ×年 | | 摘　要 | 仕丁 | 金額 |
|---|---|---|---|---|---|---|---|---|---|
| | | | | | | | | | |

仕　　入　　　　9

| ×年 | | 摘　要 | 仕丁 | 金額 | ×年 | | 摘　要 | 仕丁 | 金額 |
|---|---|---|---|---|---|---|---|---|---|
| | | | | | | | | | |

基本　目標 10分　解答・解説 ▶ P223　check

テキスト 第14章

# 32 小口現金出納帳

次の取引を小口現金出納帳に記入しなさい。なお、当店は当月より定額資金前渡制度(インプレスト・システム)を採用しており、小口現金係は毎週月曜日に小切手により補給を受ける。

| | | |
|---|---|---|
| 4月2日(月) | ガス代 | ¥2,000 |
| 4月3日(火) | バス回数券代 | ¥1,500 |
| 4月4日(水) | コピー用紙代 | ¥2,000 |
| 4月5日(木) | インターネット代 | ¥3,800 |
| 4月6日(金) | お茶代 | ¥3,000 |



## 解答用紙

小口現金出納帳

| 受入金額 | ×年 | | 摘　　要 | 支払金額 | 支払内訳 | | | | |
|---|---|---|---|---|---|---|---|---|---|
| | | | | | 通信費 | 交通費 | 消耗品費 | 光熱費 | 雑　費 |
| 30,000 | 4 | 2 | 受　入　れ | | | | | | |
| | | | | | | | | | |
| | | | | | | | | | |
| | | | | | | | | | |
| | | | | | | | | | |
| | | | | | | | | | |
| | | | 合　　計 | | | | | | |
| | | 6 | 次週繰越 | | | | | | |
| | | | | | | | | | |

基本 目標 15分 解答・解説 ▶P224 check

テキスト 第14章

# 33 商品有高帳

次の取引を(1)先入先出法、(2)移動平均法で商品有高帳に記入しなさい(締切不要)。

4月6日　商品20個を@¥155で仕入れた。
4月10日　商品25個を売上げた。
4月18日　商品15個を@¥160で仕入れた。
4月25日　商品10個を売上げた。

## 解答用紙

(1)　先入先出法

商品有高帳

| 日付 | | 摘　要 | 受入高 | | | 払出高 | | | 残高 | | |
|---|---|---|---|---|---|---|---|---|---|---|---|
| | | | 数量 | 単価 | 金額 | 数量 | 単価 | 金額 | 数量 | 単価 | 金額 |
| 4 | 1 | 前月繰越 | 30 | 150 | 4,500 | | | | 30 | 150 | 4,500 |
| | | | | | | | | | | | |
| | | | | | | | | | | | |
| | | | | | | | | | | | |
| | | | | | | | | | | | |
| | | | | | | | | | | | |
| | | | | | | | | | | | |
| | | | | | | | | | | | |
| | | | | | | | | | | | |
| | | | | | | | | | | | |

(2)　移動平均法

商品有高帳

| 日付 | | 摘　要 | 受入高 | | | 払出高 | | | 残高 | | |
|---|---|---|---|---|---|---|---|---|---|---|---|
| | | | 数量 | 単価 | 金額 | 数量 | 単価 | 金額 | 数量 | 単価 | 金額 |
| 4 | 1 | 前月繰越 | 30 | 150 | 4,500 | | | | 30 | 150 | 4,500 |
| | | | | | | | | | | | |
| | | | | | | | | | | | |
| | | | | | | | | | | | |
| | | | | | | | | | | | |

基本　目標 10分　解答・解説 ▶P227　check

テキスト 第14章

# 34 仕入帳

次の取引に基づいて、(　　　)内に適切な記入を行い、仕入帳を完成させなさい。

5月6日　中野商店から電卓を100台(@¥1,000)仕入れ、代金は掛とした。
5月8日　中野商店から仕入れた電卓の中に品違いがあり、20台返品し、買掛金から差引くこととした。
5月23日　荻窪商店から電卓を150台(@¥1,200)仕入れ、代金は現金で支払った。



## 解答用紙

仕　　入　　帳

| ×年 | | 摘　　要 | | 内　訳 | 金　額 |
|---|---|---|---|---|---|
| 5 | 6 | 中野商店 | 掛 | | |
| | | 電　卓　(　　)台　@¥　(　　　) | | | (　　　) |
| | 8 | 中野商店 | 掛戻し | | |
| | | 電　卓　(　　)台　@¥　(　　　) | | | (　　　) |
| | 23 | 荻窪商店 | 現金 | | |
| | | 電　卓　(　　)台　@¥　(　　　) | | | (　　　) |
| | 31 | (　　　　) | | | (　　　) |
| | 〃 | 仕入戻し高 | | | (　　　) |
| | 〃 | (　　　　) | | | (　　　) |

基本 目標 10分 解答・解説 ▶ P228 check

テキスト 第14章

# 35 売掛金元帳

次の取引に基づいて、売掛金元帳へ記入し、締切りなさい。なお、摘要欄への記入は〔語群〕から選択すること。

6月3日　東京商店に商品¥100,000を売渡し、代金は掛とした。
6月6日　東京商店より3日に販売した商品¥10,000分が品違いのため返品された。
6月11日　東京商店に商品¥130,000を売渡し、代金は東京商店振出しの約束手形で受取った。
6月17日　東京商店より売掛金の回収として、得意先振出しの小切手¥70,000を受取った。
6月21日　東京商店より売掛金の回収として、現金¥50,000を受取った。

〔語群〕　掛売上　手形売上　売上返品
　　　　　掛代金回収　前月繰越　次月繰越

## 解答用紙

売掛金元帳
東京商店

| 日付 | | 摘要 | 借方 | 貸方 | 借／貸 | 残高 |
|---|---|---|---|---|---|---|
| 6 | 1 | 前月繰越 | 80,000 | | 借 | |
| | | | | | | |
| | | | | | | |
| | | | | | | |
| | | | | | | |
| | | | | | | |
| | | | | | | |
| | | | | | | |

基　本　目標 10分　解答・解説 ▶ P229　check

# 36 伝票１

テキスト 第15章

次の取引を３伝票制により起票しなさい。

１月20日　手付金￥43,000を現金で受取った。
２月27日　保険料￥12,000を現金で支払った。
３月12日　商品￥50,000を仕入れ、代金は掛とした。
４月18日　商品￥70,000を売上げ、代金は掛とした。



## 解答用紙

＿＿＿伝　票
×年１月20日

| 科　目 | 金　額 |
|---|---|
| | |

＿＿＿伝　票
×年２月27日

| 科　目 | 金　額 |
|---|---|
| | |

＿＿＿伝　票
×年３月12日

| 借方科目 | 金　額 | 貸方科目 | 金　額 |
|---|---|---|---|
| | | | |

＿＿＿伝　票
×年４月18日

| 借方科目 | 金　額 | 貸方科目 | 金　額 |
|---|---|---|---|
| | | | |

基本 目標 10分 解答・解説 ▶P231 check

テキスト 第15章

# 37 伝票2

**次の取引を1および2の方法で起票しなさい。**

商品￥85,000を売上げ、代金のうち￥23,000は現金で受取り、残額は掛とした。

1. 3伝票制によって、いったん全額を掛で売上げたものとみなして起票する方法
2. 3伝票制によって、取引を現金売上取引と掛売上取引に分解して起票する方法

## 解答用紙

1.

| 入　金　伝　票<br>×年×月×日 | |
|---|---|
| 科　目 | 金　額 |
| | |

| 振　替　伝　票<br>×年×月×日 | | | |
|---|---|---|---|
| 借方科目 | 金　額 | 貸方科目 | 金　額 |
| | | | |

2.

| 入　金　伝　票<br>×年×月×日 | |
|---|---|
| 科　目 | 金　額 |
| | |

| 振　替　伝　票<br>×年×月×日 | | | |
|---|---|---|---|
| 借方科目 | 金　額 | 貸方科目 | 金　額 |
| | | | |

基本 目標 20分 解答・解説 ▶ P234 check

# 38 伝票の集計・転記

当社は、毎日の取引を入金伝票、出金伝票、振替伝票に記入し、これを１日分ずつ集計して仕訳日計表を作成している。総勘定元帳への転記は、仕訳日計表から行っている。また、仕入先元帳と得意先元帳も作成している。そこで、次の×2年4月1日に起票した伝票に基づいて仕訳日計表を作成するとともに、解答用紙に示した各勘定へ転記をしなさい。なお、当社の得意先は、埼玉商店および山梨商店のみである。

< ×2 年 4 月 1 日に起票した伝票 >

入金伝票 No.101
(当座預金) 2,000

入金伝票 No.102
(売 掛 金) 埼玉商店 2,500

出金伝票 No.201
(当座預金) 3,500

出金伝票 No.202
(買 掛 金) 千葉商店 1,300

振替伝票 No.301
(仕　　入) 1,600
　(買 掛 金) 千葉商店 1,600

振替伝票 No.302
(仕　　入) 1,800
　(買 掛 金) 東京商店 1,800

振替伝票 No.303
(買 掛 金) 東京商店 200
　(仕　　入) 200

振替伝票 No.304
(売 掛 金) 埼玉商店 2,000
　(売　　上) 2,000

振替伝票 No.305
(売 掛 金) 山梨商店 2,400
　(売　　上) 2,400

振替伝票 No.306
(売　　上) 300
　(売 掛 金) 埼玉商店 300

## 解答用紙

仕訳日計表

×2年4月1日　　10

| 借　方 | 元丁 | 勘定科目 | 元丁 | 貸　方 |
|---|---|---|---|---|
| | | 現　　　金 | | |
| | | 当座預金 | | |
| | | 売　掛　金 | | |
| | | 買　掛　金 | | |
| | | 売　　　上 | | |
| | | 仕　　　入 | | |
| | | | | |

総勘定元帳

現　　金　　1

| ×2年 | | 摘　要 | 仕丁 | 借　方 | 貸　方 | 借/貸 | 残　高 |
|---|---|---|---|---|---|---|---|
| 4 | 1 | 前期繰越 | ✓ | 4,000 | | 借 | 4,000 |
| | | | | | | | |
| | | | | | | | |

売　掛　金　　3

| ×2年 | | 摘　要 | 仕丁 | 借　方 | 貸　方 | 借/貸 | 残　高 |
|---|---|---|---|---|---|---|---|
| 4 | 1 | 前期繰越 | ✓ | 5,000 | | 借 | 5,000 |
| | | | | | | | |
| | | | | | | | |

売　　上　　5

| ×2年 | | 摘　要 | 仕丁 | 借　方 | 貸　方 | 借/貸 | 残　高 |
|---|---|---|---|---|---|---|---|
| | | | | | | | |
| | | | | | | | |

15 章

得意先元帳

埼玉商店

| ×2年 | | 摘要 | 仕丁 | 借方 | 貸方 | 借/貸 | 残高 |
|---|---|---|---|---|---|---|---|
| 4 | 1 | 前期繰越 | ✓ | 4,000 | | 借 | 4,000 |
| | | | | | | | |
| | | | | | | | |
| | | | | | | | |

山梨商店

| ×2年 | | 摘要 | 仕丁 | 借方 | 貸方 | 借/貸 | 残高 |
|---|---|---|---|---|---|---|---|
| 4 | 1 | 前期繰越 | ✓ | 1,000 | | 借 | 1,000 |
| | | | | | | | |

基本　目標 10分　解答・解説 ▶P238　check

テキスト 第16章

# 39 証ひょうの見方

次の各証ひょうに基づいて、株式会社Ｌ商事で必要な仕訳をしなさい。なお、使用する勘定科目は、以下の中から最も適当なものを選び、正確に記入すること。

| | | | |
|---|---|---|---|
| 現金 | 当座預金 | 売掛金 | 仮払消費税 |
| 備品 | 買掛金 | 未払金 | 仮受消費税 |
| 売上 | 仕入 | 消耗品費 | 発送費 |

1.　事務用物品を購入し、次の請求書を受取り、代金は後日支払うこととした。

請求書

株式会社Ｌ商事　様

株式会社東京商会

| 品　物 | 数量 | 単価 | 金額 |
|---|---|---|---|
| コピー用紙 | 12 | 300 | ¥　3,600 |
| プリンター用トナー | 4 | 7,000 | ¥　28,000 |
| 送料 | － | － | ¥　800 |
| | 合計 | | ¥　32,400 |

X3 年 9 月30日までに合計額を下記口座へお振込み下さい。
A信用金庫東京支店　当座　0123456　カ）トウキョウショウカイ

16章

2. 商品を売上げ、次の納品書兼請求書の原本を発送し、代金の全額を掛けとした。

納品書兼請求書（控）

株式会社Kマート　様

株式会社L商事

| 品　物 | 数量 | 単価 | 金額 |
|---|---|---|---|
| お徳用ラーメンセット | 300 | 400 | ¥ 120,000 |
| 野菜たっぷりラーメンセット | 200 | 750 | ¥ 150,000 |
| | 消費税（軽減） | | ¥ 21,600 |
| | 合計 | | ¥ 291,600 |

X3 年 9 月30日までに合計額を下記口座へお振込み下さい。
B銀行多摩支店　普通　9876543　カ）エルショウジ

## 解答用紙

| | 借方科目 | 金　額 | 貸方科目 | 金　額 |
|---|---|---|---|---|
| 1 | | | | |
| 2 | | | | |

# 問 題 編

## 応用

問題編〈応用〉には、本試験の出題形式に合わせて問題を掲載しました。「日商簿記３級光速マスターNEO　テキスト」と本書の問題編〈基本〉を使っての学習が終わったら、問題編〈応用〉の問題を解きましょう。問題ごとに重要度と目標時間が示してあるので、より本試験を意識した実践的な練習を積むことができます。問題編〈応用〉に掲載した37題を解くことで、本試験レベルの問題に対応できる力を養います。

応用　目標 20分　解答・解説 ▶ P239　check

# 40 仕訳問題１

次の取引を仕訳しなさい。ただし、勘定科目は、次の中から最も適当と思われるものを選び、正確に記入すること。

| | | | |
|---|---|---|---|
| 現金 | 当座預金 | 普通預金 | 受取手形 |
| 売掛金 | 未収入金 | 前払金 | 受取商品券 |
| 貯蔵品 | 支払手形 | 買掛金 | 未払金 |
| 前受金 | 借入金 | 当座借越 | 貸倒引当金 |
| 売上 | 仕入 | 発送費 | 支払手数料 |
| 消耗品費 | 貸倒引当金繰入 | 通信費 | 貸倒損失 |

1. 以前、取引先に内金を支払い注文していた商品￥200,000が手許に届いた。なお、内金は代金の３割相当額であり、小切手を振出して支払済みである。また、残額は翌月に支払うこととした。なお、引取運賃￥2,000を現金で支払っている。
2. 得意先に商品￥900,000を売渡し、代金のうち￥100,000はすでに受取っていた手付金と相殺し、残額は掛けとした。なお、先方負担の発送費￥5,000は運送会社へ翌月末に支払うこととし、得意先からは掛け代金に含めて受取ることとした。
3. 文房具店を営んでいる当社は、販売用文房具￥200,000及び事務用文房具￥30,000を購入し、代金は、すべて翌月に普通預金からの振込みにより支払うこととした。
4. 商品￥550,000を売上げ、先方負担の発送費を含めた金額を掛けとした。なお、発送費￥6,000を普通預金から支払ったが、当社と得意先とで半額ずつ負担することとした。
5. 商品￥25,000を売渡し、代金は当社も加盟している商店街で使用できる共通商品券で受取った。
6. 得意先が倒産し、前期発生の売掛金￥120,000と当期発生の売掛金￥80,000が貸倒れたので処理を行う。なお、貸倒引当金残高は￥150,000である。

## 解答用紙

| | 借方科目 | 金　額 | 貸方科目 | 金　額 |
|---|---|---|---|---|
| 1 | | | | |
| 2 | | | | |
| 3 | | | | |
| 4 | | | | |
| 5 | | | | |
| 6 | | | | |

応用　目標 20分 解答・解説 ▶ P241

check

# 41 仕訳問題２



**次の取引を仕訳しなさい。ただし、勘定科目は、次の中から最も適当と思われるものを選び、正確に記入すること。なお、４～６については消費税を考慮することとし、税抜方式で処理すること。**

| | | | |
|---|---|---|---|
| 現金 | 当座預金 | 普通預金 | 受取手形 |
| 売掛金 | クレジット売掛金 | 電子記録債権 | 仮払消費税 |
| 未収入金 | 支払手形 | 買掛金 | 電子記録債務 |
| 仮受消費税 | 未払金 | 借入金 | 資本金 |
| 繰越利益剰余金 | 売上 | 受取手数料 | 雑益 |
| 仕入 | 支払手数料 | 租税公課 | 雑損 |

1. 得意先青森株式会社に対する売掛金￥300,000につき、青森株式会社の了承を得て取引銀行を通じて発生記録の請求を行い、電子記録に関する債権が発生した。
2. 仕入先に対する買掛金￥350,000の支払いを電子債権記録機関で行うため、取引銀行を通じて発生記録の請求を行い、電子記録債権に関する債務が生じた。
3. 商品￥200,000をクレジット払いの条件で販売した。なお、信販会社への手数料（販売代金の４％）は販売時に計上する。
4. 商品￥300,000（税抜価格）を仕入れ、代金は掛けとした。なお、消費税の税率は８％（軽減税率）とする。
5. 商品￥550,000（うち、消費税￥50,000）を売上げ、代金のうち￥350,000は得意先振出の約束手形で受取り、残額￥200,000は掛けとした。
6. 商品￥165,000（税込価格）をクレジット払いの条件で販売した。信販会社に対するクレジット手数料はクレジット決済額に対して４％であり、販売時に計上する。なお、消費税の税率は10％とし、クレジット手数料には消費税は課税されない。

## 解答用紙

| | 借方科目 | 金　　額 | 貸方科目 | 金　　額 |
|---|---|---|---|---|
| 1 | | | | |
| 2 | | | | |
| 3 | | | | |
| 4 | | | | |
| 5 | | | | |
| 6 | | | | |

重要度 A

応用 目標 20分  解答・解説 ▶ P243 check

# 42 仕訳問題３

次の取引を仕訳しなさい。ただし、勘定科目は、次の中から最も適当と思われるものを選び、正確に記入すること。

| | | | |
|---|---|---|---|
| 現金 | 当座預金 | 普通預金 | 受取手形 |
| 売掛金 | 支払手形 | 買掛金 | 借入金 |
| 仮受金 | 資本金 | 繰越利益剰余金 | 売上 |
| 受取手数料 | 受取利息 | 雑益 | 水道光熱費 |
| 租税公課 | 消耗品費 | 旅費交通費 | 通信費 |
| 支払手数料 | 雑費 | 雑損 | 現金過不足 |

1. 送金小切手￥400,000が得意先より送られてきたが、現時点において、その内容は不明である。
2. 月末となり金庫の実査を行ったところ、硬貨・紙幣￥74,300、得意先振出の小切手￥120,000、当社振出の小切手￥210,000、収入印紙￥8,000が保管されていた。これに対して、現金出納帳の残高は￥196,000であったので、原因を調査することとした。
3. 期中に現金の実際有高が帳簿残高に対して￥7,700超過していたため、適切に処理した上で、原因を調査していた。本日、期末となり、収入印紙￥2,000の購入及び売掛金の回収￥8,300が未記帳であったことが判明したが、残額については原因が不明のため、雑益又は雑損とすることとした。
4. 本日、期末を迎え、現金の実査を行ったところ、帳簿残高￥246,300に対して、実際有高は￥245,600であった。原因を調査したところ、事務用文房具代￥3,300の支払いと手数料の受取り￥4,000が未記帳であったことが判明した。残額については、原因不明のため、適切に処理することとした。
5. 週末となり、小口現金係から以下の報告を受け、ただちに同額の小切手を振出して補給した。なお、当社は定額資金前渡制度を採用している。

   封筒代：￥2,500　切手代：￥2,400　コピー用紙：￥2,000　お茶代￥800
6. 売掛金￥900,000がA銀行の当座預金口座に振込まれた。なお、振込金額は、当社が負担することとなっている振込手数料￥800が差引かれた残額である。

## 解答用紙

| | 借方科目 | 金　額 | 貸方科目 | 金　額 |
|---|---|---|---|---|
| 1 | | | | |
| 2 | | | | |
| 3 | | | | |
| 4 | | | | |
| 5 | | | | |
| 6 | | | | |

応用　目標 20分　解答・解説 ▶ P245　check

# 43 仕訳問題４



次の取引を仕訳しなさい。ただし、勘定科目は、次の中から最も適当と思われるものを選び、正確に記入すること。

| | | | |
|---|---|---|---|
| 現　　金 | 当座預金 | 普通預金 | 受取手形 |
| 売　掛　金 | 電子記録債権 | 仮　払　金 | 仮払消費税 |
| 仮払法人税等 | 役員貸付金 | 立　替　金 | 買　掛　金 |
| 預　り　金 | 仮受消費税 | 未払消費税 | 未払法人税等 |
| 売　　上 | 受取手数料 | 受取利息 | 旅費交通費 |
| 給　　料 | 法定福利費 | 租税公課 | 法人税等 |

1. 当社は、Ａ氏(当社の取締役)に対して￥3,000,000資金の貸付けを行うことなり、普通預金口座からＡ氏の普通預金口座へ振込んだ。貸付条件は、貸付期間１年、利率は年２％とし、返済期日に元金と利息をともに受取ることとした。なお、当社は、役員に対する貸付けについては、内容を明示する勘定を用いている。
2. 営業担当者のために、公共交通機関の料金支払用ＩＣカードに現金￥5,000を入金し、領収書の発行を受けていたが、本日、利用履歴の提出を受け、バス代・電車賃の合計が￥4,200であったので処理する。なお、当社は、入金時に全額を仮払金で処理しておき、利用履歴に基づき適切な勘定へ振替える方法を採用している。
3. ８月25日、給料￥1,500,000の支払いにあたり、源泉所得税￥60,000、健康保険・厚生年金の保険料(従業員負担分) ￥225,000及び会社側が立替払いしている雇用保険の保険料(従業員負担分) ￥4,500を控除した残額を、各従業員の銀行口座へ当座預金口座から振込んで支払った。
4. ８月31日、７月分の健康保険・厚生年金の保険料の納付期日となり、従業員負担分￥225,000及び会社負担分￥225,000の合計額が、当座預金口座から引落された。なお、当社は、納付時に会社負担分を費用計上している。
5. 決算にあたり消費税額を計算する。なお、消費税について税抜方式で処理しており、仮払消費税は￥640,000、仮受消費税は￥850,000であった。
6. 決算において、税引前当期純利益￥600,000に対して30％の法人税等を計上する。なお、法人税等の中間申告分￥80,000は納期限内に現金で納付している。

## 解答用紙

| | 借方科目 | 金　　額 | 貸方科目 | 金　　額 |
|---|---|---|---|---|
| 1 | | | | |
| 2 | | | | |
| 3 | | | | |
| 4 | | | | |
| 5 | | | | |
| 6 | | | | |

応用　目標 20分　解答・解説 ▶ P248　check

# 44 仕訳問題5

**次の取引を仕訳しなさい。ただし、勘定科目は、次の中から最も適当と思われるものを選び、正確に記入すること。**

| | | | |
|---|---|---|---|
| 現金 | 当座預金 | 普通預金 | 受取手形 |
| 売掛金 | 未収入金 | 差入保証金 | 備品 |
| 建物 | 車両 | 土地 | 減価償却累計額 |
| 支払手形 | 買掛金 | 未払金 | 売上 |
| 受取手数料 | 固定資産売却益 | 仕入 | 支払手数料 |
| 減価償却費 | 支払家賃 | 修繕費 | 固定資産売却損 |

1. 新店舗兼事務所用に賃借契約を結んだ。契約にあたり、初月の家賃￥350,000、敷金(家賃３ヵ月分)及び不動産業者に対する仲介手数料(家賃１ヵ月分)の合計を当座預金口座から、不動産業者の指定する銀行口座へ振込んで支払った。
2. 店舗及び駐車場用として、土地600㎡を１㎡あたり￥45,000で取得した。購入手数料￥810,000及び土地の整地費用￥500,000は普通預金口座から支払い、土地代金は翌月に支払うこととした。
3. １台あたり￥400,000のパソコンを当店で使用する目的で10台購入し、代金のうち３割は小切手を振出して支払い、残額は翌月末に支払うこととした。なお、搬送・設置費用￥300,000は普通預金口座から支払った。
4. 建物の修繕を行い、修繕代金￥8,000,000を普通預金口座から支払った。修繕代金のうち￥6,000,000は建物の資産価値を増加させる資本的支出であり、残額は建物の現状維持のための収益的支出である。
5. 不用となった業務用パソコン(取得日：×2年４月１日、取得原価：￥300,000、耐用年数：５年、残存価額：ゼロ、償却方法：定額法、記帳方法：間接法)を×6年４月１日に￥90,000で売却し、代金は翌月末に受取ることとした。なお、当社の会計期間は１年、決算日は毎年３月31日とする。
6. 配送用トラック(取得日：×1年７月１日、取得原価：￥3,600,000、耐用年数：６年、残存価額：ゼロ、償却方法：定額法、記帳方法：間接法)を×5年11月30日に￥1,150,000で売却し、代金は翌月末に受取ることとした。なお、当社の会計期間は１年、決算日は毎年３月31日とする。

## 解答用紙

| | 借方科目 | 金　　額 | 貸方科目 | 金　　額 |
|---|---|---|---|---|
| 1 | | | | |
| 2 | | | | |
| 3 | | | | |
| 4 | | | | |
| 5 | | | | |
| 6 | | | | |

重要度 A

応用 目標 20分 解答・解説 ▶ P251 check

# 45 仕訳問題６

次の取引を仕訳しなさい。ただし、勘定科目は、次の中から最も適当と思われるものを選び、正確に記入すること。

| | | | |
|---|---|---|---|
| 現金 | 当座預金 | 普通預金 | 受取手形 |
| クレジット売掛金 | 貯蔵品 | 仮払消費税 | 未収利息 |
| 買掛金 | 未払配当金 | 仮受消費税 | 未払消費税 |
| 資本金 | 利益準備金 | 繰越利益剰余金 | 損益 |
| 売上 | 受取手数料 | 受取利息 | 消耗品費 |
| 支払手数料 | 通信費 | 租税公課 | 支払利息 |

1. 本日の店舗売上の仕訳を行うにあたり、集計結果は次のとおりであり、合計額のうち￥43,200は現金、残額はクレジットカードによる決済であった。なお、当社は、消費税の記帳方法として税抜方式を採用している。

売上集計表

X3年6月10日

| 品　物 | 数量 | 単価 | 金額 |
|---|---|---|---|
| 商品A | 100 | 250 | ￥　25,000 |
| 商品B | 200 | 450 | ￥　90,000 |
| | 消費税 | | ￥　9,200 |
| | 合計 | | ￥ 124,200 |

2. 当社は、増資を行うことになり、新株式400株を１株あたり￥2,500で発行し、払込金額が当座預金に振込まれた。なお、払込金額の全額を資本金とする。
3. 当社は、株主総会において、繰越利益剰余金（貸方残高）￥6,000,000の一部につき、以下のとおり処分する決議を行った。

   株主への配当金：￥400,000　　利益準備金の積立て：￥40,000
4. 前期末に未使用の収入印紙が￥15,000あったため、費用の勘定から資産の勘定へ振替える処理を行っていたので、当期首において再振替仕訳を行った。
5. 受取利息につき、当期の受取高は￥24,000、決算日における未収高は￥12,000であったので、受取利息勘定の決算整理後残高を損益勘定に振替えた。

6. 損益勘定の残高を繰越利益剰余金勘定へ振替えた。なお、当期の収益総額は￥6,450,000、費用総額は￥6,800,000とする。

## 解答用紙

| | 借方科目 | 金　額 | 貸方科目 | 金　額 |
|---|---|---|---|---|
| 1 | | | | |
| 2 | | | | |
| 3 | | | | |
| 4 | | | | |
| 5 | | | | |
| 6 | | | | |

応用　目標 50分　解答・解説 ▶ P254　check

# 46 月中取引高



次の資料にもとづいて、答案用紙のＸ２年10月31日の残高試算表を作成しなさい。なお、取引銀行とは借越限度額を￥500,000とする当座借越契約を結んでいる。

〔資料〕×２年10月中の取引

1日　営業担当の従業員のために、公共交通機関の料金支払用ＩＣカードに現金￥10,000を入金していたが、本日、従業員から利用履歴の提出を受け、電車賃￥10,000の利用が確認されたので、適切に処理した。なお、当社は、入金時に仮払金で処理し、利用時に適切な勘定に振替えている。

3日　かねて振り出していた約束手形￥70,000の代金が当座預金口座から引き落とされた。

8日　商品￥125,000を仕入れ、代金のうち￥25,000は注文時に支払った手付金と相殺し、残額は掛けとした。

9日　8日に仕入れた商品のうち一部￥5,000の返品をした。返品額は掛代金から差引くものとする。

11日　商品￥350,000を売り上げ、代金は掛けとした。

12日　商品￥180,000を仕入れ、約束手形を振り出した。なお、当店負担の引取運賃￥2,000は現金で支払った。

15日　商品￥124,000を売り上げ、当社宛の約束手形を受け取った。

17日　買掛金￥90,000を当座預金口座から支払った。

20日　給料￥215,000について、従業員負担の社会保険料￥20,000差し引いた手取り額を当座預金口座から支払った。

21日　水道光熱費￥22,000と電話料金￥9,000が当座預金口座から引き落とされた。

22日　売掛金￥470,000が当座預金口座に振込まれた。

25日　借入金にかかる利息￥7,500が当座預金口座から引き落とされた。

27日　切手￥2,000を購入し、代金は現金で支払った。なお、この切手はすぐに使用した。

28日　商品￥120,000の注文を受け、手付金として現金￥100,000を受取った。

30日　社会保険料預り金￥20,000（従業員の負担額）について、会社負担額（従業員の負担額と同額とする）を加えて現金で納付した。

31日　建物について、当月分の減価償却費￥4,000を計上した。

## 解答用紙

試算表

| 借方 | | | 勘定科目 | 貸方 | | |
|---|---|---|---|---|---|---|
| 10月31日の残高 | 10月中の取引高 | 10月1日の合計 | | 10月1日の合計 | 10月中の取引高 | 10月31日の残高 |
| | | 719,500 | 現金 | 226,500 | | |
| | | 846,000 | 当座預金 | 395,000 | | |
| | | 789,400 | 受取手形 | 375,400 | | |
| | | 1,325,000 | 売掛金 | 555,000 | | |
| | | 233,000 | 繰越商品 | | | |
| | | 39,400 | 前払金 | 14,400 | | |
| | | 10,000 | 仮払金 | | | |
| | | 1,200,000 | 建物 | | | |
| | | 150,000 | 支払手形 | 785,000 | | |
| | | 335,000 | 買掛金 | 975,000 | | |
| | | | 前受金 | | | |
| | | | 社会保険料預り金 | 15,000 | | |
| | | | 借入金 | 280,000 | | |
| | | | 貸倒引当金 | 12,000 | | |
| | | | 建物減価償却累計額 | 496,000 | | |
| | | | 資本金 | 1,000,000 | | |
| | | | 繰越利益剰余金 | 215,000 | | |
| | | | 売上 | 3,000,000 | | |
| | | 1,214,600 | 仕入 | 4,600 | | |
| | | 900,000 | 給料 | | | |
| | | 77,600 | 旅費交通費 | | | |
| | | 244,000 | 広告宣伝費 | | | |
| | | 108,000 | 水道光熱費 | | | |
| | | 50,000 | 通信費 | | | |
| | | 60,000 | 法定福利費 | | | |
| | | 16,000 | 減価償却費 | | | |
| | | 14,000 | 租税公課 | | | |
| | | 17,400 | 支払利息 | | | |
| | | 8,348,900 | | 8,348,900 | | |

応用 目標 50分 解答・解説 ▶ P257 check

# 47 掛明細表



次の資料に基づき、解答用紙の合計残高試算表と掛明細表を作成しなさい。

〔資料〕10月中の取引

1. 現金の受取りに関する取引
   (1) 内金の受取り ￥5,000
2. 現金の支払いに関する取引
   (1) 給料の支払い ￥47,300（源泉所得税￥2,700控除後の金額）
3. 商品の仕入に関する取引
   (1) 小切手の振出による仕入高 ￥15,000
   (2) 掛仕入高（東京商店￥31,000、横浜商店￥25,000、千葉商店￥27,000）
   (3) 約束手形の振出による仕入高 ￥20,000
   (4) 電子記録債務による仕入高 ￥10,000
   (5) 掛仕入のうち戻し高（東京商店￥1,500、千葉商店￥500）
4. 商品の売上に関する取引
   (1) 得意先振出の小切手の受取りによる売上高（ただちに当座預金へ預入れ）
   ￥25,000
   (2) 掛売上高（大阪商店￥47,000、神戸商店￥33,000、京都商店￥60,000）
   (3) 得意先振出の約束手形の受取りによる売上高 ￥50,000
   (4) 内金による売上高 ￥4,500
   (5) 掛売上のうち戻り高（神戸商店￥1,000、京都商店￥2,500）
5. 当座預金への預入れに関する取引（上記4を除く）
   (1) 売掛金の回収（大阪商店￥25,000、京都商店￥10,000）
   (2) 手形代金の回収 ￥20,000
   (3) 電子記録債権の回収 ￥20,000
6. 当座預金からの引落しに関する取引（上記3を除く）
   (1) 買掛金の支払い（東京商店￥12,000、横浜商店￥8,000）
   (2) 手形代金の支払い ￥30,000

## 解答用紙

合計残高試算表

| 借方 | | | 勘定科目 | 貸方 | | |
|---|---|---|---|---|---|---|
| 10月31日の残高 | 10月31日の合計 | 10月１日の合計 | | 10月１日の合計 | 10月31日の合計 | 10月31日の残高 |
| | | 151,900 | 現金 | 23,600 | | |
| | | 116,000 | 当座預金 | 93,000 | | |
| | | 45,300 | 受取手形 | 21,300 | | |
| | | 96,500 | 売掛金 | 83,500 | | |
| | | 23,000 | 電子記録債権 | 2,000 | | |
| | | 3,000 | 繰越商品 | | | |
| | | 46,100 | 支払手形 | 76,100 | | |
| | | 69,200 | 買掛金 | 82,900 | | |
| | | | 電子記録債務 | 30,000 | | |
| | | | 前受金 | 4,500 | | |
| | | | 預り金 | 1,800 | | |
| | | | 資本金 | 70,000 | | |
| | | | 繰越利益余剰金 | 30,000 | | |
| | | 3,500 | 売上 | 207,000 | | |
| | | 126,000 | 仕入 | 2,800 | | |
| | | 48,000 | 給料 | | | |
| | | 728,500 | | 728,500 | | |

売掛金明細表

| | 10月１日 | 10月31日 |
|---|---|---|
| 大阪商店 | 4,900 | (　　) |
| 神戸商店 | 3,000 | (　　) |
| 京都商店 | 5,100 | (　　) |
| | 13,000 | (　　) |

買掛金明細表

| | 10月１日 | 10月31日 |
|---|---|---|
| 東京商店 | 5,200 | (　　) |
| 横浜商店 | 3,900 | (　　) |
| 千葉商店 | 4,600 | (　　) |
| | 13,700 | (　　) |

重要度 C

応 用 目標 40分 解答・解説 ▶ P261 check

# 48 二重仕訳

**次の資料に基づき、解答用紙の合計試算表を作成しなさい。**

〔資料〕3月中の取引

1. 現金の受取りに関する取引
   (1) 商品の売上高　¥9,000
   (2) 手数料の受取り　¥6,000
2. 現金の支払いに関する取引
   (1) 商品の仕入高　¥7,000
   (2) 給料の支払い　¥39,000（源泉所得税¥3,200控除後の金額）
3. 商品の仕入に関する取引
   (1) 現金による仕入高　¥7,000
   (2) 小切手の振出による仕入高　¥15,000
   (3) 掛仕入高　¥45,000（うち戻し高¥3,000）
   (4) 約束手形の振出による仕入高　¥18,000
4. 商品の売上に関する取引
   (1) 得意先振出の小切手の受取りによる売上高　¥9,000
   (2) 得意先振出の小切手の受取りによる売上高（ただちに当座預金へ預入れ）¥20,000
   (3) 掛売上高　¥60,000（うち戻り高¥4,500）
   (4) 約束手形の受取りによる売上高　¥10,000
   (5) 内金による売上高　¥1,500
5. 当座預金への預入れに関する取引
   (1) 商品の売上高　¥20,000
   (2) 手形代金の入金　¥30,000
   (3) 売掛金の入金　¥10,000
6. 当座預金からの引落しに関する取引
   (1) 商品の仕入高　¥15,000
   (2) 買掛金の支払い　¥18,000
   (3) 手形代金の支払い　¥20,000

7. その他の取引

(1) 仕入先宛の約束手形の振出による買掛金の支払い　¥30,000

**解答用紙**

合　計　試　算　表

| 借方 | | 勘定科目 | 貸方 | |
|---|---|---|---|---|
| 3月31日の合計 | 3月1日の合計 | | 3月1日の合計 | 3月31日の合計 |
| | 69,500 | 現金 | 2,800 | |
| | 76,500 | 当座預金 | 12,000 | |
| | 50,000 | 受取手形 | 20,000 | |
| | 80,000 | 売掛金 | 20,000 | |
| | 7,000 | 繰越商品 | | |
| | 20,000 | 支払手形 | 55,000 | |
| | 13,000 | 買掛金 | 78,000 | |
| | 5,000 | 前受金 | 6,500 | |
| | 3,000 | 預り金 | 3,500 | |
| | | 資本金 | 130,000 | |
| | 2,000 | 売上 | 100,000 | |
| | | 受取手数料 | 5,000 | |
| | 76,000 | 仕入 | 4,200 | |
| | 35,000 | 給料 | | |
| | 437,000 | | 437,000 | |

応用　目標 40分　解答・解説 ▶ P264　check



# 49 前期末貸借対照表

以下の(A)前期末貸借対照表と(B)4月中の取引に基づいて、解答用紙の×2年4月30日現在の残高試算表を作成しなさい。

(A)　前期末貸借対照表

貸　借　対　照　表

×2年3月31日　　　　(単位：円)

| 資　　産 | 金　　額 | 負債・純資産 | 金　　額 |
|---|---|---|---|
| 現　　　　金 | 460,000 | 支　払　手　形 | 618,000 |
| 当　座　預　金 | 3,200,000 | 買　　掛　　金 | 1,860,000 |
| 受　取　手　形 | 1,200,000 | 預　　り　　金 | 30,000 |
| 売　　掛　　金 | 1,900,000 | 未　払　利　息 | 40,000 |
| 未　収　入　金 | 200,000 | 借　　入　　金 | 2,000,000 |
| 商　　　　品 | 640,000 | 貸　倒　引　当　金 | 62,000 |
| 前　払　保　険　料 | 30,000 | 減価償却累計額 | 1,620,000 |
| 建　　　　物 | 4,000,000 | 資　　本　　金 | 4,800,000 |
| | | 繰越利益剰余金 | 600,000 |
| | 11,630,000 | | 11,630,000 |

(B)　4月中の取引

1.　現金出納帳

| (借方) | | (貸方) | |
|---|---|---|---|
| ①　当座預金からの引出高 | ¥300,000 | ①　手付金の支払高 | ¥　70,000 |
| ②　手付金の受入高 | ¥　76,000 | ②　通信費の支払高 | ¥　10,000 |

2.　当座預金出納帳

| (借方) | | (貸方) | |
|---|---|---|---|
| ①　手形代金の取立高 | ¥274,000 | ①　現金の引出高 | ¥300,000 |
| ②　売掛金の回収高 | ¥352,000 | ②　手形代金の支払高 | ¥268,000 |
| ③　当座振込による売上高 | ¥108,000 | ③　買掛金の支払高 | ¥212,000 |
| ④　前期に売却した備品の代金受取高 | ¥200,000 | ④　小切手振出による仕入高 | ¥122,000 |
| | | ⑤　給料の支払高(源泉所得税¥12,000差引後の支給額) | ¥228,000 |
| | | ⑥　電子記録債務の支払高 | ¥　80,000 |

3.　売上帳

| | |
|---|---|
| ①　当座振込による売上高 | ¥108,000 |
| ②　掛による売上高 | ¥394,000 |
| このうち戻り高 | ¥　8,000 |
| ③　約束手形受取による売上高 | ¥306,000 |
| ④　手付金充当による売上高 | ¥　36,000 |

4.　仕入帳

| | |
|---|---|
| ①　小切手振出による仕入高 | ¥122,000 |
| ②　掛による仕入高 | ¥288,000 |
| このうち戻し高 | ¥　6,000 |
| ③　約束手形振出による仕入高 | ¥152,000 |
| ④　手付金充当による仕入高 | ¥　30,000 |

5.　4月中の補助簿に記入されない取引

| | |
|---|---|
| ①　期首再振替仕訳 | |
| ②　得意先倒産による前期発生の売掛金の貸倒高 | ¥　40,000 |
| ③　買掛金支払いのため、仕入先宛の約束手形の振出 | ¥160,000 |
| ④　売掛金にもとづく電子記録債権の発生高 | ¥150,000 |
| ⑤　買掛金にもとづく電子記録債務の発生高 | ¥　80,000 |

## 解答用紙

残　高　試　算　表

×2年4月30日　　　　　　　(単位：円)

| 借　　方 | 勘定科目 | 貸　　方 |
|---|---|---|
| | 現　　　　　金 | |
| | 当　座　預　金 | |
| | 受　取　手　形 | |
| | 売　　掛　　金 | |
| | 電子記録債権 | |
| | 前　　払　　金 | |
| | 繰　越　商　品 | |
| | 建　　　　　物 | |
| | 支　払　手　形 | |
| | 買　　掛　　金 | |
| | 前　　受　　金 | |
| | 預　　り　　金 | |
| | 借　　入　　金 | |
| | 貸　倒　引　当　金 | |
| | 減価償却累計額 | |
| | 資　　本　　金 | |
| | 繰越利益剰余金 | |
| | 売　　　　　上 | |
| | 仕　　　　　入 | |
| | 給　　　　　料 | |
| | 通　　信　　費 | |
| | 保　　険　　料 | |
| | 支　払　利　息 | |
| | | |

応用 目標 25分 解答・解説 ▶ P267 check

# 50 精算表1

**次の資料に基づき、当期(×6年4月1日～×7年3月31日)の精算表を作成しなさい。**

〔資料〕決算整理事項等

1. 当期中に売掛金¥1,400を得意先振出の小切手で回収したが、未処理であった。
2. ×6年8月1日に備品¥5,000を取得し代金を現金で支払ったが、仮払金で処理したのみである。
3. 受取手形と売掛金の期末残高合計額の2%の貸倒引当金を設定する。
4. 期末商品棚卸高は¥12,600である。売上原価は「仕入」の行で計算する。
5. 備品の減価償却を定額法により行う。備品はすべて耐用年数5年、残存価額は取得原価の10%である。
6. 給料の未払分が¥3,200ある。
7. 支払手数料は×7年1月1日に向こう8ヵ月分を支払ったものである。
8. 当社は毎年11月1日に向こう1年分の保険料を支払っている。なお、保険料は毎年同額である。

## 解答用紙

精　算　表

| 勘定科目 | 試算表 | | 修正記入 | | 損益計算書 | | 貸借対照表 | |
|---|---|---|---|---|---|---|---|---|
| | 借方 | 貸方 | 借方 | 貸方 | 借方 | 貸方 | 借方 | 貸方 |
| 現　　　金 | 137,100 | | | | | | | |
| 受取手形 | 30,050 | | | | | | | |
| 売　掛　金 | 24,500 | | | | | | | |
| 繰越商品 | 11,800 | | | | | | | |
| 備　　　品 | 20,000 | | | | | | | |
| 仮　払　金 | 5,000 | | | | | | | |
| 支払手形 | | 24,500 | | | | | | |
| 買　掛　金 | | 28,005 | | | | | | |
| 貸倒引当金 | | 700 | | | | | | |
| 減価償却累計額 | | 1,800 | | | | | | |
| 資　本　金 | | 120,000 | | | | | | |
| 繰越利益剰余金 | | 40,000 | | | | | | |
| 売　　　上 | | 240,000 | | | | | | |
| 仕　　　入 | 147,000 | | | | | | | |
| 給　　　料 | 76,000 | | | | | | | |
| 支払手数料 | 800 | | | | | | | |
| 保　険　料 | 2,755 | | | | | | | |
| | 455,005 | 455,005 | | | | | | |
| 貸倒引当金繰入 | | | | | | | | |
| 減価償却費 | | | | | | | | |
| (　　)給　料 | | | | | | | | |
| (　　)手数料 | | | | | | | | |
| (　　)保険料 | | | | | | | | |
| 当期純利益 | | | | | | | | |
| | | | | | | | | |

決算問題

重要度 A

応用 目標 25分 解答・解説 ▶ P271 check

# 51 精算表2

次の資料に基づき、当期(×8年4月1日～×9年3月31日)の精算表を作成しなさい。

〔資料〕決算整理事項等

1. 当期中に前期に発生した売掛金￥1,000が貸倒れたが未処理であった。
2. ×8年11月30日に建物(取得原価￥20,000、期首減価償却累計額￥3,000)を￥16,000で売却し、代金を現金で受取ったが未処理であった。なお、建物の減価償却については下記5を参照すること。
3. 売掛金の期末残高の2％の貸倒引当金を設定する。
4. 期末商品棚卸高は￥9,100である。売上原価は「仕入」の行で計算する。
5. 建物と備品の減価償却を定額法により行う。
   建物：耐用年数30年、残存価額は取得原価の10％
   備品：耐用年数5年、残存価額ゼロ
6. 購入時に費用処理した収入印紙の未使用高が￥300あるため、貯蔵品へ振替える。
7. 手数料の未収分が￥600ある。
8. 貸付金は×8年9月1日に、貸付期間10ヵ月、年利率3％の契約で貸付けたものであり、利息は貸付時に全額受取っている。
9. 当社は毎年1月1日に向こう1年分の家賃を受取っている。なお、家賃は毎年同額である。

## 解答用紙

精　算　表

| 勘定科目 | 試算表 | | 修正記入 | | 損益計算書 | | 貸借対照表 | |
|---|---|---|---|---|---|---|---|---|
| | 借方 | 貸方 | 借方 | 貸方 | 借方 | 貸方 | 借方 | 貸方 |
| 現金 | 32,600 | | | | | | | |
| 売掛金 | 114,000 | | | | | | | |
| 繰越商品 | 8,000 | | | | | | | |
| 貸付金 | 20,000 | | | | | | | |
| 建物 | 150,000 | | | | | | | |
| 備品 | 30,000 | | | | | | | |
| 買掛金 | | 59,910 | | | | | | |
| 貸倒引当金 | | 3,000 | | | | | | |
| 建物減価償却累計額 | | 22,500 | | | | | | |
| 備品減価償却累計額 | | 6,000 | | | | | | |
| 資本金 | | 200,000 | | | | | | |
| 繰越利益剰余金 | | 40,000 | | | | | | |
| 売上 | | 168,000 | | | | | | |
| 受取手数料 | | 770 | | | | | | |
| 受取家賃 | | 2,520 | | | | | | |
| 受取利息 | | 500 | | | | | | |
| 仕入 | 120,000 | | | | | | | |
| 給料 | 26,000 | | | | | | | |
| 租税公課 | 2,600 | | | | | | | |
| | 503,200 | 503,200 | | | | | | |
| 固定資産売却( ) | | | | | | | | |
| 貸倒引当金繰入 | | | | | | | | |
| 減価償却費 | | | | | | | | |
| | | | | | | | | |
| (　　　) | | | | | | | | |
| (　　)手数料 | | | | | | | | |
| (　　)利息 | | | | | | | | |
| (　　)家賃 | | | | | | | | |
| 当期純利益 | | | | | | | | |
| | | | | | | | | |

応用 目標 25分 解答・解説 ▶ P274 check

# 52 精算表の推定

精算表を完成させなさい。

## 解答用紙

精　算　表

| 勘定科目 | 試算表 | | 修正記入 | | 損益計算書 | | 貸借対照表 | |
|---|---|---|---|---|---|---|---|---|
| | 借方 | 貸方 | 借方 | 貸方 | 借方 | 貸方 | 借方 | 貸方 |
| 現金 | 1,500 | | | | | | 1,500 | |
| 現金過不足 | | 200 | 200 | | | | | |
| 売掛金 | 25,000 | | | | | | 25,000 | |
| 繰越商品 | 8,000 | | | | | | 7,600 | |
| 貸付金 | 30,000 | | | | | | 30,000 | |
| 建物 | 50,000 | | | | | | 50,000 | |
| 買掛金 | | 10,000 | | | | | | 10,000 |
| 貸倒引当金 | | 650 | | | | | | 500 |
| 減価償却累計額 | | 9,000 | | 1,500 | | | | |
| 資本金 | | 85,000 | | | | | | 85,000 |
| 繰越利益剰余金 | | 5,000 | | | | | | 5,000 |
| 売上 | | 85,050 | | | | 85,050 | | |
| 仕入 | 68,000 | | | | | | | |
| 給料 | 10,000 | | | | 10,000 | | | |
| 通信費 | 2,400 | | | | | | | |
| | 194,900 | 194,900 | | | | | | |
| 雑益 | | | | | | 200 | | |
| 貸倒引当金戻入 | | | | | | | | |
| 減価償却費 | | | | | | | | |
| 貯蔵品 | | | 300 | | | | | |
| 受取利息 | | | | 450 | | | | |
| (　　)利息 | | | 450 | | | | | |
| 当期純利益 | | | | | | | | |
| | | | | | | | | |

重要度 A

応用 目標 30分 解答・解説 ▶P278 check

# 53 帳簿の締切り

次の資料に基づき、当期(×3年4月1日～×4年3月31日)の決算整理後残高試算表、損益勘定及び繰越利益剰余金勘定を作成しなさい。

〔資料1〕決算整理前残高試算表

残高試算表

| 借方 | 勘定科目 | 貸方 |
|---|---|---|
| 352,000 | 現金 | |
| 582,000 | 普通預金 | |
| 415,000 | 売掛金 | |
| 52,000 | 仮払法人税等 | |
| 141,000 | 繰越商品 | |
| 1,200,000 | 建物 | |
| | 買掛金 | 280,670 |
| | 借入金 | 120,000 |
| | 貸倒引当金 | 8,000 |
| | 減価償却累計額 | 320,000 |
| | 資本金 | 1,100,000 |
| | 繰越利益剰余金 | 467,000 |
| | 売上 | 3,200,330 |
| | 受取手数料 | 56,000 |
| 2,035,000 | 仕入 | |
| 581,000 | 給料 | |
| 22,000 | 通信費 | |
| 32,000 | 保険料 | |
| 140,000 | 支払家賃 | |
| 5,552,000 | | 5,552,000 |

〔資料2〕決算整理事項等

1. 得意先に対して掛けで販売した商品の一部¥11,000が返品され、売掛金と相殺することとしたが、未処理であった。
2. 通信費には、郵便切手の購入分が含まれているが、¥3,000分が未使用であったため、適切な勘定に振替える。
3. 売掛金の期末残高に対して2％の貸倒引当金を、差額補充法により設定する。
4. 期末商品棚卸高(上記、売上返品考慮後)は¥131,000である。売上原価は仕入勘定で算定する。
5. 建物について、残存価額ゼロ、耐用年数30年として定額法で減価償却を行う。
6. 手数料の未収分が¥12,000ある。
7. 借入金は、×4年3月1日に期間6ヵ月、年利率2.5％の条件で借入れたものであり、利息の未払分を計上する。なお、利息は月割計算によること。
8. 家賃は、毎年6月1日と12月1日に向こう6ヵ月分を支払っており、ここ数年、家賃に変動はない。
9. 法人税等が¥126,000と計算されたので、仮払法人税等との差額を未払法人税等として計上する。

## 解答用紙

決算整理後残高試算表

| 借　方 | 勘定科目 | 貸　方 |
|---|---|---|
| | 現金 | |
| | 普通預金 | |
| | 売掛金 | |
| | 繰越商品 | |
| | (　　　) | |
| | (　　)手数料 | |
| | (　　)家賃 | |
| | 建物 | |
| | 買掛金 | |
| | (　　)利息 | |
| | 未払法人税等 | |
| | 借入金 | |
| | 貸倒引当金 | |
| | 減価償却累計額 | |
| | 資本金 | |
| | 繰越利益剰余金 | |
| | 売上 | |
| | 受取手数料 | |
| | 仕入 | |
| | 給料 | |
| | 通信費 | |
| | 保険料 | |
| | 支払家賃 | |
| | 貸倒引当金繰入 | |
| | 減価償却費 | |
| | 支払利息 | |
| | 法人税等 | |
| | | |

損　益

| 日付 | 摘要 | 金額 | 日付 | 摘要 | 金額 |
| --- | --- | --- | --- | --- | --- |
| 3/31 | 仕入 | (　) | 3/31 | 売上 | (　) |
| 〃 | 給料 | (　) | 〃 | 受取手数料 | (　) |
| 〃 | 通信費 | (　) | | | |
| 〃 | 保険料 | (　) | | | |
| 〃 | 支払家賃 | (　) | | | |
| 〃 | 貸倒引当金繰入 | (　) | | | |
| 〃 | 減価償却費 | (　) | | | |
| 〃 | 支払利息 | (　) | | | |
| 〃 | 法人税等 | (　) | | | |
| 〃 | (　) | (　) | | | |
| | | (　) | | | (　) |

繰越利益剰余金

| 日付 | 摘要 | 金額 | 日付 | 摘要 | 金額 |
| --- | --- | --- | --- | --- | --- |
| 3/31 | 次期繰越 | (　) | 4/ 1 | 前期繰越 | (　) |
| | | | 3/31 | (　) | (　) |
| | | (　) | | | (　) |

決算問題

応用 目標 25分 解答・解説 ▶ P285 check

# 54 財務諸表1

次の資料に基づき、当期(×8年4月1日〜×9年3月31日)の損益計算書と貸借対照表を作成しなさい。

〔資料Ⅰ〕決算整理前残高試算表

残高試算表

| 借方 | 勘定科目 | 貸方 |
|---|---|---|
| 30,500 | 現金 | |
| 400,000 | 当座預金 | |
| 150,000 | 普通預金 | |
| 180,000 | 受取手形 | |
| 240,000 | 売掛金 | |
| 30,000 | 繰越商品 | |
| 5,000 | 仮払法人税等 | |
| 120,000 | 貸付金 | |
| 850,000 | 建物 | |
| 250,000 | 備品 | |
| | 支払手形 | 450,000 |
| | 買掛金 | 525,400 |
| | 仮受金 | 20,000 |
| | 貸倒引当金 | 6,200 |
| | 建物減価償却累計額 | 114,750 |
| | 備品減価償却累計額 | 75,000 |
| | 資本金 | 700,000 |
| | 繰越利益剰余金 | 200,000 |
| | 売上 | 3,550,000 |
| | 受取手数料 | 90,000 |
| 2,000,000 | 仕入 | |
| 1,470,850 | 給料 | |
| 5,000 | 支払手数料 | |
| 5,731,350 | | 5,731,350 |

〔資料Ⅱ〕決算整理事項等

1. 当期中に売掛金¥20,000を現金で回収したが、仮受金勘定で処理したのみである。
2. 受取手形と売掛金の期末残高合計額の2%の貸倒引当金を設定する。
3. 期末商品棚卸高は¥45,000である。売上原価は仕入勘定で計算する。
4. 建物と備品の減価償却を定額法により行う。耐用年数は建物20年、備品5年、残存価額はともに取得原価の10%である。
5. 給料¥50,000が未払いであった。
6. 支払手数料は×8年8月1日に向こう10ヵ月分を支払ったものである。
7. 貸付金は×9年1月1日に貸付期間8ヵ月、年利率3%の契約で貸付けたものであり、利息は返済時に全額受取る契約である。
8. 法人税等を税引前当期純利益の30%計上する。なお、中間申告により納付した法人税等は、仮払法人税等で処理している。

## 解答用紙

### 損益計算書

自×8年4月1日　至×9年3月31日

| 借方 | 金額 | 貸方 | 金額 |
|---|---|---|---|
| 売上原価 | ( ) | 売上高 | ( ) |
| 給料 | ( ) | 受取手数料 | ( ) |
| 貸倒引当金繰入 | ( ) | 受取利息 | ( ) |
| 減価償却費 | ( ) | | |
| 支払手数料 | ( ) | | |
| 法人税等 | ( ) | | |
| 当期純利益 | ( ) | | |
| | ( ) | | ( ) |

### 貸借対照表

×9年3月31日

| 借方 | 金額 | | 貸方 | 金額 |
|---|---|---|---|---|
| 現金 | | ( ) | 支払手形 | ( ) |
| 当座預金 | | ( ) | 買掛金 | ( ) |
| 普通預金 | | ( ) | 未払費用 | ( ) |
| 受取手形 | ( ) | | 未払法人税等 | ( ) |
| 売掛金 | ( ) | | 資本金 | ( ) |
| 貸倒引当金 | ( ) | ( ) | 繰越利益剰余金 | ( ) |
| 商品 | | ( ) | | |
| 貸付金 | | ( ) | | |
| 前払費用 | | ( ) | | |
| 未収収益 | | ( ) | | |
| 建物 | ( ) | | | |
| 減価償却累計額 | ( ) | ( ) | | |
| 備品 | ( ) | | | |
| 減価償却累計額 | ( ) | ( ) | | |
| | | ( ) | | ( ) |

応用 目標 25分 解答・解説 ▶ P288 check

# 55 財務諸表2

次の資料に基づき、解答用紙の貸借対照表と損益計算書を完成しなさい。なお、会計期間は×1年4月1日から×2年3月31日までの1年間である。

〔資料1〕決算整理前残高試算表

残高試算表

| 借方 | 勘定科目 | 貸方 |
|---|---|---|
| 180,000 | 現金 | |
| | 当座預金 | 249,000 |
| 666,000 | 普通預金 | |
| 420,000 | 売掛金 | |
| 48,000 | 仮払法人税等 | |
| 139,000 | 繰越商品 | |
| 1,600,000 | 建物 | |
| | 買掛金 | 474,000 |
| | 社会保険料預り金 | 13,000 |
| | 貸倒引当金 | 5,000 |
| | 建物減価償却累計額 | 288,000 |
| | 資本金 | 1,200,000 |
| | 繰越利益剰余金 | 377,680 |
| | 売上 | 3,280,320 |
| | 受取手数料 | 80,000 |
| 1,900,000 | 仕入 | |
| 510,000 | 給料 | |
| 311,000 | 通信費 | |
| 24,000 | 保険料 | |
| 54,000 | 旅費交通費 | |
| 115,000 | 法定福利費 | |
| 5,967,000 | | 5,967,000 |

〔資料2〕決算整理事項等

1. 前期に発生した売掛金¥3,000と当期に発生した売掛金¥1,000が貸倒れとなったが、この取引が未記帳であることが判明した。
2. 現金の実際有高は¥169,000であった。帳簿残高との差額のうち¥12,000については旅費交通費の記入漏れであることが判明したが、残額については原因不明のため、雑損または雑益として処理する。
3. 当座預金勘定の貸方残高全額を当座借越勘定に振替える。なお、取引銀行とは、借越限度額を¥500,000とする当座借越契約を結んでおり、貸借対照表には、借入金として表示する。
4. 期末商品棚卸高は¥109,000である。なお、売上原価は仕入勘定で計算する。
5. 売掛金の期末残高に対して2％の貸倒引当金を差額補充法により設定する。
6. 建物について、残存価額は取得原価の10%、耐用年数40年として定額法により減価償却を行う。
7. 手数料の未収分が¥15,000ある。
8. 保険料は全額当期の12月1日に向こう1年分を支払ったものであるため、前払分を月割で計上する。
9. 法定福利費の未払分¥13,000を計上する。未払分は、貸借対照表上、未払費用として表示する。
10. 法人税等が¥114,000と計算されたので、仮払法人税等との差額を未払法人税等として計上する。

## 解答用紙

### 損益計算書

自×1年4月1日　至×2年3月31日　(単位：円)

| 借方 | 金額 | 貸方 | 金額 |
|---|---|---|---|
| 売上原価 | (　) | 売上高 | (　) |
| 給料 | (　) | 受取手数料 | (　) |
| 通信費 | (　) | (　) | (　) |
| 保険料 | (　) | | |
| 旅費交通費 | (　) | | |
| 貸倒引当金繰入 | (　) | | |
| (　) | (　) | | |
| 減価償却費 | (　) | | |
| 法定福利費 | (　) | | |
| 法人税等 | (　) | | |
| 当期純利益 | (　) | | |
| | (　) | | (　) |

### 貸借対照表

×2年 3月31日

| 借方 | 金額 | | 貸方 | 金額 |
|---|---|---|---|---|
| 現金 | | (　) | 買掛金 | (　) |
| 普通預金 | | (　) | 借入金 | (　) |
| 売掛金 | (　) | | 預り金 | (　) |
| (　) | (　) | (　) | 未払費用 | (　) |
| 商品 | | (　) | 未払法人税等 | (　) |
| 前払費用 | | (　) | 資本金 | (　) |
| 未収収益 | | (　) | 繰越利益剰余金 | (　) |
| 建物 | (　) | | | |
| (　) | (　) | (　) | | |
| | | (　) | | (　) |

応用 目標 30分 解答・解説 ▶ P292 check

# 56 決算整理後残高の推定

次の資料に基づき、当期(×6年10月1日～×7年9月30日)の損益計算書と貸借対照表を作成しなさい。

〔資料Ⅰ〕決算整理後残高試算表

残高試算表

| 借方 | 勘定科目 | 貸方 |
|---|---|---|
| 8,500 | 現金 | |
| 400,000 | 当座預金 | |
| 600,000 | 売掛金 | |
| 50,000 | 繰越商品 | |
| 1,000,000 | 建物 | |
| 500,000 | 備品 | |
| 350,000 | 土地 | |
| | 買掛金 | 700,000 |
| | 借入金 | 200,000 |
| | 貸倒引当金 | ? |
| | 建物減価償却累計額 | 270,000 |
| | 備品減価償却累計額 | 150,000 |
| | 資本金 | 1,100,000 |
| | 繰越利益剰余金 | 400,000 |
| | 売上 | 2,100,000 |
| | 受取手数料 | 32,000 |
| ? | 仕入 | |
| 400,000 | 給料 | |
| 24,000 | 支払家賃 | |
| ? | 通信費 | |
| ? | 支払利息 | |
| ? | 雑損 | |
| ? | 貸倒引当金繰入 | |
| ? | 減価償却費 | |
| ? | 貯蔵品 | |
| | 未払利息 | ? |
| 4,969,000 | | 4,969,000 |

〔資料Ⅱ〕決算整理事項等

1. 決算にあたり現金の実際有高を調査したところ、帳簿残高¥9,000に対し実際有高が不足していたが原因は不明であった。
2. 売掛金の期末残高の2%の貸倒引当金を設定した。決算整理前の貸倒引当金残高は¥9,000であった。
3. 期首商品棚卸高は¥55,000、当期商品仕入高は¥1,500,000であった。
4. 建物と備品の減価償却を定額法により行う。耐用年数は建物30年、備品6年、残存価額はともに取得原価の10%である。
5. 郵便切手の当期中の購入高は¥18,000、当期末の未消費高は¥2,000であった。なお、期首において、郵便切手は保有していなかったものとする。
6. 借入金は×7年4月1日に借入期間1年、年利率5%の契約で借入れたものであり、利息は返済時に全額支払う契約である。

## 解答用紙

損益計算書

自×6年10月1日　至×7年9月30日

| 借方 | 金額 | 貸方 | 金額 |
|---|---|---|---|
| 売上原価 | (　) | 売上高 | (　) |
| 給料 | (　) | 受取手数料 | (　) |
| 支払家賃 | (　) | | |
| 通信費 | (　) | | |
| 貸倒引当金繰入 | (　) | | |
| 減価償却費 | (　) | | |
| 支払利息 | (　) | | |
| 雑損 | (　) | | |
| 当期純利益 | (　) | | |
| | (　) | | (　) |

貸借対照表

×7年9月30日

| 借方 | 金額 | | 貸方 | 金額 |
|---|---|---|---|---|
| 現金 | | (　) | 買掛金 | (　) |
| 当座預金 | | (　) | 借入金 | (　) |
| 売掛金 | (　) | | 未払費用 | (　) |
| 貸倒引当金 | (　) | (　) | 資本金 | (　) |
| 商品 | | (　) | 繰越利益剰余金 | (　) |
| 貯蔵品 | | (　) | | |
| 建物 | (　) | | | |
| 減価償却累計額 | (　) | (　) | | |
| 備品 | (　) | | | |
| 減価償却累計額 | (　) | (　) | | |
| 土地 | | (　) | | |
| | | (　) | | (　) |

決算問題

応用 目標 10分 解答・解説▶P294 check

# 57 仕入先元帳

次の取引を仕訳し、勘定に転記するとともに、仕入先元帳に記入しなさい(締切不要)。

5月2日　福岡商会から商品￥32,000を仕入れ、代金は掛とした。
5月7日　福岡商会へ商品￥2,000を返品し、掛代金より差引くこととした。
5月18日　佐賀商会から商品￥26,000を仕入れ、代金は掛とした。
5月24日　福岡商会に対する買掛金￥24,000、佐賀商会に対する買掛金￥45,000を現金で支払った。

## 解答用紙

| 日付 | 借方科目 | 金　額 | 貸方科目 | 金　額 |
|---|---|---|---|---|
| 5/ 2 | | | | |
| 5/ 7 | | | | |
| 5/18 | | | | |
| 5/24 | | | | |

買　掛　金

| | | | | |
|---|---|---|---|---|
| | 5/ 1 | 前月繰越 | | 77,000 |

仕　入　先　元　帳

福　岡　商　会

| 日付 | | 摘　要 | 借　方 | 貸　方 | 借／貸 | 残　高 |
|---|---|---|---|---|---|---|
| 5 | 1 | 前月繰越 | | 41,000 | 貸 | 41,000 |
| | | | | | | |
| | | | | | | |
| | | | | | | |

佐　賀　商　会

| 日付 | | 摘　要 | 借　方 | 貸　方 | 借／貸 | 残　高 |
|---|---|---|---|---|---|---|
| 5 | 1 | 前月繰越 | | 36,000 | 貸 | 36,000 |
| | | | | | | |
| | | | | | | |

応用 目標 10分 解答・解説 ▶ P297 check

# 58 手形記入帳

次の資料に基づき、空欄にあてはまる勘定科目または金額を答えなさい。

〔資料〕

受取手形記入帳

| 日付 | | 摘要 | 金額 | 省略 | てん末 | | |
|---|---|---|---|---|---|---|---|
| | | | | | 日付 | | 摘要 |
| 1 | 3 | 売上 | 290,000 | | 1 | 24 | 期日決済 |
| | 18 | 売掛金 | 350,000 | | | 31 | 期日決済 |
| | 25 | 売上 | 270,000 | | | | |

支払手形記入帳

| 日付 | | 摘要 | 金額 | 省略 | てん末 | | |
|---|---|---|---|---|---|---|---|
| | | | | | 日付 | | 摘要 |
| 1 | 9 | 買掛金 | 260,000 | | 1 | 31 | 期日決済 |
| | 22 | 仕入 | 130,000 | | | | |

## 解答用紙

受取手形

| | | | | | |
|---|---|---|---|---|---|
| 1/3 | (　　) | (　　) | 1/24 | 普通預金 | (　　) |
| 18 | (　　) | (　　) | 31 | 当座預金 | (　　) |
| 25 | (　　) | (　　) | 〃 | 次月繰越 | (　　) |
| | | (　　) | | | (　　) |

支払手形

| | | | | | |
|---|---|---|---|---|---|
| 1/31 | 当座預金 | (　　) | 1/9 | (　　) | (　　) |
| 〃 | 次月繰越 | (　　) | 22 | (　　) | (　　) |
| | | (　　) | | | (　　) |

重要度 A

応用 目標 10分 解答・解説 ▶P299 check

# 59 補助簿の選択

次の取引が記入される補助簿の欄に○印を付けなさい。

1. 新潟商店から商品￥10,000を仕入れ、代金のうち￥5,000は新潟商店宛の約束手形を振出して支払い、残額は掛とした。
2. 富山商店に商品￥15,000を売上げ、富山商店振出、当社宛の約束手形￥10,000を受取り、残額は掛とした。
3. 事務用パソコンを￥120,000で購入し、代金は翌月に支払うこととした。その際、引取運賃￥9,000は現金で支払った。
4. 石川商店に対する売掛金￥50,000を、同店振出の小切手で回収した。
5. 福井商店に対して掛にて売上げた商品￥30,000が返品され、売掛金と相殺することとした。



## 解答用紙

| 取引 / 補助簿 | 1 | 2 | 3 | 4 | 5 |
|---|---|---|---|---|---|
| 現金出納帳 | | | | | |
| 当座預金出納帳 | | | | | |
| 仕入帳 | | | | | |
| 売上帳 | | | | | |
| 商品有高帳 | | | | | |
| 売掛金元帳 | | | | | |
| 買掛金元帳 | | | | | |
| 受取手形記入帳 | | | | | |
| 支払手形記入帳 | | | | | |
| 固定資産台帳 | | | | | |

応用 目標 20分 解答・解説 ▶ P302 check

# 60 商品有高帳

次の資料に基づき、(1)先入先出法、(2)移動平均法で商品有高帳(鉛筆)に記入しなさい(締切不要)。また、(1)先入先出法、(2)移動平均法で当月の鉛筆の売上高、売上原価、売上総利益を算定しなさい。

〔資料〕

仕　入　帳

| 日付 | | 摘　　要 | | | 内　訳 | 金　額 |
|---|---|---|---|---|---|---|
| 1 | 3 | 奈良商店 | | 現金 | | |
| | | 鉛筆 | 200本 | @¥60 | 12,000 | |
| | | 消しゴム | 50個 | @¥75 | 3,750 | 15,750 |
| | 15 | 京都商店 | | 掛 | | |
| | | 鉛筆 | 350本 | @¥71 | 24,850 | |
| | | 引取運賃を現金で支払い | | ¥700 | 700 | 25,550 |

売　上　帳

| 日付 | | 摘　　要 | | | 内　訳 | 金　額 |
|---|---|---|---|---|---|---|
| 1 | 7 | 大阪商店 | | 掛 | | |
| | | 鉛筆 | 250本 | @¥90 | | 22,500 |
| | 26 | 兵庫商店 | | 現金 | | |
| | | 鉛筆 | 150本 | @¥90 | 13,500 | |
| | | 消しゴム | 40個 | @¥95 | 3,800 | 17,300 |

## 解答用紙

(1) 先入先出法

商 品 有 高 帳
鉛 筆

| 日付 | | 摘 要 | 受入高 | | | 払出高 | | | 残高 | | |
|---|---|---|---|---|---|---|---|---|---|---|---|
| | | | 数量 | 単価 | 金額 | 数量 | 単価 | 金額 | 数量 | 単価 | 金額 |
| 1 | 1 | 前月繰越 | 100 | 75 | 7,500 | | | | 100 | 75 | 7,500 |
| | | | | | | | | | | | |
| | | | | | | | | | | | |
| | | | | | | | | | | | |
| | | | | | | | | | | | |
| | | | | | | | | | | | |
| | | | | | | | | | | | |
| | | | | | | | | | | | |

(2) 移動平均法

商 品 有 高 帳
鉛 筆

| 日付 | | 摘 要 | 受入高 | | | 払出高 | | | 残高 | | |
|---|---|---|---|---|---|---|---|---|---|---|---|
| | | | 数量 | 単価 | 金額 | 数量 | 単価 | 金額 | 数量 | 単価 | 金額 |
| 1 | 1 | 前月繰越 | 100 | 75 | 7,500 | | | | 100 | 75 | 7,500 |
| | | | | | | | | | | | |
| | | | | | | | | | | | |
| | | | | | | | | | | | |
| | | | | | | | | | | | |

(1) 先入先出法

売上高 (　　　　) 円
売上原価 (　　　　) 円
売上総利益 (　　　　) 円

(2) 移動平均法

売上高 (　　　　) 円
売上原価 (　　　　) 円
売上総利益 (　　　　) 円

応用 目標 15分 解答・解説 ▶ P306 check

# 61 当座預金出納帳

次の〔資料〕に基づき、(問1)当座預金出納帳を完成させるとともに、(問2)解答用紙の各日付において必要な仕訳を答えなさい。ただし、勘定科目は、次の中から最も適当と思われるものを選ぶこと。

| | | | |
|---|---|---|---|
| 現金 | 当座預金 | 売掛金 | 買掛金 |
| 預り金 | 借入金 | 売上 | 受取手数料 |
| 仕入 | 給料 | 支払手数料 | 支払利息 |

〔資料〕

当座勘定照合表(入出金明細)を確認したところ、8月後半の入出金は以下のとおりであった。なお、埼玉商店は得意先、千葉商店は仕入先であり、商品売買はすべて掛け取引により行っている。また、銀行とは限度額¥500,000の当座借越契約を締結している。

×2年9月2日

当座勘定照合表

株式会社　東京商事　様

○○銀行△△支店

| 取引日 | 摘要 | 支払金額 | 預り金額 | 取引残高 |
|---|---|---|---|---|
| 8.16 | 融資ご返済 | 152,000 | | 省略 |
| 8.21 | 振込　埼玉商店 | | 249,500 | |
| 8.22 | 小切手引落(#12) | 100,000 | | |
| 8.23 | 振替 | | 800,000 | |
| 8.24 | 振込　千葉商店 | 180,500 | | |
| 8.25 | 手形引落(#250) | 500,000 | | |
| 8.29 | 給与振込 | 171,000 | | |
| 8.29 | 振込手数料 | 1,000 | | |

(留意事項)

1. 返済額には、利息¥2,000が含まれている。
2. 埼玉商店からの振込額は、当社負担の振込手数料¥500が差引かれた額である。

3. 小切手(#12)は８月18日に買掛金の支払いのために振出したものである。
4. 千葉商店への振込額には、当社負担の振込手数料￥500が含まれている。
5. 給与振込額は、所得税の源泉徴収税額￥9,000を差引いた額である。

## 解答用紙

問１

当座預金出納帳

| 日付 | | 摘　　要 | 預　　入 | 引　　出 | 借／貸 | 残　　高 |
|---|---|---|---|---|---|---|
| 8 | 16 | 融資　返済 | | 152,000 | 借 | 48,000 |
| | 18 | 小切手　振出 | | | | |
| | 21 | 掛回収　埼玉 | | | | |
| | 23 | 普通預金　振替 | | | | |
| | 24 | 掛支払　千葉 | | | | |
| | 25 | 手形　決済 | | | | |
| | 29 | 給与　振込 | | | | |
| | 〃 | 振込手数料 | | | | |

問２

| | 借方科目 | 金　　額 | 貸方科目 | 金　　額 |
|---|---|---|---|---|
| 8/16 | | | | |
| 8/18 | | | | |
| 8/21 | | | | |
| 8/24 | | | | |
| 8/29 | | | | |

応用 目標 10分 解答・解説 ▶ P309 check

# 62 得意先元帳

次の資料に基づき、空欄にあてはまる語句または金額を答えなさい。なお、当社の得意先は広島商店と岡山商店のみである。

〔資料〕

得意先元帳

広島商店

| | | | | | |
|---|---|---|---|---|---|
| 4/ 1 | 前期繰越 | 600,000 | 10/15 | 当座預金 | 100,000 |
| 6/ 6 | 売上 | 200,000 | 2/21 | 現金 | 120,000 |
| 8/17 | 売上 | 150,000 | 3/31 | 次期繰越 | 730,000 |
| | | 950,000 | | | 950,000 |

岡山商店

| | | | | | |
|---|---|---|---|---|---|
| 4/ 1 | 前期繰越 | 400,000 | 5/12 | 売上 | 30,000 |
| 7/10 | 売上 | 300,000 | 2/21 | 現金 | 100,000 |
| 8/17 | 売上 | 200,000 | 3/31 | 次期繰越 | 770,000 |
| | | 900,000 | | | 900,000 |

## 解答用紙

売掛金

| | | | | | |
|---|---|---|---|---|---|
| 4/ 1 | (　　　) | (　　　) | 5/12 | (　　　) | (　　　) |
| 6/ 6 | (　　　) | (　　　) | 10/15 | (　　　) | (　　　) |
| 7/10 | (　　　) | (　　　) | 2/21 | (　　　) | (　　　) |
| 8/17 | (　　　) | (　　　) | 3/31 | (　　　) | (　　　) |
| | | (　　　) | | | (　　　) |

重要度 B

応用 目標 15分 解答・解説 ▶ P310 check

# 63 仕入先元帳の推定

　空欄にあてはまる語句または金額を答えなさい。なお、当社の仕入先は長野商店と群馬商店のみである。

買　掛　金

| 日付 | 摘要 | 金額 | 日付 | 摘要 | 金額 |
|---|---|---|---|---|---|
| 2/ 2 | （　1　） | 2,000 | 1/ 1 | 前期繰越 | 23,000 |
| 9/10 | （　2　） | （　4　） | 2/ 1 | 仕入 | （　8　） |
| 11/25 | （　3　） | （　5　） | 3/14 | 仕入 | 79,000 |
| 12/31 | 次期繰越 | （　6　） | | | |
| | | （　7　） | | | （　7　） |

仕　入　先　元　帳

長　野　商　店

| 日付 | 摘要 | 金額 | 日付 | 摘要 | 金額 |
|---|---|---|---|---|---|
| 2/ 2 | 仕入 | （　9　） | 1/ 1 | 前期繰越 | 15,000 |
| 9/10 | 支払手形 | 24,000 | 2/ 1 | 仕入 | 50,000 |
| 11/25 | 現金 | 12,000 | 3/14 | 仕入 | （　12　） |
| 12/31 | 次期繰越 | （　10　） | | | |
| | | （　11　） | | | （　11　） |

群　馬　商　店

| 日付 | 摘要 | 金額 | 日付 | 摘要 | 金額 |
|---|---|---|---|---|---|
| 11/25 | 現金 | 13,000 | 1/ 1 | 前期繰越 | （　15　） |
| 12/31 | 次期繰越 | （　13　） | 3/14 | 仕入 | 48,000 |
| | | （　14　） | | | （　14　） |

## 解答用紙

| 1 | 2 | 3 | 4 | 5 |
|---|---|---|---|---|
| | | | | |
| 6 | 7 | 8 | 9 | 10 |
| | | | | |
| 11 | 12 | 13 | 14 | 15 |
| | | | | |

補助簿

応用　目標 15分　解答・解説 ▶ P312　check

# 64 費用の前払い

当社の×5年度（×5年4月1日～×6年3月31日）、×6年度（×6年4月1日～×7年3月31日）の文章を読んで仕訳し、勘定に転記しなさい。

1.　×5年度

7月1日　向こう1年分の保険料¥12,000を現金で支払った。

3月31日　決算日を迎え、保険料の前払い分を適切に処理した。

3月31日　損益振替を行い、勘定を締切った。

2.　×6年度

4月1日　再振替を行った。

7月1日　向こう1年分の保険料¥12,000を現金で支払った。

3月31日　決算日を迎え、保険料の前払い分を適切に処理した。

3月31日　損益振替を行い、勘定を締切った。

## 解答用紙

1.　×5年度

| 日付 | 借方科目 | 金　額 | 貸方科目 | 金　額 |
|---|---|---|---|---|
| 7/ 1 | | | | |
| 3/31 | | | | |
| 3/31 | | | | |

保　険　料

前払保険料

2.　×6年度

| 日付 | 借方科目 | 金　額 | 貸方科目 | 金　額 |
|---|---|---|---|---|
| 4/ 1 | | | | |
| 7/ 1 | | | | |
| 3/31 | | | | |
| 3/31 | | | | |

保　険　料

| | |
|---|---|
| | |

前払保険料

| | | | |
|---|---|---|---|
| 4/ 1 | 前期繰越 | 3,000 | |

応用 目標 10分 解答・解説 ▶ P314 check

# 65 費用の前払いと未払い

空欄にあてはまる語句または金額を答えなさい。なお、会計期間は4月1日から3月31日までの1年間である。

支 払 利 息

| | | | | | |
|---|---|---|---|---|---|
| 7/31 | 現金 | 40,000 | 4/ 1 | ( 1 ) | ( 2 ) |
| 12/31 | 現金 | 60,000 | 3/31 | 前払利息 | ( 3 ) |
| | | | | ( 4 ) | ( 5 ) |
| | | 100,000 | | | 100,000 |

未 払 利 息

| | | | | | |
|---|---|---|---|---|---|
| 4/ 1 | ( 6 ) | 20,000 | 4/ 1 | ( 7 ) | 20,000 |
| | | 20,000 | | | 20,000 |

前 払 利 息

| | | | | | |
|---|---|---|---|---|---|
| 3/31 | ( 8 ) | 15,000 | 3/31 | 次期繰越 | 15,000 |
| | | 15,000 | | | 15,000 |

損 益

| | | | | | |
|---|---|---|---|---|---|
| 3/31 | ( 9 ) | ( 10 ) | | | |

## 解答用紙

| 1 | 2 | 3 | 4 | 5 |
|---|---|---|---|---|
| | | | | |
| 6 | 7 | 8 | 9 | 10 |
| | | | | |

応用 目標 10分 解答・解説 ▶ P316 check

# 66 法人税等

次の資料に基づき、解答用紙の各勘定の記入を完成させなさい。なお、当期は、×3年4月1日から×4年3月31日までの1年間である。また、各勘定の空欄は、左から日付、摘要、金額の順番に記入する。

〔資料〕

4月1日　×2年度に計上された法人税等は¥600,000、未払法人税等は¥350,000であった。

5月28日　×2年度分の確定申告を行い、納付すべき法人税等を普通預金口座から納付した。

11月26日　×3年度分の中間申告を行い、納付すべき金額を普通預金口座から納付した。

3月31日　×3年度の決算を迎え、税引前当期純利益¥2,300,000に対して30％の法人税等を計上した。

3月31日　損益振替を行い、勘定を締切った。



## 解答用紙

仮払法人税等

| ( ) | ( ) | ( ) | ( ) | ( ) | ( ) |
|---|---|---|---|---|---|

未払法人税等

| ( ) | ( ) | ( ) | ( ) | ( ) | ( ) |
|---|---|---|---|---|---|
| ( ) | ( ) | ( ) | ( ) | ( ) | ( ) |
| | | ( ) | | | ( ) |

法人税等

| ( ) | ( ) | ( ) | ( ) | ( ) | ( ) |
|---|---|---|---|---|---|

応用 目標 15分 解答・解説 ▶P319 check

# 67 減価償却1

当社の当期(×8年4月1日〜×9年3月31日)の取引を間接法で仕訳し、勘定に転記しなさい。なお、備品Aは×6年4月1日に¥20,000で購入したものであり、減価償却は、耐用年数6年、残存価額を取得原価の10%として定額法により行っている。

×8年7月1日　備品Bを¥60,000で購入し、代金は現金で支払った。
×8年12月31日　備品Aを¥12,000で売却し、代金は現金で受取った。
×9年2月1日　備品Cを¥45,000で購入し、代金は現金で支払った。
×9年3月31日　備品B、備品Cともに耐用年数10年、残存価額を取得原価の10%とし、定額法により減価償却を行った。
×9年3月31日　損益振替を行い、勘定を締切った。

## 解答用紙

| 日付 | 借方科目 | 金　額 | 貸方科目 | 金　額 |
|---|---|---|---|---|
| 7/ 1 | | | | |
| 12/31 | | | | |
| 2/ 1 | | | | |
| 3/31 | | | | |
| 3/31 | | | | |

備　品

| | |
|---|---|
| 4/ 1　前期繰越　20,000 | |

減価償却費

| | |
|---|---|
| | |

減価償却累計額

| | |
|---|---|
| | 4/ 1　前期繰越　6,000 |

固定資産売却益

| | |
|---|---|
| | |

応用 目標 15分 解答・解説 ▶ P322 check

# 68 減価償却2

当社は、×5年4月1日に備品A（取得原価￥500,000）を、×7年1月1日に備品B（取得原価￥300,000）を購入し、×8年9月30日に備品Aを売却した。その後、×8年12月1日に備品C（取得原価￥400,000）を購入した。以下に示した当期（×8年4月1日～×9年3月31日）の各勘定の空欄にあてはまる語句または金額を答えなさい。なお、備品の減価償却はすべて、耐用年数5年、残存価額を取得原価の10%として定額法により行っている。

備　品

| 日付 | 摘要 | 金額 | 日付 | 摘要 | 金額 |
|---|---|---|---|---|---|
| 4/1 | 前期繰越 | （ 1 ） | 9/30 | 諸口 | （ 3 ） |
| 12/1 | 現金 | 400,000 | 3/31 | 次期繰越 | （ 4 ） |
| | | （ 2 ） | | | （ 2 ） |

減価償却累計額

| 日付 | 摘要 | 金額 | 日付 | 摘要 | 金額 |
|---|---|---|---|---|---|
| 9/30 | 備品 | （ 6 ） | 4/1 | 前期繰越 | （ 9 ） |
| 3/31 | （ 5 ） | （ 7 ） | 3/31 | 減価償却費 | （ 10 ） |
| | | （ 8 ） | | | （ 8 ） |

減価償却費

| 日付 | 摘要 | 金額 | 日付 | 摘要 | 金額 |
|---|---|---|---|---|---|
| 9/30 | 備品 | （ 11 ） | 3/31 | （ 14 ） | （ 15 ） |
| 3/31 | 減価償却累計額 | （ 12 ） | | | |
| | | （ 13 ） | | | （ 13 ） |

## 解答用紙

| 1 | 2 | 3 | 4 | 5 |
|---|---|---|---|---|
| | | | | |
| 6 | 7 | 8 | 9 | 10 |
| | | | | |
| 11 | 12 | 13 | 14 | 15 |
| | | | | |

重要度 A

応用 目標 10分 解答・解説 ▶ P325 check 

# 69 繰越利益剰余金

**次の一連の取引に基づき、繰越利益剰余金勘定の記入をしなさい。なお、当期は×4年4月1日から×5年3月31日とする。**

4月1日　開始記入を行った。なお、前期繰越額は各自推定すること。

5月20日　株主総会において、繰越利益剰余金を配当財源とする株主への配当などの処分が決議され、承認された。

株主への配当金：￥800,000　　利益準備金の積立て：80,000

3月31日　決算を迎え、繰越利益剰余金勘定の決算整理前の残高は、貸方残高￥2,620,000であった。

当期の決算整理後の収益総額は￥8,000,000、費用総額は￥7,000,000であり、これに基づいて損益振替を行い、損益勘定の残高を繰越利益剰余金勘定へ振替えた。

勘定記入

## 解答用紙

繰越利益剰余金

| 日付 | 摘要 | 金額 | 日付 | 摘要 | 金額 |
|---|---|---|---|---|---|
| 5/20 | 未払配当金 | (　　　) | 4/1 | 前期繰越 | (　　　) |
| 〃 | 利益準備金 | (　　　) | 3/31 | 損益 | (　　　) |
| 3/31 | 次期繰越 | (　　　) | | | |
| | | (　　　) | | | (　　　) |

応用 目標 15分 解答・解説 ▶P327 check

# 70 誤記帳の訂正

次の１～３につき、これを訂正するための仕訳を行いなさい。なお、解答にあたり、金額を相殺できるものについては相殺すること。

1. 秋田商店へ商品￥350,000を売上げ、代金は先に受取っていた手付金￥60,000を充当し、残額を掛とした。このとき、以下の仕訳を行っていた。

| (借) | 売掛金 | 350,000 | (貸) | 売上 | 350,000 |
|---|---|---|---|---|---|

2. 岩手商店へ商品￥450,000を売上げ、代金のうち￥220,000は当店振出の小切手を受取り、残額は月末に受取ることとした。このとき、以下の仕訳を行っていた。

| (借) | 現金 | 220,000 | (貸) | 売上 | 450,000 |
|---|---|---|---|---|---|
| | 未収入金 | 230,000 | | | |

3. 当期首に山形商店へ備品(取得原価￥500,000、期首減価償却累計額￥270,000、間接法で記帳)を￥200,000で売却し、代金のうち￥150,000は同店振出の小切手を受取り、残額は月末に受取ることとした。このとき、以下の仕訳を行っていた。

| (借) | 現金 | 150,000 | (貸) | 備品 | 500,000 |
|---|---|---|---|---|---|
| | 未収入金 | 50,000 | | 減価償却累計額 | 270,000 |
| | 固定資産売却損 | 570,000 | | | |

## 解答用紙

| | 借方科目 | 金　　額 | 貸方科目 | 金　　額 |
|---|---|---|---|---|
| 1 | | | | |
| 2 | | | | |
| 3 | | | | |

応用 目標 5分 解答・解説▶P329 check

# 71 一部現金取引

次の取引を3伝票制で起票した場合、空欄にあてはまる勘定科目または金額を答えなさい。

1. 商品¥25,000を仕入れ、代金のうち¥11,000は現金で支払い、残額は掛とした。
2. 商品¥36,000を売上げ、代金のうち¥27,000は現金で受取り、残額は掛とした。

## 解答用紙

1.

| 出金伝票<br>×年×月×日 | |
|---|---|
| 科目 | 金額 |
| 仕入 | |

| 振替伝票<br>×年×月×日 | | | |
|---|---|---|---|
| 借方科目 | 金額 | 貸方科目 | 金額 |
| | | | |

2．

| 入　金　伝　票<br>×年×月×日 | |
|---|---|
| 科　目 | 金　額 |
| | |

| 振　替　伝　票<br>×年×月×日 | | | |
|---|---|---|---|
| 借方科目 | 金　額 | 貸方科目 | 金　額 |
| | 36,000 | | 36,000 |

重要度 A

応用 目標 20分 解答・解説 ▶ P332 check

# 72 伝票会計のまとめ

当社は毎日の取引を入金伝票、出金伝票、振替伝票に記入し、これを１日分ずつ集計して仕訳日計表を作成している。総勘定元帳への転記は仕訳日計表から行う。また、仕入先元帳と得意先元帳も作成している。次の資料に基づき、×2年９月１日の仕訳日計表、買掛金勘定、仕入先元帳を作成しなさい。

〔資料〕×2年９月１日に起票された伝票

入金伝票 No.101
(売 掛 金)山口商店 15,000

入金伝票 No.102
(売 掛 金)島根商店 22,000

入金伝票 No.103
(借 入 金) 30,000

出金伝票 No.201
(買 掛 金)福井商店 19,000

出金伝票 No.202
(借 入 金) 30,000

出金伝票 No.203
(支払利息) 600

振替伝票 No.301
(仕　　入) 21,000
(買 掛 金)福井商店 21,000

振替伝票 No.302
(仕　　入) 18,000
(買 掛 金)滋賀商店 18,000

振替伝票 No.303
(買 掛 金)福井商店 1,400
(仕　　入) 1,400

振替伝票 No.304
(買 掛 金)滋賀商店 20,000
(当座預金) 20,000

振替伝票 No.305
(買 掛 金)滋賀商店 15,000
(支払手形) 15,000

振替伝票 No.306
(売 掛 金)山口商店 42,000
(売　　上) 42,000

振替伝票 No.307
(売 掛 金)島根商店 50,000
(売　　上) 50,000

振替伝票 No.308
(売　　上) 1,300
(売 掛 金)島根商店 1,300

振替伝票 No.309
(当座預金) 10,000
(受取手形) 10,000

振替伝票 No.310
(支払手形) 15,000
(当座預金) 15,000

## 解答用紙

仕 訳 日 計 表

×2年 9月 1日　　1

| 借　　方 | 元丁 | 勘定科目 | 元丁 | 貸　　方 |
|---|---|---|---|---|
| | | 現　　金 | | |
| | | 当 座 預 金 | | |
| | | 受 取 手 形 | | |
| | | 売　掛　金 | | |
| | | 支 払 手 形 | | |
| | | 買　掛　金 | | |
| | | 借　入　金 | | |
| | | 売　　上 | | |
| | | 仕　　入 | | |
| | | 支 払 利 息 | | |
| | | | | |

総 勘 定 元 帳

買 掛 金　　7

| ×2年 | | 摘　要 | 仕丁 | 借　方 | 貸　方 | 借/貸 | 残　高 |
|---|---|---|---|---|---|---|---|
| 9 | 1 | 前月繰越 | ✓ | | 60,000 | 貸 | 60,000 |
| | | | | | | | |
| | | | | | | | |

仕 入 先 元 帳

福 井 商 店

| ×2年 | | 摘　要 | 仕丁 | 借　方 | 貸　方 | 借/貸 | 残　高 |
|---|---|---|---|---|---|---|---|
| 9 | 1 | 前月繰越 | ✓ | | 24,000 | 貸 | 24,000 |
| | | | | | | | |
| | | | | | | | |
| | | | | | | | |

滋 賀 商 店

| ×2年 | | 摘　要 | 仕丁 | 借　方 | 貸　方 | 借/貸 | 残　高 |
|---|---|---|---|---|---|---|---|
| 9 | 1 | 前月繰越 | ✓ | | 36,000 | 貸 | 36,000 |
| | | | | | | | |
| | | | | | | | |
| | | | | | | | |

応用 目標 5分 解答・解説 ▶ P335 check

# 73 文章穴埋め

**次の文の①から⑩に当てはまる最も適当な語句を下記の語群から選び、解答用紙に記入しなさい。**

ア. 財務諸表のうち、一企業における一定期間の経営成績を示す表を( ① )といい、また、一定時点の財政状態を示す表を( ② )という。

イ. 「資産総額＝負債総額＋純資産総額」という関係が成立つが、これは、貸借対照表の左側と右側の総額は等しいという( ③ )から導き出される。

ウ. 得意先元帳は得意先ごとの( ④ )の増減を記録する( ⑤ )に該当する。

エ. 売上時に受取っていた約束手形の支払期日となり、当座預金に入金された場合、この内容を受取手形記入帳の( ⑥ )欄に記入する。

オ. 貸借対照表上、備品に対する( ⑦ )は、備品から控除する形式で表示する。これは、( ⑦ )勘定が( ⑧ )勘定であるからである。

カ. 株式会社において、損益振替仕訳により損益勘定で当期純利益が計算された場合、これを( ⑨ )勘定へ振替える。

キ. A社およびB社の期首商品棚卸高は￥300,000、当期商品仕入高は￥5,000,000で同額とし、期末商品棚卸高がA社は￥400,000、B社は￥350,000とすると、売上原価は、( ⑩ )の方が￥50,000少ない。

(語群)

| | | | |
|---|---|---|---|
| 主要簿 | 補助元帳 | 補助記入帳 | 摘要 |
| てん末 | 売掛金 | 買掛金 | 貸倒引当金 |
| 減価償却累計額 | 資本金 | 繰越利益剰余金 | 統制 |
| 評価 | 集合 | 損益計算書 | 貸借対照表 |
| 決算整理 | 貸借平均の原理 | A社 | B社 |

## 解答用紙

| ① | ② | ③ | ④ | ⑤ |
|---|---|---|---|---|
| | | | | |
| ⑥ | ⑦ | ⑧ | ⑨ | ⑩ |
| | | | | |

MEMO

重要度 A

応用 目標 15分 解答・解説 ▶P337 check

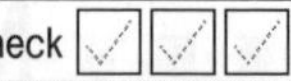

# 74 第1問対策

**次の各取引について仕訳しなさい。ただし、勘定科目は、各取引の下の勘定科目の中から最も適当と思われるものを選び、記号で解答すること。**

1. 商品¥300,000を仕入れ、代金は掛けとした。また、引取運賃¥2,000を現金で支払った。
ア. 現金　イ. 売掛金　ウ. 買掛金　エ. 売上
オ. 仕入　カ. 支払運賃

2. 商品を¥500,000で売上げ、先方負担の発送運賃¥5,000を含めた金額を掛けとした。また、この発送運賃は翌月に支払うため未払計上した。
ア. 現金　イ. 普通預金　ウ. 売掛金　エ. 未払金
オ. 売上　カ. 発送費

3. 商品¥150,000をクレジット払いの条件で販売した。なお、当社は信販会社への手数料(販売代金の3％)を販売時に計上している。
ア. 現金　イ. 当座預金　ウ. クレジット売掛金　エ. 受取商品券
オ. 売上　カ. 支払手数料

4. 商品¥38,500 (税込価格)を顧客に売渡し、代金のうち¥10,000については全国百貨店共通商品券で受取り、残額は現金で受取った。なお、消費税の処理は税抜方式とし、消費税の税率は10％とする。
ア. 現金　イ. 売掛金　ウ. 仮払消費税　エ. 受取商品券
オ. 仮受消費税　カ. 売上

5. 買掛金¥600,000につき、取引銀行を通じて電子債権記録機関に電子記録債務の発生記録を行った。
ア. 電子記録債権　イ. 支払手形　ウ. 買掛金　エ. 電子記録債務
オ. 売上　カ. 仕入

## 解答用紙

| | 借方科目 | 金額 | 貸方科目 | 金額 |
|---|---|---|---|---|
| 1 | | | | |
| | | | | |
| | | | | |
| | | | | |
| 2 | | | | |
| | | | | |
| | | | | |
| | | | | |
| 3 | | | | |
| | | | | |
| | | | | |
| | | | | |
| 4 | | | | |
| | | | | |
| | | | | |
| | | | | |
| 5 | | | | |
| | | | | |
| | | | | |
| | | | | |

6.　売掛金￥400,000につき、当社が負担する振込手数料￥700が差引かれた金額が当座預金口座へ振込まれた。

ア．　当座預金　　イ．　普通預金　　ウ．　売掛金　　エ．　立替金
オ．　支払運賃　　カ．　支払手数料

7.　文京商事株式会社は商品を仕入れ、下記の納品書を受取り、代金は翌月末に支払うこととした。なお、消費税の処理は税抜方式によっている。

納　品　書
（軽減税率対象）

文京商事株式会社　御中

横浜製菓株式会社

| 品　物 | 数量 | 単価 | 金額 |
|---|---|---|---|
| 商品A | 300 | 750 | ￥ 225,000 |
| 商品B | 150 | 600 | ￥ 90,000 |
| | 消費税 | | ￥ 25,200 |
| | 合計 | | ￥ 340,200 |

ア．　売掛金　　イ．　仮払消費税　　ウ．　買掛金　　エ．　未払金
オ．　仮受消費税　　カ．　仕入

8．　従業員への給料￥800,000について、所得税の源泉徴収額￥65,000及び健康保険・厚生年金保険の保険料の従業員負担分￥120,000を控除した手取額を、普通預金口座から振込んだ。

ア．　普通預金　　イ．　従業員立替金　　ウ．　所得税預り金
エ．　社会保険料預り金　　オ．　給料　　カ．　法定福利費

9.　建物の修繕を行い、修繕費用￥6,000,000を小切手を振出して支払った。なお、修繕費用のうち￥4,000,000については、建物の価値を高める支出（資本的支出）に該当し、残額は通常の修繕費用（収益的支出）に該当する。

ア．　現金　　イ．　当座預金　　ウ．　建物　　エ．　未払金
オ．　支払手数料　　カ．　修繕費

10.　月次決算にあたり、建物の１年分の減価償却費に対して12分の１の金額を計上する。なお、建物の減価償却方法等は以下のとおりである。

取得価額：￥51,000,000　償却方法：定額法　残存価額：ゼロ
耐用年数：50年　記帳方法：間接法

ア．　当座預金　　イ．　未収入金　　ウ．　建物　　エ．　減価償却累計額
オ．　減価償却費　　カ．　雑損

## 解答用紙

| | 借方科目 | 金額 | 貸方科目 | 金額 |
|---|---|---|---|---|
| 6 | | | | |
| 7 | | | | |
| 8 | | | | |
| 9 | | | | |
| 10 | | | | |

11.　当期首(×8年4月1日)に、不用になった車両(取得日：×3年4月1日、取得原価：￥2,880,000、残存価額：ゼロ、耐用年数：8年、償却方法：定額法、記帳方法：間接法)を￥800,000で売却し、代金は翌月末に受取ることとした。

ア．　未収入金　　イ．　車両　　ウ．　車両減価償却累計額
エ．　固定資産売却益　　オ．　減価償却費　　カ．　固定資産売却損

12.　事務所移転に伴い賃貸借契約を締結し、1ヵ月分の家賃￥180,000、敷金(家賃2ヵ月分)、及び仲介手数料(家賃1ヵ月分)を、普通預金口座から振込んだ。

ア．　現金　　イ．　普通預金　　ウ．　建物　　エ．　差入保証金
オ．　支払家賃　　カ．　支払手数料

13.　株式会社の設立にあたって、株式1,000株を1株あたり￥3,000で発行し、払込金額が当座預金口座に振込まれた。なお、払込金額の全額を資本金とする。

ア．　現金　　イ．　当座預金　　ウ．　普通預金　　エ．　未払配当金
オ．　資本金　　カ．　利益準備金

14.　株主総会において、繰越利益剰余金を配当財源とする株主への配当などが決議され、承認された。

株主への配当金：￥4,500,000　　利益準備金の積立：￥450,000

ア．　普通預金　　イ．　未払金　　ウ．　未払配当金　　エ．　資本金
オ．　利益準備金　　カ．　繰越利益剰余金

15.　損益勘定の記録によると当期の費用総額は￥7,000,000、収益総額は￥6,300,000であった。そこで、損益勘定の残高を繰越利益剰余金勘定へ振替えた。

ア．　資本金　　イ．　利益準備金　　ウ．　繰越利益剰余金　　エ．　売上
オ．　仕入　　カ．　損益

## 解答用紙

| | 借方科目 | 金額 | 貸方科目 | 金額 |
|---|---|---|---|---|
| 11 | | | | |
| 12 | | | | |
| 13 | | | | |
| 14 | | | | |
| 15 | | | | |

本試験形式

応用 目標 20分 解答・解説 ▶ P345 check 

# 75 第2問対策

（1） 当社（決算年1回、12月31日）における次の取引に基づき、20×3年度における支払利息に関する各勘定の記入を完成させなさい。

〔20×2年度〕

10月1日　取引銀行から￥600,000（借入期間6ヵ月、利率年2％）を借入れ、借入期間に対する利息が差引かれた金額が普通預金口座に入金された。また、同時に、借入金額を額面金額とする約束手形を振出した。

〔20×3年度〕

4月1日　取引銀行から￥3,000,000（借入期間1年、利率年2.4％、利払日は9月と3月の各末日）を借入れた。

【留意点】

① 借入金の返済及び利息の支払いは、すべて期日通りに行われている。

② 利息の計算はすべて月割計算とする。

③ 約束手形の決済は当座預金口座にて行われており、また、その他の借入金の元本及び利息の受払いはすべて普通預金口座にて行われている。

④ 各勘定の空欄は、左から日付、摘要、金額の順番に記入する。

## 解答用紙

（1）

前　払　利　息

| ( ) | ( ) | ( ) | ( ) | ( ) | ( ) |
|---|---|---|---|---|---|

未　払　利　息

| ( ) | ( ) | ( ) | ( ) | ( ) | ( ) |
|---|---|---|---|---|---|

支　払　利　息

| ( ) | ( ) | ( ) | ( ) | ( ) | ( ) |
|---|---|---|---|---|---|
| ( ) | ( ) | ( ) | | | |
| ( ) | ( ) | ( ) | | | |
| | | ( ) | | | ( ) |

(2) 以下の固定資産台帳に基づき、当期における備品に関する各勘定の記入を完成させなさい。なお、当期は×3年4月1日から×4年3月31日である。

固定資産台帳
×4年3月31日

| | | | |
|---|---|---|---|
| 種類 | 備品A | 記帳方法 | 間接法 |
| 取得日 | ×1年9月28日 | 耐用年数 | 5年 |
| 使用開始日 | ×1年10月3日 | 残存価額 | ゼロ |
| 取得価額 | ¥600,000 | 償却方法 | 定額法 |

(単位：円)

| | 期首減価償却累計額 | 当期償却額 | 期末減価償却累計額 | 期末帳簿価額 |
|---|---|---|---|---|
| ×1年度 | — | 60,000 | 60,000 | 540,000 |
| ×2年度 | 60,000 | 120,000 | 180,000 | 420,000 |
| ×3年度 | 180,000 | 120,000 | 300,000 | 300,000 |

固定資産台帳
×4年3月31日

| | | | |
|---|---|---|---|
| 種類 | 備品B | 記帳方法 | 間接法 |
| 取得日 | ×3年11月29日 | 耐用年数 | 6年 |
| 使用開始日 | ×3年12月2日 | 残存価額 | ゼロ |
| 取得価額 | ¥630,000 | 償却方法 | 定額法 |

(単位：円)

| | 期首減価償却累計額 | 当期償却額 | 期末減価償却累計額 | 期末帳簿価額 |
|---|---|---|---|---|
| ×3年度 | — | (各自推定) | (各自推定) | (各自推定) |

【留意点】

① 有形固定資産の購入は、普通預金口座からの振込みにより行われている。
② 各勘定の空欄は、左から日付、摘要、金額の順番に記入する。
③ 摘要欄に記入すべき語句は以下の語群から最も適切なものを選び、記号を記入すること。

ア. 普通預金　イ. 備品　ウ. 減価償却累計額　エ. 減価償却費
オ. 損益　カ. 前期繰越　キ. 次期繰越

## 解答用紙

（2）

備　　品

| | | | | | |
|---|---|---|---|---|---|
| （　） | （　） | （　） | （　） | （　） | （　） |
| （　） | （　） | （　） | | | |
| | | （　） | | | （　） |

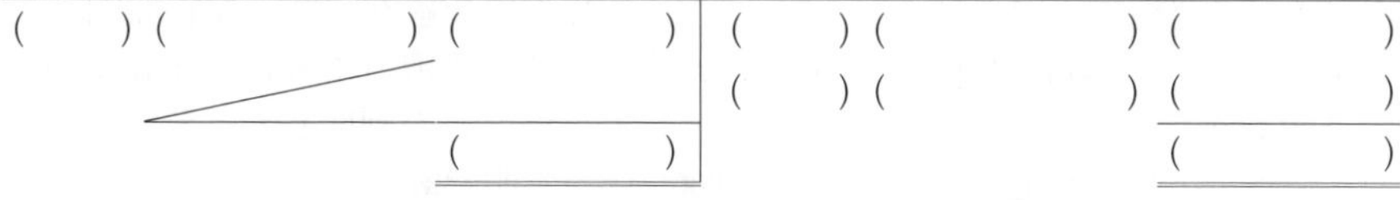

減価償却累計額

| | | | | | |
|---|---|---|---|---|---|
| （　） | （　） | （　） | （　） | （　） | （　） |
| | | | （　） | （　） | （　） |
| | | （　） | | | （　） |

減 価 償 却 費

| | | | | | |
|---|---|---|---|---|---|
| （　） | （　） | （　） | （　） | （　） | （　） |

本試験形式

応 用 目標 25分 解答・解説 ▶ P350 check

# 76 第3問対策

次の資料に基づき、(問1)決算整理後残高試算表を完成させ、(問2)繰越利益剰余金の貸借対照表価額を求めなさい。なお、当会計期間は×5年4月1日から×6年3月31日である。

〔Ⅰ〕決算整理前残高試算表

残 高 試 算 表

| 借　　方 | 勘定科目 | 貸　　方 |
|---:|---|---:|
| 31,000 | 現　　　　金 | |
| | 現 金 過 不 足 | 800 |
| | 当 座 預 金 | 80,000 |
| 4,000,000 | 普 通 預 金 | |
| 650,000 | 売　掛　金 | |
| 44,000 | 繰 越 商 品 | |
| 500,000 | 仮 払 消 費 税 | |
| 90,000 | 仮 払 法 人 税 等 | |
| 300,000 | 備　　　　品 | |
| | 買　掛　金 | 400,000 |
| | 仮 受 消 費 税 | 700,000 |
| | 貸 倒 引 当 金 | 3,000 |
| | 減価償却累計額 | 100,000 |
| | 資　本　金 | 1,000,000 |
| | 繰越利益剰余金 | 2,643,000 |
| | 売　　　　上 | 7,000,000 |
| | 受 取 手 数 料 | 185,000 |
| 5,000,000 | 仕　　　　入 | |
| 888,000 | 給　　　　料 | |
| 273,000 | 支 払 家 賃 | |
| 14,000 | 租 税 公 課 | |
| 321,800 | そ の 他 費 用 | |
| 12,111,800 | | 12,111,800 |

〔Ⅱ〕決算整理事項等

1. 現金過不足のうち¥500は手数料を受取った際に未記帳であったことが判明した。残額は原因不明である。
2. 当座預金の貸方残高を適切な勘定へ振替える。
3. 未使用の収入印紙が¥1,000ある。
4. 売掛金の期末残高に対して2%の貸倒引当金を設定する。
5. 期末商品棚卸高は¥33,000である。売上原価は売上原価勘定で計算すること。
6. 備品につき、定額法(耐用年数6年、残存価額はゼロ)により減価償却を行う。
7. 支払家賃のうち¥21,000は翌期4月分の家賃である。
8. 給料の未払いが¥12,000ある。
9. 受取手数料の未収分が¥14,000ある。
10. 税抜方式による消費税の処理を行う。なお、仮払消費税および仮受消費税は、仕入・売上取引のみから生じるものとする。
11. 税引前当期純利益に対して30%を法人税等として計上する。なお、法人税等の中間申告分は、仮払法人税等で処理してある。

## 解答用紙

（問１）

決算整理後残高試算表

×6年3月31日　　　　（単位：円）

| 借方科目 | 金　額 | 貸方科目 | 金　額 |
|---|---|---|---|
| 現金 | | 買掛金 | |
| 普通預金 | | 当座借越 | |
| 売掛金 | | （　　）給料 | |
| 繰越商品 | | 未払消費税 | |
| 貯蔵品 | | 未払法人税等 | |
| （　　）家賃 | | 貸倒引当金 | |
| （　　）手数料 | | 減価償却累計額 | |
| 備品 | | 資本金 | |
| 売上原価 | | 繰越利益剰余金 | |
| 給料 | | 売上 | |
| 支払家賃 | | 受取手数料 | |
| 租税公課 | | 雑益 | |
| 貸倒引当金繰入 | | | |
| 減価償却費 | | | |
| その他費用 | | | |
| 法人税等 | | | |
| | | | |

（問２）

繰越利益剰余金の貸借対照表価額　＿＿＿＿＿＿円

本試験形式

# 解答・解説編

解答・解説編には、問題編〈基本〉と問題編〈応用〉に掲載した問題の解答とその詳しい解説を掲載しました。間違えてしまった問題は解説をよく読んで理解していきましょう。また、各問題ごとに「日商簿記３級光速マスターNEO テキスト」のどこで学習した内容かを明示していますので、苦手な論点や理解の不足している分野があった場合は、「日商簿記３級光速マスターNEO テキスト」をもう一度開いて復習してください。

基本 テキスト 第1章

# 1 仕訳と転記

## 解答

| 日付 | 借方科目 | 金額 | 貸方科目 | 金額 |
|---|---|---|---|---|
| 4/ 1 | 現金 | 500,000 | 資本金 | 500,000 |
| 4/10 | 現金 | 100,000 | 借入金 | 100,000 |
| 4/20 | 現金 | 12,000 | 受取手数料 | 12,000 |
| 4/25 | 給料 | 40,000 | 現金 | 40,000 |
| 4/30 | 備品 | 70,000 | 現金 | 70,000 |

現　金

| 借方 | | | 貸方 | | |
|---|---|---|---|---|---|
| 4/ 1 | 資本金 | 500,000 | 4/25 | 給料 | 40,000 |
| 10 | 借入金 | 100,000 | 30 | 備品 | 70,000 |
| 20 | 受取手数料 | 12,000 | | | |

資　本　金

| 借方 | | | 貸方 | | |
|---|---|---|---|---|---|
| | | | 4/ 1 | 現金 | 500,000 |

借　入　金

| 借方 | | | 貸方 | | |
|---|---|---|---|---|---|
| | | | 4/10 | 現金 | 100,000 |

受取手数料

| 借方 | | | 貸方 | | |
|---|---|---|---|---|---|
| | | | 4/20 | 現金 | 12,000 |

給　料

| 借方 | | | 貸方 | | |
|---|---|---|---|---|---|
| 4/25 | 現金 | 40,000 | | | |

備　品

| 借方 | | | 貸方 | | |
|---|---|---|---|---|---|
| 4/30 | 現金 | 70,000 | | | |

勘定への転記の詳細は第14章で学習します。

第14章を学習するまでは、金額の転記ができていればテキストの学習を進めることができます。

## 解　説

取引を行ったときは、仕訳帳に仕訳し、総勘定元帳に転記します。その際、資産・負債・純資産・収益・費用の増減を読み取る必要があります。

4/ 1　株式を発行し、現金を受け取りました。現金という資産が増加し、資本金という純資産が増加しています。資産が増加したときは借方(左)に、純資産が増加したときは貸方(右)に記入します。

仕訳帳に仕訳し、総勘定元帳に転記します。

仕訳の借方(左)に「現金」とあるので、現金勘定の借方(左)に記入します。記入する内容は、日付、相手科目、現金の金額です。ここでは、日付は「4/1」、相手科目は仕訳の貸方(右)の「資本金」、現金の金額は「500,000」です。

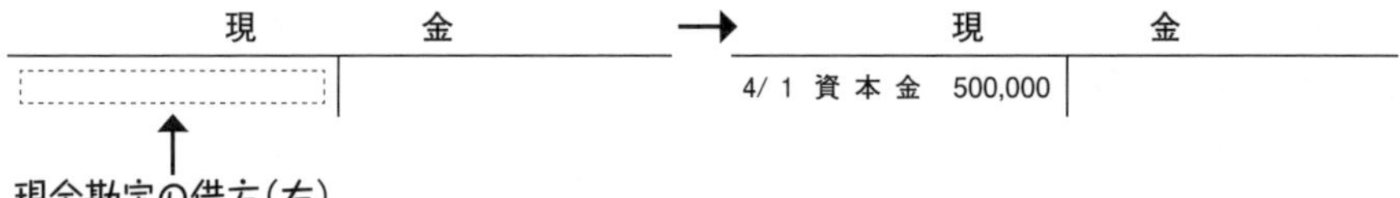


仕訳の貸方(右)に「資本金」とあるので、資本金勘定の貸方(右)に記入します。日付は「4/1」、相手科目は仕訳の借方(左)の「現金」、資本金の金額は「500,000」です。

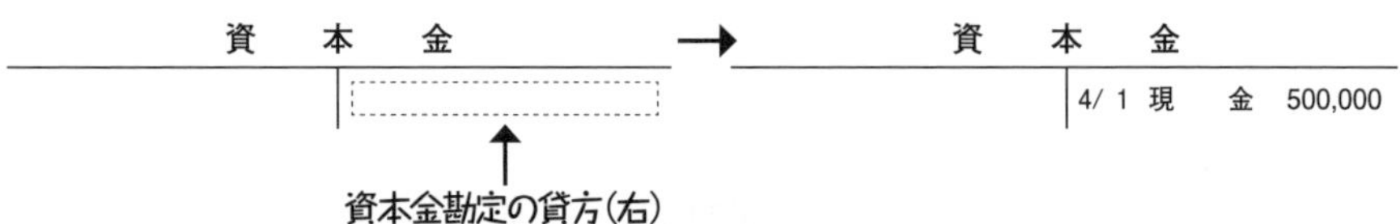


4/10　借金をして現金を受取っています。現金という資産が増加し、借入金という負債が増加しています。資産が増加したときは借方(左)に、負債が増加したときは貸方(右)に記入します。

仕訳帳に仕訳し、総勘定元帳に転記します。

仕訳の借方(左)に「現金」とあるので、現金勘定の借方(左)に記入します。日付は「4/10」、相手科目は仕訳の貸方(右)の「借入金」、現金の金額は「100,000」です。

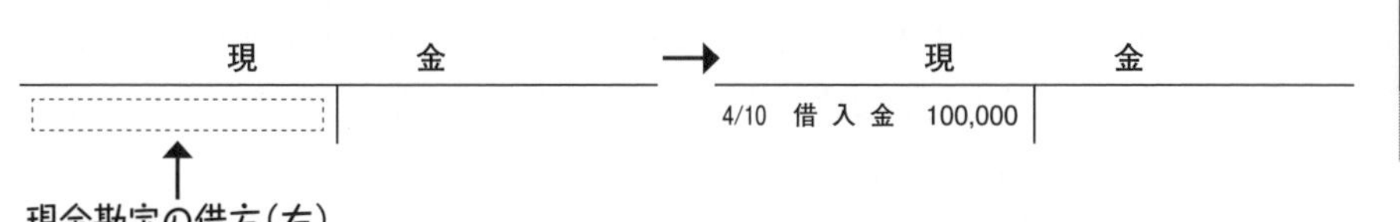

仕訳の貸方(右)に「借入金」とあるので、借入金勘定の貸方(右)に記入します。日付は「4/10」、相手科目は仕訳の借方(左)の「現金」、借入金の金額は「100,000」です。

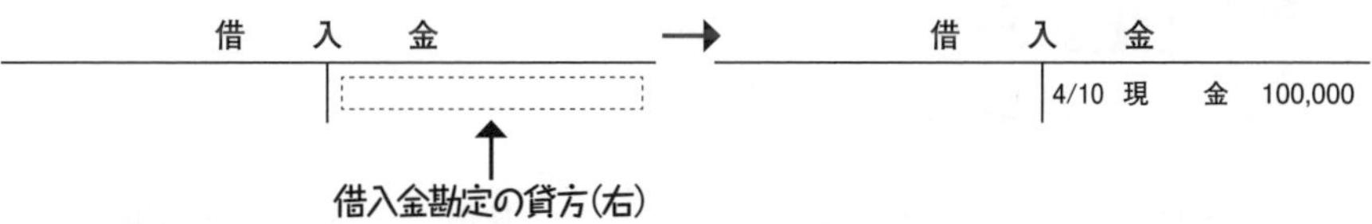


**ここに注意!**

**4/1に、現金勘定の借方(左)に転記を行っています。4/10には、4/1に行った記入の下に書き足すことになります。**

4/20　手数料として現金を受取っています。現金という資産が増加し、受取手数料という収益が増加しています。資産が増加したときは借方(左)に、収益が増加したときは貸方(右)に記入します。

現金勘定の借方(左)に、日付「4/20」、相手科目「受取手数料」、現金の金額「12,000」を記入します。また、受取手数料勘定の貸方(右)に、日付「4/20」、相手科目「現金」、受取手数料の金額「12,000」を記入します。

4/25　給料として現金を支払っています。給料という費用が増加し、現金という資産が減少しています。費用が増加したときは借方(左)に、資産が減少したときは貸方(右)に記入します。

給料勘定の借方(左)に、日付「4/25」、相手科目「現金」、給料の金額「40,000」を記入します。また、現金勘定の貸方(右)に、日付「4/25」、相手科目「給料」、現金の金額「40,000」を記入します。

4/30　備品を購入し現金を支払っています。備品という資産が増加し、現金という資産が減少しています。資産が増加したときは借方(左)に、資産が減少したときは貸方(右)に記入します。

備品勘定の借方(左)に、日付「4/30」、相手科目「現金」、備品の金額「70,000」を記入します。また、現金勘定の貸方(右)に、日付「4/30」、相手科目「備品」、現金の金額「70,000」を記入します。

**復習しよう!**

〈仕訳と転記について〉

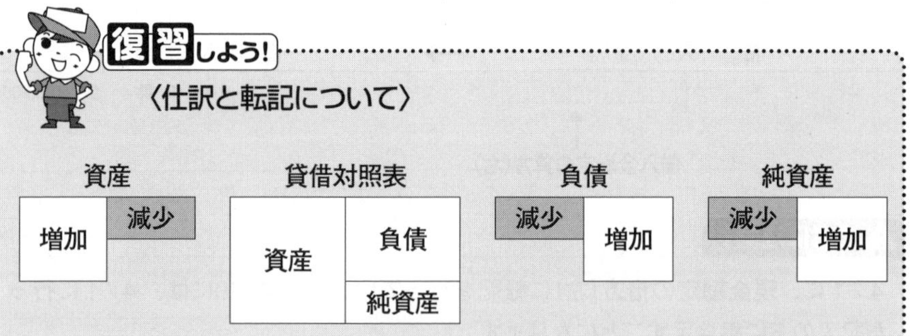


資産が増加したときは借方(左)に、負債・純資産が増加したときは貸方(右)に記入します。増加したときは、貸借対照表の記載場所と同じ方に記入する、と覚えましょう。

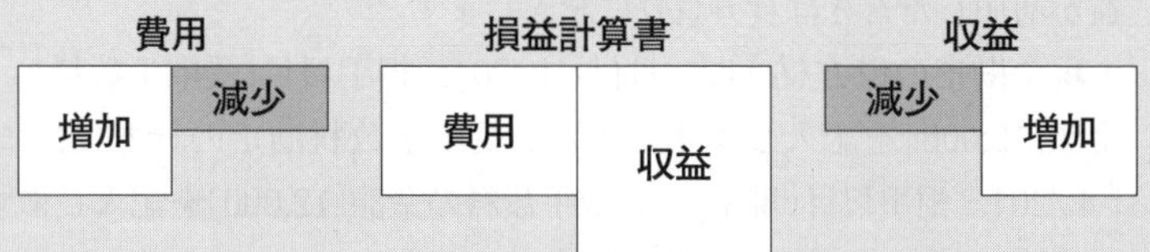


費用が増加したときは借方(左)に、収益が増加したときは貸方(右)に記入します。増加したときは、損益計算書の記載場所と同じ方に記入する、と覚えましょう。

基本　テキスト 第2章

# 2 商品売買の記帳方法

## 解　答

| 日付 | 借方科目 | 金　額 | 貸方科目 | 金　額 |
|---|---|---|---|---|
| 4/11 | 仕　入 | 60,000 | 現　金 | 60,000 |
| 4/17 | 現　金 | 50,000 | 売　上 | 50,000 |

## 解　説

商品売買の記帳方法として、三分法を学習しています。
三分法では、仕入勘定・売上勘定・繰越商品勘定を使います。

4/11　商品￥60,000を仕入れた場合、仕入(費用)が発生(増加)したと考えます。仕入原価￥60,000を仕入(費用)の増加として処理します。

4/17　仕入原価￥40,000の商品を売上げた場合、売上(収益)が発生(増加)したと考えます。売価￥50,000を売上(収益)の増加として処理します。

**復習しよう!**

仕入原価とは、商品を仕入れたときの値段、つまり、仕入値のことです。売上原価とは、売れた商品の原価、つまり、売れた商品はもともといくらで買ってきたものなのかを表しています。

基本

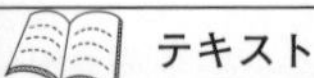

テキスト 第2章

# 3 掛け取引

## 解 答

| 日付 | 借方科目 | 金 額 | 貸方科目 | 金 額 |
|---|---|---|---|---|
| 4/ 7 | 仕 入 | 200,000 | 買 掛 金 | 200,000 |
| 4/10 | 買 掛 金 | 10,000 | 仕 入 | 10,000 |
| 4/15 | 買 掛 金 | 190,000 | 現 金 | 190,000 |
| 5/10 | 売 掛 金 | 300,000 | 売 上 | 300,000 |
| 5/13 | 売 上 | 20,000 | 売 掛 金 | 20,000 |
| 5/25 | 現 金 | 280,000 | 売 掛 金 | 280,000 |

解　説

商品売買取引において、代金の授受を後で行うことにする取引を掛け取引といいます。仕入代金を後日支払うときは買掛金(負債)で、売上代金を後日受取るときは売掛金(資産)で処理します。
返品があった場合は、掛仕入や掛売上の反対仕訳(逆仕訳)をします。

4/ 7　仕入代金を掛としているので、仕入代金を後日支払います。今度、仕入代金を支払わなければならない義務は、買掛金(負債)で処理します。

4/10　返品した分だけ、仕入取引を取消します。そのため、買掛金(負債)も減少します。仕入返品があった場合は、掛仕入の反対仕訳(逆仕訳)をします。

4/15　10日の返品があったことにより、最終的に支払う必要がある買掛金は、¥200,000－¥10,000＝¥190,000です。この買掛金を支払ったので、買掛金(負債)を減少させます。

5/10　売上代金を掛としているので、売上代金を後日受取ります。今度、売上代金を受取ることができる権利は、売掛金(資産)で処理します。

5/13　返品された分だけ、売上取引を取消します。そのため、売掛金(資産)も減少します。売上返品があった場合は、掛売上の反対仕訳(逆仕訳)をします。

5/25　13日の返品があったことにより、最終的に受取ることができる売掛金は、¥300,000－¥20,000＝¥280,000です。この売掛金を受取ったので、売掛金(資産)を減少させます。

返品は、掛仕入・掛売上の反対仕訳(逆仕訳)を行います。

基本  テキスト 第2章

# 4 諸掛

## 解答

| | 借方科目 | 金額 | 貸方科目 | 金額 |
|---|---|---|---|---|
| 1 | 仕入 | 26,500 | 買掛金<br>現金 | 25,000<br>1,500 |
| 2 | 仕入<br>立替金 | 50,000<br>2,200 | 買掛金<br>現金 | 50,000<br>2,200 |
| 3 | 仕入 | 50,000 | 買掛金<br>現金 | 47,800<br>2,200 |
| 4 | 売掛金<br>発送費 | 30,000<br>2,000 | 売上<br>現金 | 30,000<br>2,000 |
| 5 | 売掛金<br>支払運賃 | 30,000<br>2,000 | 売上<br>現金 | 30,000<br>2,000 |
| 6 | 売掛金<br>発送費 | 32,000<br>2,000 | 売上<br>現金 | 32,000<br>2,000 |

## 解説

商品を仕入れるときにかかった引取運賃などを「仕入諸掛」、商品を売上げるときにかかった発送運賃などを「売上諸掛」といいます。これらは、当社が支払うべきもの(当社負担)である場合と、取引相手が支払うべきもの(先方負担)である場合とがあります。

1. 商品を掛で仕入れています。仮に引取運賃がなかった場合、仕訳は次のようになります。

(借) 仕　　入　25,000　(貸) 買　掛　金　25,000

本問では、商品を仕入れたときに引取運賃を支払っています。この引取運賃は仕入諸掛です。このような仕入諸掛の問題で、どちらの負担か問題文に書かれていない場合は、当社負担であると考えます。当社負担の仕入諸掛を当社が支払っているので、この引取運賃￥1,500は仕入(費用)の増加として処理します。

| (借) | 仕　入 | 1,500 | (貸) | 現　金 | 1,500 |
|---|---|---|---|---|---|

借方の「仕入」の金額は、￥25,000＋￥1,500より「26,500」と仕訳します。

2.　商品を掛で仕入れています。仮に引取運賃がなかった場合、仕訳は次のようになります。

| (借) | 仕　入 | 50,000 | (貸) | 買 掛 金 | 50,000 |
|---|---|---|---|---|---|

本問では、先方負担の仕入諸掛を当社が立替えているので、この引取運賃￥2,200は、問題文の指示にしたがって、立替金(資産)の増加として処理します。

| (借) | 立 替 金 | 2,200 | (貸) | 現　金 | 2,200 |
|---|---|---|---|---|---|

3.　2の先方負担の仕入諸掛を、買掛金(負債)の減少として処理します。

| (借) | 買 掛 金 | 2,200 | (貸) | 現　金 | 2,200 |
|---|---|---|---|---|---|

貸方の「買掛金」の金額は、￥50,000－￥2,200より「47,800」と仕訳します。

立替えてあげた分、先方に支払う金額(買掛金)が少なくなります。

4.　商品を掛で売上げています。仮に発送運賃がなかった場合、仕訳は次のようになります。

| (借) | 売 掛 金 | 30,000 | (貸) | 売　上 | 30,000 |
|---|---|---|---|---|---|

本問では、商品を売上げたときに発送運賃を支払っています。この発送運賃は売上諸掛です。当社負担の売上諸掛を当社が支払っているので、この発送運賃￥2,000は、問題文の指示にしたがって、発送費（費用）の増加として処理します。

| (借) | 発送費 | 2,000 | (貸) | 現金 | 2,000 |
|---|---|---|---|---|---|

5.　4の当社負担の売上諸掛を、支払運賃（費用）の増加として処理します。

| (借) | 支払運賃 | 2,000 | (貸) | 現金 | 2,000 |
|---|---|---|---|---|---|

6.　先方負担の売上諸掛がある場合は、特別な指示がない限り、売上（収益）の金額に含めて処理した上で、発送費（費用）や支払運賃（費用）で処理します。

| (借) | 売掛金 | 32,000 | (貸) | 売上 | 32,000 |
|---|---|---|---|---|---|
| | 発送費 | 2,000 | | 現金 | 2,000 |

この処理により、「売上の金額－発送費の金額」を考えると、実質的に、売上諸掛を負担していない状態にできます。

売上諸掛は費用で処理
する場合のみ学習すれ
ばよいです。


**復習しよう!**

〈諸掛について〉

| | 仕入諸掛 | 売上諸掛 |
|---|---|---|
| 当社負担の諸掛を当社が支払った場合 | 仕入（費用）の増加 | 発送費（費用）または支払運賃（費用）の増加 |
| 先方負担の諸掛を当社が立替えた場合 | 立替金（資産）の増加または買掛金（負債）の減少 | 売上（収益）の増加かつ発送費（費用）などの増加 |

また、仕訳帳に仕訳した後は、必ず総勘定元帳に転記します。本問では問われていませんが、この後転記が行われることになります。

基本　テキスト 第3章

# 5 現金･現金過不足

## 解　答

問1　¥　77,000

問2

| 日付 | 借方科目 | 金　額 | 貸方科目 | 金　額 |
|---|---|---|---|---|
| 7/15 | 現金過不足 | 5,000 | 現　金 | 5,000 |
| 7/18 | 支払手数料 | 5,000 | 現金過不足 | 5,000 |
| 8/11 | 現　金 | 9,000 | 現金過不足 | 9,000 |
| 8/16 | 現金過不足 | 5,000 | 受取手数料 | 5,000 |
| 8/22 | 現金過不足 | 4,000 | 売　上 | 4,000 |

## 解　説

簿記上、現金(資産)で処理するものには、硬貨・紙幣の他、通貨代用証券があります。通貨代用証券は、すぐに、お金に交換することができる券なので、現金(資産)として扱います。

問1

通貨代用証券には、他人振出小切手、郵便為替証書、送金小切手などがあります。

現金の実際有高：¥1,500＋¥45,000＋¥5,500＋¥25,000＝¥77,000

問2

ここが ポイント！ 帳簿上の現金残高と実際の現金有高が異なることが判明した場合、原因を調査します。この際、原因不明分を現金過不足(仮勘定)で処理します。原因が判明したときは、判明したことを仕訳し、現金過不足(仮勘定)を取消します。

7/15　現金勘定(資産)の残高が実際有高に比べて¥5,000多く、ズレが生じています。現金勘定(資産)の残高を実際有高に合わせるために、現金(資産)を¥5,000減少させます。相手勘定科目は、現金過不足(仮勘定)とします。

現金過不足(仮勘定)は、ズレの原因が判明するまで、とりあえず使っておく勘定です。


7/18　ズレの原因が手数料の支払いについての記入漏れであったことが判明したので、支払手数料(費用)の発生(増加)の処理をします。また、ズレの原因が判明したので、現金過不足(仮勘定)を取消します。

8/11　現金勘定(資産)の残高が実際有高に比べて¥9,000少なく、ズレが生じています。現金勘定(資産)の残高を実際有高に合わせるために、現金(資産)を¥9,000増加させます。相手勘定科目は、現金過不足(仮勘定)とします。

8/16　ズレの原因の一部が、手数料の受取りについての記入漏れであったことが判明したので、受取手数料(収益)の発生(増加)の処理をします。また、ズレの原因が判明したので、現金過不足(仮勘定)を取消します。

8/22　残っていたズレの原因が、現金による売上げについての記入漏れであったことが判明したので、売上(収益)の発生(増加)の処理をします。また、ズレの原因が判明したので、現金過不足(仮勘定)を取消します。

基本 6　テキスト 第3章

# 当座預金

## 解答

| 日付 | 借方科目 | 金額 | 貸方科目 | 金額 |
|---|---|---|---|---|
| 4/ 5 | 仕入 | 40,000 | 当座預金 | 40,000 |
| 4/11 | 現金<br>当座預金 | 50,000<br>20,000 | 売上 | 70,000 |
| 4/18 | 仕入 | 100,000 | 当座預金 | 100,000 |
| 4/24 | 当座預金 | 150,000 | 売上 | 150,000 |

現金

| 日付 | 摘要 | 金額 | 日付 | 摘要 | 金額 |
|---|---|---|---|---|---|
| 4/ 1 | 前期繰越 | 300,000 | | | |
| 11 | 売上 | 50,000 | | | |

当座預金

| 日付 | 摘要 | 金額 | 日付 | 摘要 | 金額 |
|---|---|---|---|---|---|
| 4/ 1 | 前期繰越 | 100,000 | 4/ 5 | 仕入 | 40,000 |
| 11 | 売上 | 20,000 | 18 | 仕入 | 100,000 |
| 24 | 売上 | 150,000 | | | |

売上

| 日付 | 摘要 | 金額 | 日付 | 摘要 | 金額 |
|---|---|---|---|---|---|
| | | | 4/11 | 諸口 | 70,000 |
| | | | 24 | 当座預金 | 150,000 |

仕入

| 日付 | 摘要 | 金額 | 日付 | 摘要 | 金額 |
|---|---|---|---|---|---|
| 4/ 5 | 当座預金 | 40,000 | | | |
| 18 | 当座預金 | 100,000 | | | |

## 解説

当座借越契約を結んでいる場合は、当座預金口座にある金額を超えて小切手を振出してしまった場合でも、不足分を銀行が立替えてくれます。当座借越が生じたときは、当座預金勘定が貸方残高になります。

4/ 5

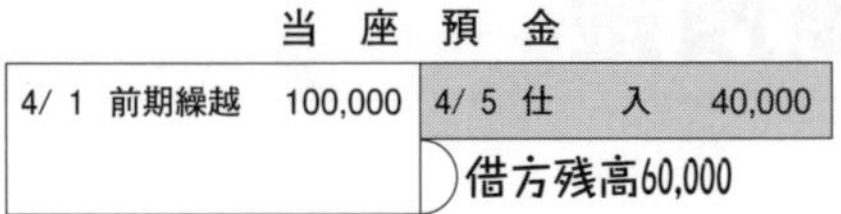

当 座 預 金

| | | | | | |
|---|---|---|---|---|---|
| 4/ 1 | 前期繰越 | 100,000 | 4/ 5 | 仕　入 | 40,000 |

借方残高60,000

当座預金勘定の借方残高は、当座預金口座にある金額を表します。

4/11

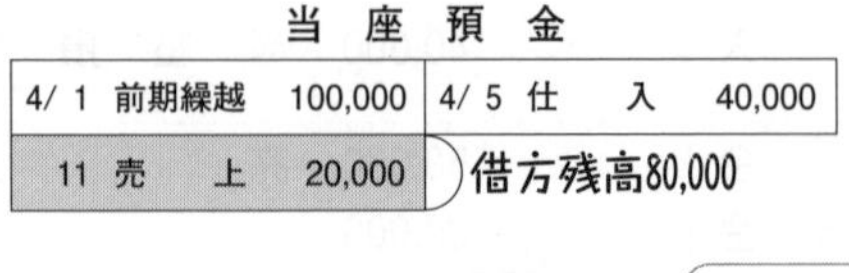

当 座 預 金

| | | | | | |
|---|---|---|---|---|---|
| 4/ 1 | 前期繰越 | 100,000 | 4/ 5 | 仕　入 | 40,000 |
| 11 | 売　上 | 20,000 | | | |

借方残高80,000

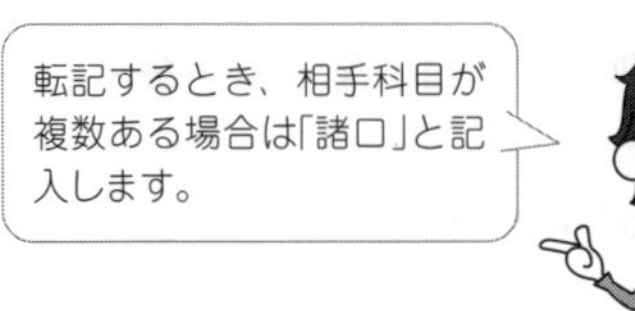

転記するとき、相手科目が複数ある場合は「諸口」と記入します。
「諸口」については第14章で学習します。


4/18

当 座 預 金

| | | | | | |
|---|---|---|---|---|---|
| 4/ 1 | 前期繰越 | 100,000 | 4/ 5 | 仕　入 | 40,000 |
| 11 | 売　上 | 20,000 | 18 | 仕　入 | 100,000 |

貸方残高20,000

当座預金口座にある金額は￥80,000ですが、これを超えて￥100,000の小切手を振出しています。足りない￥20,000は銀行が立替えておいてくれます。これが当座借越です。当座預金の貸方残高は、当座借越を表します。

4/24

当 座 預 金

| | | | | | |
|---|---|---|---|---|---|
| 4/ 1 | 前期繰越 | 100,000 | 4/ 5 | 仕　入 | 40,000 |
| 11 | 売　上 | 20,000 | 18 | 仕　入 | 100,000 |
| 24 | 売　上 | 150,000 | | | |

借方残高130,000

銀行が立替えておいてくれた￥20,000の当座借越を返済し、残額を当座預金口座に預入れます。当座預金口座にある金額は￥130,000となります。当座預金勘定の残高は、借方残高￥130,000になります。

基本　 テキスト 第3章

# 7 様々な預金の勘定

## 解　答

| | 借方科目 | 金　額 | 貸方科目 | 金　額 |
|---|---|---|---|---|
| 1 | 当座預金A銀行 | 100,000 | 現　　金 | 100,000 |
| 2 | 当座預金B銀行 | 1,000,000 | 普通預金B銀行 | 1,000,000 |
| 3 | 定期預金C信用金庫 | 5,000,000 | 普通預金C信用金庫 | 5,000,000 |
| 4 | 普通預金D銀行 | 200 | 受取利息 | 200 |

## 解　説

預金に関する勘定科目は、当座預金・普通預金・定期預金など、預金の種類を勘定科目として使用するのが基本です。ただし、口座管理のために、当座預金○○銀行や普通預金○○信用金庫のように、銀行名をつけた勘定科目を使用することもあります。

1.　現金を当座預金口座に預入れているので、現金(資産)を減少させ、当座預金(資産)を増加させます。なお、本問では、口座ごとに勘定科目を設定しているので、当座預金A銀行を使用します。
2.　普通預金B銀行(資産)を減少させ、当座預金B銀行(資産)を増加させます。
3.　普通預金C信用金庫 (資産)を減少させ、定期預金C信用金庫 (資産)を増加させます。
4.　普通預金や定期預金の利息の振込みがあったときは、受取利息(収益)の増加の処理をします。

基本  テキスト 第3章

# 8 小口現金

## 解答

(1)

| 日付 | 借方科目 | 金額 | 貸方科目 | 金額 |
|---|---|---|---|---|
| 9/ 1 | 小口現金 | 50,000 | 当座預金 | 50,000 |
| 9/30 | 旅費交通費<br>通信費<br>消耗品費 | 4,000<br>3,500<br>6,000 | 当座預金 | 13,500 |

(2)

| | 借方科目 | 金額 | 貸方科目 | 金額 |
|---|---|---|---|---|
| (1) | 旅費交通費<br>通信費<br>消耗品費<br>雑費<br>小口現金 | 1,800<br>700<br>400<br>800<br>3,700 | 小口現金<br><br><br><br>現金 | 3,700<br><br><br><br>3,700 |
| (2) | 旅費交通費<br>通信費<br>消耗品費<br>雑費 | 1,800<br>700<br>400<br>800 | 現金 | 3,700 |

## 解　説

小口の支払いをしたタイミングでは、小口現金出納帳に、会計担当者に報告するための記入をするだけです。会計担当者に報告がされて、はじめて、仕訳可能と考えます。本問では、報告と同時に補給も行っています。

問１

9/ 1　用度係(小口現金係)に小切手を振出して渡したので、当座預金(資産)を減少させます。また、小切手を受取った用度係(小口現金係)は、銀行で現金に交換します。用度係(小口現金係)が管理する現金は小口現金(資産)で処理するので、小口現金(資産)を増加させます。

9/30　用度係からの報告にもとづき、小口の支払いについて会計担当者が仕訳をします。報告内容にもとづき、旅費交通費(費用)、通信費(費用)、消耗品費(費用)の発生(増加)の処理をします。また、使った分だけ、小口現金を補給するために、小切手を振出しているので、当座預金(資産)を減少させます。

費用の勘定科目については、新聞代とお茶菓子代は雑費を基本とし、その他は、常識の範囲内で考えます。

問２

小口現金の使い道に応じて、勘定科目を適切に選ぶ必要があります。以下の表を参考にして、勘定科目を適切に選べるようにしましょう。

| 勘定科目 | 具体例 |
|---|---|
| **旅費交通費** | 電車代、バス代、タクシー代 |
| **通　信　費** | 切手代、はがき代、電話代、インターネット代 |
| **消 耗 品 費** | 文具代、封筒代、コピー用紙、帳簿、伝票 |
| **水道光熱費** | 電気代、ガス代、水道代 |
| **雑　　　費** | 新聞代、お茶菓子代 |

基本  テキスト 第4章

# 9 約束手形

## 解答

| 日付 | 借方科目 | 金　額 | 貸方科目 | 金　額 |
|---|---|---|---|---|
| 4/ 1 | 仕　入 | 150,000 | 支払手形 | 150,000 |
| 4/30 | 支払手形 | 150,000 | 当座預金 | 150,000 |
| 5/ 3 | 受取手形 | 200,000 | 売　上 | 200,000 |
| 6/ 3 | 当座預金 | 200,000 | 受取手形 | 200,000 |

当座預金

| 日付 | 摘要 | 金額 | 日付 | 摘要 | 金額 |
|---|---|---|---|---|---|
| 4/ 1 | 前期繰越 | 500,000 | 4/30 | 支払手形 | 150,000 |
| 6/ 3 | 受取手形 | 200,000 | | | |

受取手形

| 日付 | 摘要 | 金額 | 日付 | 摘要 | 金額 |
|---|---|---|---|---|---|
| 4/ 1 | 前期繰越 | 300,000 | 6/ 3 | 当座預金 | 200,000 |
| 5/ 3 | 売　上 | 200,000 | | | |

支払手形

| 日付 | 摘要 | 金額 | 日付 | 摘要 | 金額 |
|---|---|---|---|---|---|
| 4/30 | 当座預金 | 150,000 | 4/ 1 | 前期繰越 | 270,000 |
| | | | 〃 | 仕　入 | 150,000 |

売上

| 日付 | 摘要 | 金額 | 日付 | 摘要 | 金額 |
|---|---|---|---|---|---|
| | | | 5/ 3 | 受取手形 | 200,000 |

仕入

| 日付 | 摘要 | 金額 | 日付 | 摘要 | 金額 |
|---|---|---|---|---|---|
| 4/ 1 | 支払手形 | 150,000 | | | |

## 解　説

**ここがポイント!**
手形に書いてある金額を支払う義務は支払手形(負債)で表します。支払手形が増加したときは貸方、減少したときは借方に記入します。手形に書いてある金額を受取る権利は受取手形(資産)で表します。受取手形が増加したときは借方、減少したときは貸方に記入します。約束手形の場合は、振出人が手形に書いてある金額を支払う人、名宛人(約束手形を受取った人)が手形に書いてある金額を受取る人です。

4/ 1　約束手形を振出し、手形に書いてある金額を支払う義務を負ったため、支払手形(負債)の増加として処理します。

「手形に書いてある金額を支払う義務」を表すのが支払手形です。
この義務を負ったとき、支払手形が増加したと考えます。


**ここに注意!**
**「当社」は自分の会社のことを指します。一方「同店」は文章中で直前に登場しているお店のことを指します。たとえば、4/1の取引の「同店」は千葉商店です。**

4/30　4/1に負った義務を果たしたため、支払手形(負債)の減少として処理します。

5/ 3　他店振出約束手形を受取り、手形に書いてある金額を受取る権利を得たため、受取手形(資産)の増加として処理します。

「手形に書いてある金額を受取る権利」を表すのが受取手形です。
この権利を得たとき、受取手形が増加したと考えます。


6/ 3　5/3に得た権利を行使したため、受取手形(資産)の減少として処理します。

基本  テキスト 第4章

# 10 小切手・約束手形

## 解答

| | 借方科目 | 金額 | 貸方科目 | 金額 |
|---|---|---|---|---|
| 1 | 売掛金 | 200,000 | 売上 | 200,000 |
| 2 | 現金<br>受取手形 | 80,000<br>100,000 | 売掛金 | 180,000 |
| 3 | 仕入 | 510,000 | 当座預金<br>買掛金<br>現金 | 200,000<br>300,000<br>10,000 |
| 4 | 買掛金 | 300,000 | 支払手形<br>当座預金 | 200,000<br>100,000 |
| 5 | 当座預金 | 300,000 | 売掛金 | 300,000 |
| 6 | 仕入 | 750,000 | 支払手形<br>当座預金<br>買掛金 | 500,000<br>150,000<br>100,000 |
| 7 | 現金<br>受取手形<br>売掛金 | 200,000<br>300,000<br>140,000 | 売上 | 640,000 |

## 解　説

仕入取引では代金の支払方法を貸方に、売上取引では代金の回収方法を借方に仕訳します。問題文から丁寧に読取ることが必要です。特に、小切手や手形の振出人が誰なのかに着目するのがポイントです。

1.　売上代金は売掛金で回収するので、売掛金(資産)の増加として処理します。
2.　埼玉商店振出の小切手は、通貨代用証券として現金(資産)の増加として処理します。埼玉商店振出の約束手形は、受取手形(資産)の増加として処理します。
3.　仕入にあたって、引取運賃を支払っていますが、誰が負担するのかが、問題文に書いてありません。この場合は当社負担として考え、仕入原価は仕入諸掛を含めた¥510,000となります。また、小切手を振出したときは、当座預金(資産)の減少として処理し、掛とした分は買掛金(負債)の増加として処理します。
4.　買掛金の支払いをしているので、買掛金(負債)を減少させます。買掛金の支払いのために約束手形を振出したときは、支払手形(負債)の増加として処理します。また、小切手を振出したときは、当座預金(資金)の減少として処理します。
5.　当社は、売掛金の回収にあたり、当社が振出した小切手を受取っています。この場合は、小切手を振出したときに減少させていた当座預金(資産)を元に戻すために、当座預金(資産)の増加として処理します。また、広島商店振出の小切手を受取っていますが、すぐに銀行で当座預金への入金手続きをしているため、現金(資産)の増加とはしないで、当座預金(資産)の増加として処理します。
6.　仕入代金のうち、約束手形を振出した分は支払手形(負債)の増加、小切手を振出した分は当座預金(資産)の減少、掛とした分は買掛金(負債)の増加とします。
7.　売上代金のうち、他社(三重商店)振出の小切手は通貨代用証券に該当するので現金(資金)の増加、他社(三重商店)振出の約束手形は受取手形(資産)の増加とします。また、掛とした分は売掛金(資産)の増加とします。

基本  テキスト 第4章

# 11 手付金

## 解答

| 日付 | 借方科目 | 金額 | 貸方科目 | 金額 |
|---|---|---|---|---|
| 1/5 | 前払金 | 55,000 | 現金 | 55,000 |
| 1/15 | 仕入 | 550,000 | 前払金<br>現金 | 55,000<br>495,000 |
| 2/12 | 現金 | 92,000 | 前受金 | 92,000 |
| 2/28 | 前受金<br>現金 | 92,000<br>368,000 | 売上 | 460,000 |

現金

| 借方 | | | 貸方 | | |
|---|---|---|---|---|---|
| 1/1 | 前期繰越 | 700,000 | 1/5 | 前払金 | 55,000 |
| 2/12 | 前受金 | 92,000 | 15 | 仕入 | 495,000 |
| 28 | 売上 | 368,000 | | | |

前払金

| 借方 | | | 貸方 | | |
|---|---|---|---|---|---|
| 1/5 | 現金 | 55,000 | 1/15 | 仕入 | 55,000 |

前受金

| 借方 | | | 貸方 | | |
|---|---|---|---|---|---|
| 2/28 | 売上 | 92,000 | 2/12 | 現金 | 92,000 |

売上

| 借方 | | | 貸方 | | |
|---|---|---|---|---|---|
| | | | 2/28 | 諸口 | 460,000 |

仕入

| 借方 | | | 貸方 | | |
|---|---|---|---|---|---|
| 1/15 | 諸口 | 550,000 | | | |

## 解　説

商品の受渡しよりも先に代金をやりとりしたときは前払金や前受金で処理します。そして、商品の受渡しが完了したら、仕入や売上を計上し、前払金や前受金を減少させます。

1/ 5　商品の受渡しよりも先に代金の一部を支払い、商品を受取る権利を得たため、前払金(資産)の増加として処理します。

1/15　1/5に得た権利を行使したため、前払金(資産)の減少として処理します。

仕入れた商品は￥550,000ですが、1/5に￥55,000支払っているので、1/15に支払うのは￥495,000だけです。

2/12　商品の受渡しよりも先に代金の一部を受取り、商品を引渡す義務を負ったため、前受金(負債)の増加として処理します。

2/28　2/12に負った義務を果たしたため、前受金(負債)の減少として処理します。

### ⚠ここに注意!

商品の受渡しよりも先に代金をやりとりする場合、問題文には「手付金」や「内金」といった言葉が出てきます。しかし、これらは勘定科目ではありません。前払金勘定や前受金勘定を用いて処理することになります。

基本 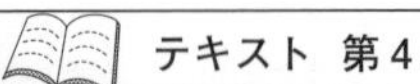 テキスト 第4章

# 12 商品券・クレジット売掛金

## 解答

| 日付 | 借方科目 | 金額 | 貸方科目 | 金額 |
|---|---|---|---|---|
| 5/10 | 受取商品券<br>現金 | 40,000<br>10,000 | 売上 | 50,000 |
| 5/30 | 当座預金 | 40,000 | 受取商品券 | 40,000 |
| 6/15 | クレジット売掛金<br>支払手数料 | 98,000<br>2,000 | 売上 | 100,000 |
| 7/25 | 当座預金 | 98,000 | クレジット売掛金 | 98,000 |

## 解説

商品の売上代金の受取方法には、様々な方法があります。商品券を受取ったり、クレジットカード払いになったりすることもあります。小売店の店員になったつもりになり、取引を考えてみましょう。

5/10　売上があったので、売上(収益)を増加させます。売上代金のうち、商品券を受取った分は、受取商品券(資産)の増加とします。また、現金を受取った分は、現金(資産)の増加とします。

5/30　保有していた商品券を発行元である自治体に引渡して、換金する手続きをしたので、受取商品券(資産)を減少させます。また、当座預金口座に振込まれているので、当座預金(資産)を増加させます。

受取商品券は、発行元に対してお金を請求できる権利を表すので、資産です。

6/15　クレジット払いでの売上げがあった場合、信販会社の取り分である手数料分が差引かれた金額を、信販会社から受取ることになります。この手数料分は支払手数料（費用）と考えます。また、実際に受取ることになる金額は、クレジット売掛金（資産）の増加の処理をします。

クレジット売掛金をいくらにすればよいかがポイントです。

7/25　通常の売掛金（資産）の回収の場合と同様に、クレジット売掛金（資産）を減少させ、当座預金（資産）を増加させます。

基　本　　テキスト 第4章

# 13 電子記録債権・債務

## 解　答

| 日付 | 借方科目 | 金　額 | 貸方科目 | 金　額 |
|---|---|---|---|---|
| 4/12 | 仕　入 | 400,000 | 買　掛　金 | 400,000 |
| 4/20 | 買　掛　金 | 400,000 | 電子記録債務 | 400,000 |
| 5/25 | 電子記録債務 | 400,000 | 当　座　預　金 | 400,000 |
| 6/17 | 売　掛　金 | 700,000 | 売　上 | 700,000 |
| 6/28 | 電子記録債権 | 700,000 | 売　掛　金 | 700,000 |
| 7/25 | 当　座　預　金 | 700,000 | 電子記録債権 | 700,000 |

## 解　説

電子記録債権・債務は、約束手形とは全く異なる債権・債務として新たに考えられたものですが、学習上は、約束手形の電子版のイメージで処理を考えるとよいです。

4/12　掛仕入れを行っているので、仕入(費用)を増加させるとともに、買掛金(負債)を増加させます。

4/20　電子記録債務の発生記録を行ったので、買掛金(負債)を減少させ、電子記録債務(負債)を増加させます。

5/25　支払期限が到来し、当座預金口座から支払いをしたので、電子記録債務(負債)を減少させるとともに、当座預金(資産)を減少させます。

電子記録債権・債務は、電子債権記録機関に発生記録を請求することで生じます。

6/17　掛売上げを行ったので、売上(収益)を増加させるとともに、売掛金(資産)を増加させます。

6/28　電子記録債権の発生記録を行ったので、売掛金(資産)を減少させ、電子記録債権(資産)を増加させます。

7/25　支払期限が到来し、当座預金口座に入金があったので、電子記録債権(資産)を減少させるとともに、当座預金(資産)を増加させます。

電子記録の発生を債権者側が行うときは、債務者側の同意を得て行います。

基本 テキスト 第5章

# 14 貸付・借入・未収・未払

## 解答

| 日付 | 借方科目 | 金額 | 貸方科目 | 金額 |
|---|---|---|---|---|
| 1/10 | 貸付金 | 100,000 | 現金 | 100,000 |
| 2/10 | 現金 | 100,620 | 貸付金<br>受取利息 | 100,000<br>620 |
| 3/15 | 現金 | 300,000 | 手形借入金 | 300,000 |
| 4/15 | 手形借入金<br>支払利息 | 300,000<br>500 | 現金 | 300,500 |
| 5/10 | 土地 | 800,000 | 未払金 | 800,000 |
| 6/28 | 未払金 | 800,000 | 現金 | 800,000 |
| 7/15 | 未収入金 | 250,000 | 土地<br>固定資産売却益 | 200,000<br>50,000 |
| 8/15 | 現金 | 250,000 | 未収入金 | 250,000 |

現金

| | | | | | |
|---|---|---|---|---|---|
| 1/1 | 前期繰越 | 950,000 | 1/10 | 貸付金 | 100,000 |
| 2/10 | 諸口 | 100,620 | 4/15 | 諸口 | 300,500 |
| 3/15 | 手形借入金 | 300,000 | 6/28 | 未払金 | 800,000 |
| 8/15 | 未収入金 | 250,000 | | | |

貸付金

| | | | | | |
|---|---|---|---|---|---|
| 1/10 | 現金 | 100,000 | 2/10 | 現金 | 100,000 |

手形借入金

| | | | | | |
|---|---|---|---|---|---|
| 4/15 | 現金 | 300,000 | 3/15 | 現金 | 300,000 |

受取利息

| | | | | | |
|---|---|---|---|---|---|
| | | | 2/10 | 現金 | 620 |

支払利息

| | | | | | |
|---|---|---|---|---|---|
| 4/15 | 現金 | 500 | | | |

未収入金

| | | | | | |
|---|---|---|---|---|---|
| 7/15 | 諸口 | 250,000 | 8/15 | 現金 | 250,000 |

土　地

| | | | | | |
|---|---|---|---|---|---|
| 5/10 | 未払金 | 800,000 | 7/15 | 未収入金 | 200,000 |

未払金

| | | | | | |
|---|---|---|---|---|---|
| 6/28 | 現　金 | 800,000 | 5/10 | 土　地 | 800,000 |

固定資産売却益

| | | | | | |
|---|---|---|---|---|---|
| | | | 7/15 | 未収入金 | 50,000 |

## 解　説

お金を貸借したときは、通常は貸付金・借入金で、手形を利用したときは手形貸付金・手形借入金で処理します。また、商品の代金の受渡しを後回しにしたときは売掛金・買掛金で、商品以外のものの代金の受渡しを後回しにしたときは未収入金・未払金で処理します。

1/10　お金を貸付け、お金を返してもらう権利を得たため、貸付金(資産)の増加として処理します。

2/10　1/10に得た権利を行使したため、貸付金(資産)の減少として処理します。また、貸したお金は￥100,000ですが、受取ったのは、利息(￥100,000×0.073×31日/365日＝￥620)を含めた￥100,620です。受取った利息は、受取利息(収益)の増加として処理します。

3/15　手形を利用してお金を借入れ、お金を返す義務を負ったため、手形借入金(負債)の増加として処理します。

4/15　3/15に負った義務を果たしたため、手形借入金(負債)の減少として処理します。また、借りたお金は￥300,000ですが、支払ったのは、利息(￥300,000×0.02×1ヵ月/12ヵ月＝￥500)を含めた￥300,500です。支払った利息は、支払利息(費用)の増加として処理します。

5/10　土地の代金の支払いを後回しにし、代金を支払う義務を負ったため、未払金(負債)の増加として処理します。

6/28　5/10に負った義務を果たしたため、未払金(負債)の減少として処理します。

7/15　土地の代金の受取りを後回しにし、代金を受取る権利を得たため、未収入金(資産)の増加として処理します。また、￥200,000で購入した土地を売却して、￥250,000受取ることとなったため、差額￥50,000は、固定資産売却益(収益)の増加として処理します。

8/15　7/15に得た権利がなくなったため、未収入金(資産)の減少として処理します。

基本 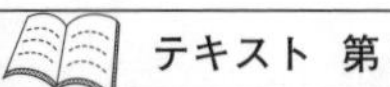 テキスト 第5章

# 15 仮払・仮受・立替・預り

## 解答

| 日付 | 借方科目 | 金額 | 貸方科目 | 金額 |
|---|---|---|---|---|
| 4/15 | 仮払金 | 95,000 | 現金 | 95,000 |
| 4/18 | 旅費<br>現金 | 92,000<br>3,000 | 仮払金 | 95,000 |
| 5/13 | 当座預金 | 200,000 | 仮受金 | 200,000 |
| 5/16 | 仮受金 | 200,000 | 売掛金 | 200,000 |
| 6/17 | 立替金 | 25,000 | 現金 | 25,000 |
| 6/25 | 給料 | 400,000 | 立替金<br>預り金<br>現金 | 25,000<br>50,000<br>325,000 |
| 7/10 | 預り金 | 50,000 | 現金 | 50,000 |

## 解説

仕訳に用いる勘定科目や金額が確定できない場合は、とりあえず、仮払金(資産)または仮受金(負債)で処理しておきます。内容が確定した際には、仮払金や仮受金を取消し、適切な勘定へ振替えます。

4/15　旅費の概算払いは、旅費の金額が確定できないので、仮払金(資産)で処理しておき、後日、旅費の金額が確定したときに精算します。

4/18　確定した旅費は¥92,000です。確定した旅費の分だけ旅費(費用)を増加させ、仮払金(資産) ¥95,000を取消すために減少させます。差額の¥3,000は、現金で受取っているので、現金(資産)を増加させます。

5/13　内容不明の入金は、勘定科目と金額が確定できないので、仮受金(負債)で処理しておき、後日、内容が確定したときに精算します。

5/16　内容が売掛金(資産)の回収と判明したので、売掛金(資産)を減少させ、仮受金(負債)を取消すために減少させます。

仮払金(資産)や仮受金(負債)は、現金過不足のような仮勘定としての性質があります。


6/17　従業員の給料の前貸し分は、立替金(資産)で処理しておき、後日、回収します。そのため、立替金(資産)を増加させます。

6/25　給料総額¥400,000を給料(費用)の発生(増加)とします。立替金回収のために給与から控除した¥25,000は立替金(資産)を減少させます。また、預かった所得税の源泉徴収額¥50,000は、預り金(負債)を増加させます。手取額¥325,000は現金で支払っているので、現金(資産)を減少させます。

7/10　給料から控除した所得税の源泉徴収額¥50,000を納付しているので、現金(資産)、預り金(負債)をともに減少させます。

立替金(資産)は従業員立替金(資産)で、預り金(負債)は所得税預り金(負債)で処理することもあります。


**⚠ここに注意!**

従業員の給料の前貸し分や、従業員負担の保険料は、給料から差引く(天引きする)ことで回収したことにする場合もあります。また、従業員が負担すべき所得税や社会保険料(健康保険料など)は、給料から差引く(天引きする)ことでいったん預かり、後日、税務署や年金事務所に納付します。

基本  テキスト 第6章

# 16 税金

## 解答

問1

| | 借方科目 | 金額 | 貸方科目 | 金額 |
|---|---|---|---|---|
| (1) | 租税公課 | 2,000 | 現金 | 2,000 |
| (2) | 租税公課 | 25,000 | 現金 | 25,000 |
| (3) | 租税公課 | 80,000 | 未払金 | 80,000 |
| (4) | 未払金 | 20,000 | 現金 | 20,000 |

問2

| | 借方科目 | 金額 | 貸方科目 | 金額 |
|---|---|---|---|---|
| (1) | 仕入<br>仮払消費税 | 150,000<br>15,000 | 買掛金 | 165,000 |
| (2) | 売掛金 | 198,000 | 売上<br>仮受消費税 | 180,000<br>18,000 |
| (3) | 仮受消費税 | 560,000 | 仮払消費税<br>未払消費税 | 450,000<br>110,000 |
| (4) | 未払消費税 | 110,000 | 現金 | 110,000 |

問3

| | 借方科目 | 金額 | 貸方科目 | 金額 |
|---|---|---|---|---|
| (1) | 仮払法人税等 | 575,000 | 現金 | 575,000 |
| (2) | 法人税等 | 1,293,000 | 仮払法人税等<br>未払法人税等 | 575,000<br>718,000 |
| (3) | 未払法人税等 | 718,000 | 当座預金 | 718,000 |

## 解　説

固定資産税や印紙税などの費用となる税金は、租税公課(費用)で処理します。消費税の含まれている取引を税抜方式で仕訳する際は、売上や仕入など、収益・費用の処理を税抜価額で行います。

問１

(1)　収入印紙は、印紙税の納付のために購入するものです。収入印紙を購入した場合は、印紙税は費用になる税金なので、租税公課(費用)の増加として処理します。

(2)　固定資産税は、費用となる税金です。固定資産税を納付したときに租税公課(費用)の増加として処理する場合があります。

(3)　固定資産税の納税通知書を受取ったときに、１年分の税額が分かるので、納税通知書受取時に、１年分の税額を租税公課(費用)の増加として処理する場合があります。このときは、未払いとなっている分を未払金(負債)の増加として処理します。

(4)　固定資産税は、４回に分けて納付することができます。未払金(負債)で処理しておいた分を納付したときは、未払金(負債)の減少として処理します。

問２

(1)　税抜きの仕入代金￥150,000（＝￥165,000－￥15,000)で仕入(費用)の増加として処理をします。消費税分￥15,000は仮払消費税(資産)の増加として処理します。また、買掛金(負債)は税込みの金額￥165,000で増加の処理をします。

(2)　税抜きの売上代金￥180,000（＝￥198,000－￥18,000)で売上(収益)の増加として処理します。消費税分￥18,000は仮受消費税(負債)の増加として処理します。また、売掛金(資産)は税込みの金額￥198,000で増加の処理をします。

(3)　仮受消費税と仮払消費税の差額￥110,000（＝￥560,000－￥450,000)を納付することとなるので、未払消費税(負債)の増加として処理します。

(4)　納付すべき消費税を納付したので、未払消費税(負債)を減少させます。

電話代や電気代なども消費税がかかっているので、仮払消費税を使って仕訳します。

問３

⑴　法人税等の中間申告をしたときは、１年分の法人税等の一部を前払いしたと考えて、仮払法人税等(資産)の増加として処理します。

⑵　決算において、１年分の法人税等が確定したときは、中間申告により納付済みの金額との差額を納付することになります。この納付することとなる金額を未払法人税等(負債)の増加として処理します。

⑶　確定申告を行い、⑵で未払法人税等で処理した金額を納付したので、未払法人税等(負債)を減少させます。

法人税等の代わりに、法人税、住民税及び事業税を用いることもあります。

基本　テキスト 第7章

# 17 有形固定資産

## 解答

| | 借方科目 | 金額 | 貸方科目 | 金額 |
|---|---|---|---|---|
| 1 | 備品 | 150,000 | 未払金 | 150,000 |
| 2 | 建物 | 3,060,000 | 当座預金<br>現金 | 3,000,000<br>60,000 |
| 3 | 修繕費 | 15,000 | 現金 | 15,000 |
| 4 | 建物 | 8,000,000 | 当座預金 | 8,000,000 |
| 5 | 建物<br>修繕費 | 4,000,000<br>1,000,000 | 未払金 | 5,000,000 |

## 解説

有形固定資産を購入した場合の取得原価は、購入代価に付随費用を加算した金額です。つまり、建物などの資産として計上する金額は、購入に際して、負担しなければならない金額の総額になるということです。

1.　事務用パソコンの取得は、備品(資産)の増加として処理します。また、未払いとなっている代金については、未払金(負債)の増加として処理します。
2.　倉庫用建物の取得は、建物(資産)の増加として処理します。なお、増加させる金額は、取得原価￥3,060,000（＝￥3,000,000＋￥60,000）です。

固定資産を購入してから使用を開始するまでにかかった費用は、取得原価に含めます。

3.　パソコンの修理代金は、修繕費(費用)の増加として処理します。
4.　建物の耐震補強工事などにより、建物の価値が増加したと考える支出を資本的支出といいます。資本的支出があった場合は、有形固定資産を新たに購入したと思って処理をします。つまり、建物(資産)を増加させます。

**ここに注意!**

**建物の修繕をした場合に、建物の現状を回復させるための支出は、収益的支出といいます。収益的支出に該当するときは、修繕費(費用)で処理します。**

5.　修繕代金のうち、資本的支出に該当する￥4,000,000は建物(資産)の増加として処理します。また、収益的支出に該当する￥1,000,000は修繕費(費用)の増加として処理します。

基本　テキスト 第7章

# 18 様々な取引

## 解答

| | 借方科目 | 金　額 | 貸方科目 | 金　額 |
|---|---|---|---|---|
| 1 | 消耗品費<br>通信費 | 500<br>3,900 | 現金 | 4,400 |
| 2 | 差入保証金<br>支払手数料 | 240,000<br>80,000 | 普通預金 | 320,000 |
| 3 | 支払家賃 | 160,000 | 普通預金 | 160,000 |
| 4 | 給料 | 900,000 | 預り金<br>普通預金 | 170,000<br>730,000 |
| 5 | 預り金<br>法定福利費 | 135,000<br>135,000 | 普通預金 | 270,000 |

## 解説

様々な取引に応じて、適切な勘定科目を用いて処理する必要があります。本番の試験では、使用してよい勘定科目が与えられるので、与えられた勘定科目を用いて解答しなければなりません。

1.　封筒代は消耗品費(費用)で、はがき代と切手代は通信費(費用)で処理します。

**復習しよう!**

**小口現金の定額資金前渡制度で、小口の支払内容の報告時に行う仕訳で使う勘定科目を確認しておきましょう。例えば、新聞代やお茶菓子代は、学習上、雑費(費用)で処理するのが基本形です。**

2.　店舗や事務所を借りるために敷金や保証金を支払ったときは、差入保証金(資産)で処理します。また、不動産会社に支払う仲介手数料は、支払手数料(費用)で処理します。
3.　店舗の家賃を支払ったときは、支払家賃(費用)で処理します。
4.　給料から控除(天引き)する源泉所得税や従業員負担の社会保険料は、将来、税務署や年金事務所へ納付する義務があるので、預り金(負債)の増加として処理します。

社会保険料には、健康保険や厚生年金などの保険料があります。

5.　年金事務所に納付する社会保険料は、従業員負担分と事業主(会社)負担分があります。従業員負担分と事業主負担分の合計額を事業主(会社)が年金事務所へ納付します。このとき、事業主(会社)負担分は、法定福利費(費用)で処理します。

**⚠ここに注意!**

**給料から天引きする源泉所得税は、源泉所得税預り金(負債)で処理することもあります。また、従業員負担の社会保険料は、社会保険料預り金(負債)で処理することもあります。**

基本　テキスト 第7章

# 19 訂正仕訳

## 解答

| | 借方科目 | 金　額 | 貸方科目 | 金　額 |
|---|---|---|---|---|
| (1) | 買　掛　金 | 480,000 | 現　　金 | 480,000 |
| (2) | 売　掛　金 | 360,000 | 買　掛　金 | 360,000 |

## 解説

訂正仕訳は、手順が重要です。まず、誤った仕訳を考えます。次に、誤った仕訳の逆仕訳（反対仕訳）と正しい仕訳を合算して、訂正仕訳をつくります。なお、同じ勘定科目をまとめることを合算といいます。

(1)　まず、誤った仕訳を考えます。正しい仕訳では、借方に買掛金（負債）の減少、貸方に現金（資産）の減少の処理をすることに着目して考えます。

<誤った仕訳>

（借）現　　金　240,000　（貸）買　掛　金　240,000

次に、誤った仕訳の逆仕訳（反対仕訳）と正しい仕訳を考えて、合算したものが訂正仕訳となります。なお、まとめることを合算といいます。

| | | | | | | |
|---|---|---|---|---|---|---|
| 逆 | （借） | 買掛金 | 240,000 | （貸） | 現金 | 240,000 |
| 正 | （借） | 買掛金 | 240,000 | （貸） | 現金 | 240,000 |
| 合 | （借） | 買掛金 | 480,000 | （貸） | 現金 | 480,000 |

買掛金は借方に２つあります。同じ側にあるときは金額を足します。

現金は貸方に２つあります。同じ側にあるときは金額を足します。

⑵ まず、誤った仕訳を考えます。正しい仕訳では、借方に売掛金(資産)の増加の処理をすることに着目して考えます。

<誤った仕訳>

| (借) | 買掛金 | 360,000 | (貸) | 売上 | 360,000 |
|---|---|---|---|---|---|

次に、誤った仕訳の逆仕訳(反対仕訳)と正しい仕訳を考えて、合算したものが訂正仕訳となります。なお、まとめることを合算といいます。

| | | | | | | |
|---|---|---|---|---|---|---|
| 逆 | (借) | 売上 | 360,000 | (貸) | 買掛金 | 360,000 |
| 正 | (借) | 売掛金 | 360,000 | (貸) | 売上 | 360,000 |
| 合 | (借) | 売掛金 | 360,000 | (貸) | 買掛金 | 360,000 |

売上は借方と貸方にあります。反対側にあるときは金額を引き、相殺します。

**⚠ここに注意!**

**取引が帳簿に未記入(未処理)であった場合は、未記入であることが分かったときに帳簿に記入します。これに対して、記入はしたものの間違っていた場合は、間違いを修正するための記入を追加で行います。**

基本　テキスト 第８章

# 20 試算表の基礎１

## 解　答

残高試算表

| 借方 | | 勘定科目 | 貸方 | |
|---|---|---|---|---|
| 6/30残高 | 6/27残高 | | 6/27残高 | 6/30残高 |
| **195,000** | 125,000 | 現金 | | |
| **2,647,000** | 2,474,000 | 当座預金 | | |
| **100,000** | 220,000 | 受取手形 | | |
| **452,000** | 490,000 | 売掛金 | | |
| | | 支払手形 | 180,000 | **280,000** |
| | | 買掛金 | 310,500 | **260,500** |
| | | 預り金 | 4,500 | **4,500** |
| | | 資本金 | 2,000,000 | **2,000,000** |
| | | 繰越利益剰余金 | 780,000 | **780,000** |
| | | 売上 | 725,000 | **885,000** |
| **705,000** | 580,000 | 仕入 | | |
| **96,000** | 96,000 | 給料 | | |
| **15,000** | 15,000 | 支払手数料 | | |
| **4,210,000** | 4,000,000 | | 4,000,000 | **4,210,000** |

## 解　説

試算表作成の問題では、まず、取引資料から仕訳の一覧を作成します。次に、勘定科目ごとに、T勘定に転記をして集計します。最初は、仕訳の一覧を作成する練習と集計の練習を区別してやりましょう。

1.　仕訳の一覧を作成します

28日から30日の取引資料に基づいて、仕訳の一覧を計算用紙にメモします。

| | | | | | |
|---|---|---|---|---|---|
| 28日 | (借) 売掛金 | 90,000 | (貸) 売上 | 90,000 |
| | (借) 仕入 | 80,000 | (貸) 買掛金 | 80,000 |
| | (借) 現金 | 30,000 | (貸) 売掛金 | 30,000 |
| 29日 | (借) 現金 | 70,000 | (貸) 売上 | 70,000 |
| | (借) 仕入 | 45,000 | (貸) 当座預金 | 45,000 |
| | (借) 当座預金 | 98,000 | (貸) 売掛金 | 98,000 |
| | (借) 買掛金 | 100,000 | (貸) 支払手形 | 100,000 |
| 30日 | (借) 買掛金 | 30,000 | (貸) 現金 | 30,000 |
| | (借) 当座預金 | 120,000 | (貸) 受取手形 | 120,000 |

当座預金は「当よ」と書くなど、勘定科目を省略形で書くと短時間でメモできます。

2.　T勘定に転記して集計します

解答用紙から判明する6/27時点の残高と仕訳の一覧に基づいて、各勘定を作成して、残高を集計します。

現　　金

| | | | |
|---|---|---|---|
| | 125,000 | 6/30 | 30,000 |
| 6/28 | 30,000 | | |
| 6/29 | 70,000 | 借方残高 | |
| | | 195,000 | |

当　座　預　金

| | | | |
|---|---|---|---|
| | 2,474,000 | 6/29 | 45,000 |
| 6/29 | 98,000 | | |
| 6/30 | 120,000 | 借方残高 | |
| | | 2,647,000 | |

受　取　手　形

| | | | |
|---|---|---|---|
| | 220,000 | 6/30 | 120,000 |
| | | 借方残高 | |
| | | 100,000 | |

売　掛　金

| | | | |
|---|---|---|---|
| | 490,000 | 6/28 | 30,000 |
| 6/28 | 90,000 | 6/29 | 98,000 |
| | | 借方残高 | |
| | | 452,000 | |

支　払　手　形

| | | | |
|---|---|---|---|
| | | | 180,000 |
| | | 6/29 | 100,000 |
| 貸方残高 | | | |
| 280,000 | | | |

買　掛　金

| | | | |
|---|---|---|---|
| 6/29 | 100,000 | | 310,500 |
| 6/30 | 30,000 | 6/28 | 80,000 |
| 貸方残高 | | | |
| 260,500 | | | |

売　　上

| | | | |
|---|---|---|---|
| | | | 725,000 |
| | | 6/28 | 90,000 |
| 貸方残高 | | 6/29 | 70,000 |
| 885,000 | | | |

仕　　入

| | | | |
|---|---|---|---|
| | 580,000 | | |
| 6/28 | 80,000 | | |
| 6/29 | 45,000 | 借方残高 | |
| | | 705,000 | |

基本 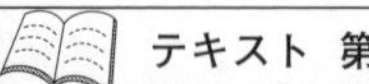 テキスト 第8章

# 21 試算表の基礎2

## 解答

合計残高試算表

×8年5月31日

| 借方残高 | 借方合計 | 勘定科目 | 貸方合計 | 貸方残高 |
|---|---|---|---|---|
| 9,100 | 35,450 | 現金 | 26,350 | |
| 90,300 | 109,700 | 当座預金 | 19,400 | |
| 8,200 | 27,900 | 受取手形 | 19,700 | |
| 35,900 | 69,400 | 売掛金 | 33,500 | |
| | 6,100 | 支払手形 | 16,500 | 10,400 |
| | 15,800 | 買掛金 | 61,200 | 45,400 |
| | 600 | 前受金 | 6,400 | 5,800 |
| | | 未払金 | 2,600 | 2,600 |
| | 6,500 | 借入金 | 9,000 | 2,500 |
| | | 資本金 | 50,000 | 50,000 |
| | | 繰越利益剰余金 | 30,000 | 30,000 |
| | 600 | 売上 | 128,600 | 128,000 |
| 91,500 | 91,800 | 仕入 | 300 | |
| 31,200 | 31,200 | 給料 | | |
| 8,150 | 8,150 | 旅費 | | |
| 350 | 350 | 支払利息 | | |
| | 3,000 | 仮払金 | 3,000 | |
| 274,700 | 406,550 | | 406,550 | 274,700 |

## 解説

資料Ⅰを見ると、5/1時点の各勘定の借方合計と貸方合計がわかります。資料Ⅱに基づいて、5月中の取引の仕訳と転記を行い、5/31時点の各勘定の合計と残高を計算します。

5月中の取引を仕訳します。

| 日付 | | 借方科目 | 金額 | | 貸方科目 | 金額 |
|---|---|---|---|---|---|---|
| 2日 | (借) | 仕　　入 | 12,000 | (貸) | 買　掛　金 | 12,000 |
| 6日 | (借) | 売　掛　金 | 7,500 | (貸) | 売　　上 | 7,500 |
| 9日 | (借) | 売　　上 | 200 | (貸) | 売　掛　金 | 200 |
| 11日 | (借) | 仮　払　金 | 3,000 | (貸) | 現　　金 | 3,000 |
| 12日 | (借) | 買　掛　金 | 4,000 | (貸) | 支払手形 | 4,000 |
| 13日 | (借) | 借　入　金 | 5,000 | (貸) | 現　　金 | 5,150 |
| | | 支払利息 | 150 | | | |
| 14日 | (借) | 受取手形 | 8,000 | (貸) | 売　　上 | 8,000 |
| 15日 | (借) | 旅　　費 | 2,500 | (貸) | 仮　払　金 | 3,000 |
| | | 現　　金 | 500 | | | |
| 17日 | (借) | 当座預金 | 16,000 | (貸) | 売　　上 | 16,000 |
| 19日 | (借) | 当座預金 | 11,000 | (貸) | 受取手形 | 11,000 |
| 21日 | (借) | 仕　　入 | 8,600 | (貸) | 買　掛　金 | 8,500 |
| | | | | | 現　　金 | 100 |
| 24日 | (借) | 売　掛　金 | 13,000 | (貸) | 売　　上 | 13,000 |
| 26日 | (借) | 給　　料 | 15,000 | (貸) | 現　　金 | 15,000 |
| 27日 | (借) | 支払手形 | 5,000 | (貸) | 当座預金 | 5,000 |
| 28日 | (借) | 当座預金 | 20,000 | (貸) | 売　掛　金 | 20,000 |
| 29日 | (借) | 現　　金 | 5,000 | (貸) | 前　受　金 | 5,000 |
| 30日 | (借) | 買　掛　金 | 7,000 | (貸) | 当座預金 | 7,000 |
| 31日 | (借) | 仕　　入 | 14,000 | (貸) | 買　掛　金 | 14,000 |

5／1時点の現金勘定の借方合計は¥29,950、5月中に借方に現金と仕訳したのは15日の¥500と29日の¥5,000です。
5／31時点の現金勘定の借方合計は¥29,950＋¥500＋¥5,000より¥35,450です。

現金勘定は、５月中の仕訳を転記すると次のようになります。

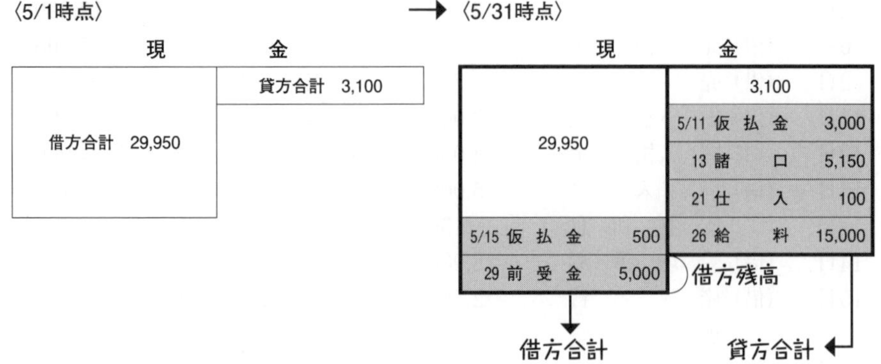

５／31時点の現金勘定の貸方合計は￥3,100＋￥3,000＋￥5,150＋￥100＋￥15,000より￥26,350です。



**ここに注意！**

本試験でこのような試算表作成問題が出題されたときは、下書き用紙に仕訳をした後、仕訳を見ながら電卓を叩いて集計した方が効率的です。その場合は、集計したものに○印をつけるなどして、集計もれを防ぎましょう。

基本

テキスト 第８章

# 22 試算表の基礎３

## 解答

合計試算表

| 借方 | | | 勘定科目 | 貸方 | | |
|---|---|---|---|---|---|---|
| 当月までの合計 | 月中取引高 | 前月までの合計 | | 前月までの合計 | 月中取引高 | 当月までの合計 |
| 52,500 | 5,500 | 47,000 | 現金 | 21,000 | 11,300 | 32,300 |
| 142,000 | 19,000 | 123,000 | 当座預金 | 15,000 | 5,000 | 20,000 |
| 37,000 | 8,000 | 29,000 | 受取手形 | 13,000 | 3,000 | 16,000 |
| 48,000 | 11,000 | 37,000 | 売掛金 | 18,000 | 16,000 | 34,000 |
| 25,000 | | 25,000 | 繰越商品 | | | |
| 40,000 | | 40,000 | 備品 | | | |
| 7,000 | 2,000 | 5,000 | 支払手形 | 23,000 | 6,000 | 29,000 |
| 9,000 | 2,000 | 7,000 | 買掛金 | 16,000 | 7,000 | 23,000 |
| | | | 貸倒引当金 | 6,000 | | 6,000 |
| | | | 減価償却累計額 | 8,000 | | 8,000 |
| | | | 資本金 | 100,000 | | 100,000 |
| | | | 繰越利益剰余金 | 80,000 | | 80,000 |
| | | | 売上 | 220,000 | 24,500 | 244,500 |
| 188,000 | 14,000 | 174,000 | 仕入 | | | |
| 40,000 | 10,000 | 30,000 | 給料 | | | |
| 1,700 | 700 | 1,000 | 消耗品費 | | | |
| 2,600 | 600 | 2,000 | 交通費 | | | |
| 592,800 | 72,800 | 520,000 | | 520,000 | 72,800 | 592,800 |

## 解　説

**ここがポイント！**

取引資料が、取引の種類ごとに与えられています。この場合、現金売上や現金仕入などが２箇所に記載されてしまいます。仕訳を列挙すると同じ仕訳を２回メモしてしまうため、集計の際、二重に集計しないようにすることが必要です。そのために、二重線で片方の仕訳を消してから集計します。

(1)　商品の売上

| | | | | | | |
|---|---|---|---|---|---|---|
| ① | (借) | 売　掛　金 | 11,000 | (貸) | 売　　　上 | 11,000 |
| ② | (借) | 受 取 手 形 | 8,000 | (貸) | 売　　　上 | 8,000 |
| ③ | (借) | 現　　　金 | 5,500 | (貸) | 売　　　上 | 5,500 |

(2)　商品の仕入

| | | | | | | |
|---|---|---|---|---|---|---|
| ① | (借) | 仕　　　入 | 7,000 | (貸) | 買　掛　金 | 7,000 |
| ② | (借) | 仕　　　入 | 4,000 | (貸) | 支 払 手 形 | 4,000 |
| ③ | (借) | 仕　　　入 | 3,000 | (貸) | 当 座 預 金 | 3,000 |

(3)　現金の増減

| | | | | | | |
|---|---|---|---|---|---|---|
| ① | ~~(借)~~ | ~~現　　　金~~ | ~~5,500~~ | ~~(貸)~~ | ~~売　　　上~~ | ~~5,500~~ |
| ② | (借) | 交　通　費 | 600 | (貸) | 現　　　金 | 600 |
| ③ | (借) | 給　　　料 | 10,000 | (貸) | 現　　　金 | 10,000 |
| ④ | (借) | 消 耗 品 費 | 700 | (貸) | 現　　　金 | 700 |

**ここに注意！**

現金売上は、商品の売上取引ですが、現金の増加取引でもあるので、商品の売上と現金の増減の２箇所に記載があります。そのため、二重に集計しないよう、片方の仕訳に二重線を引きます。

(4)　当座預金の増減

| | | | | |
|---|---|---|---|---|
| ① | (借) 当座預金 | 16,000 | (貸) 売掛金 | 16,000 |
| ② | (借) 当座預金 | 3,000 | (貸) 受取手形 | 3,000 |
| ③ | ~~(借) 仕入~~ | ~~3,000~~ | ~~(貸) 当座預金~~ | ~~3,000~~ |
| ④ | (借) 支払手形 | 2,000 | (貸) 当座預金 | 2,000 |

**ここに注意！**

**当座仕入は、商品の仕入取引ですが、当座預金の減少取引でもあるので、商品の仕入と当座預金の増減の２箇所に記載があります。そのため、二重に集計しないよう、片方の仕訳に二重線を引きます。**

(5)　その他の取引

| | | | | |
|---|---|---|---|---|
| ① | (借) 買掛金 | 2,000 | (貸) 支払手形 | 2,000 |

問題資料で、二重に記載されている資料の片方を二重線で消してから仕訳してもよいです。

問題資料で二重線を引いてから仕訳した場合は、二重に集計してしまうことはありません。

基本  テキスト 第9章

# 23 決算整理１

## 解答

問１

| | 借方科目 | 金額 | 貸方科目 | 金額 |
|---|---|---|---|---|
| (1) | 租税公課<br>通信費 | 20,000<br>29,500 | 現金 | 49,500 |
| (2) | 貯蔵品 | 16,870 | 租税公課<br>通信費 | 6,000<br>10,870 |
| (3) | 租税公課<br>通信費 | 6,000<br>10,870 | 貯蔵品 | 16,870 |

問２

| | 借方科目 | 金額 | 貸方科目 | 金額 |
|---|---|---|---|---|
| (1) | 当座預金 | 125,000 | 借入金 | 125,000 |
| (2) | 当座預金Ａ銀行 | 125,000 | 当座借越 | 125,000 |

問３

| | 借方科目 | 金額 | 貸方科目 | 金額 |
|---|---|---|---|---|
| (1) | 現金過不足 | 5,000 | 現金 | 5,000 |
| (2) | 支払手数料 | 4,000 | 現金過不足 | 4,000 |
| (3) | 雑損 | 1,000 | 現金過不足 | 1,000 |

現金

| | | | |
|---|---|---|---|
| ××× | 100,000 | 3/10 現金過不足 | 5,000 |

現金過不足

| | | | |
|---|---|---|---|
| 3/10 現金 | 5,000 | 3/15 支払手数料 | 4,000 |
| | | 31 雑損 | 1,000 |

支払手数料

| | | | |
|---|---|---|---|
| 3/15 現金過不足 | 4,000 | | |

雑損

| | | | |
|---|---|---|---|
| 3/31 現金過不足 | 1,000 | | |

## 解　説

収入印紙や切手・はがきは購入時に費用で処理しますが、換金性があるので、期末に使用していない分がある場合は、貯蔵品という資産を持っていると考えます。

問１

(1)　収入印紙は印紙税という税金の納付のために購入するものなので、購入時に租税公課(費用)の増加として処理します。また、切手・はがきの購入は、購入時に通信費(費用)の増加として処理します。

(2)　期末において、まだ使用していない収入印紙や切手・はがきがある場合は、換金性に着目して、資産を持っていると考えます。このとき、貯蔵品(資産)という勘定科目で処理します。よって、租税公課勘定(費用)や通信費勘定(費用)から貯蔵品勘定(資産)へ振替える処理をします。

(3)　期末において貯蔵品勘定(資産)に振替えた分は、翌期において使用して費用となると考えます。そのため、翌期首に、期末に行った処理の反対仕訳(再振替仕訳)をします。

問２

(1)　当座預金口座の残高が貸方残高となっている場合は、銀行から借金をしている状態を意味します。そこで、借金があることを表すために、借入金(負債)の増加として処理するために、当座預金勘定(資産)から借入金勘定(負債)へ振替える処理をします。

(2)　当座預金口座の残高が貸方残高となっており、銀行から借金をしている状態を、当座借越といいます。そのため、借入金(負債)の代わりに、当座借越(負債)を用いることもあります。そこで、本問の場合、当座預金Ａ銀行勘定(資産)から当座借越勘定(負債)へ振替える処理をします。

**ここに注意!**

預金口座の通帳の残高がプラスの場合は、銀行にお金を貸している状態を表すので資産を持っていると考えます。一方、通帳の残高がマイナスの場合は、銀行から一時的に借金をしている状態を表すので負債を有していると考えます。

問３

⑴　期中に、現金勘定の残高（帳簿残高）と、実際に持っている現金の額（実際有高）のズレに気づいたときは、現金が増加または減少したものとして現金勘定に記入し、帳簿残高を実際有高に合わせます。本問では現金勘定の貸方に￥5,000と記入して、現金勘定の残高を￥95,000とします。相手科目は現金過不足とします。

| | | | | | |
|---|---|---|---|---|---|
| 3/10 | (借) 現金過不足 | 5,000 | (貸) 現　　金 | | 5,000 |

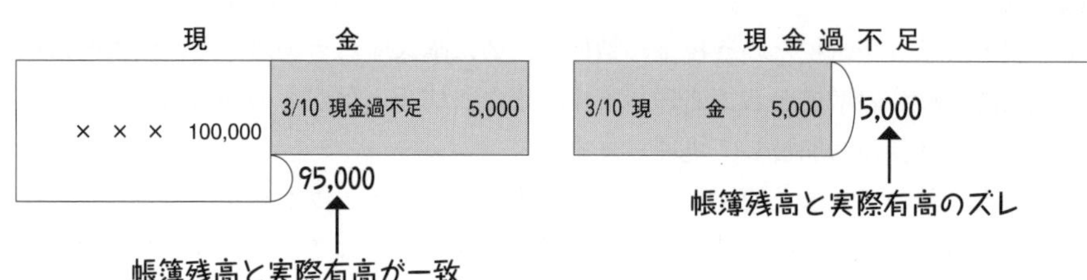

実際有高が￥95,000、
帳簿残高が￥100,000
になっています。
現金が￥5,000減少したものとして
帳簿に記入し、帳簿残高が￥95,000
になるようにします。


⑵　いったん現金過不足勘定を用いて処理した後にズレの原因が判明したときは、再び現金過不足勘定を用いて処理します。本問では手数料の支払いの未記帳が判明したため、ここで記帳します。

| | | | | |
|---|---|---|---|---|
| 3/15 | (借) 支払手数料 | 4,000 | (貸) 現金過不足 | 4,000 |

支払った手数料は、支払手
数料（費用）の増加として処
理します。相手科目は現金
過不足とします。

(3)　決算日を迎えてもズレの原因が判明しないときは、現金過不足勘定の残高をゼロにします。このとき、相手科目は借方に記入する場合は雑損(費用)、貸方に記入する場合は雑益(収益)とします。本問では現金過不足勘定の貸方に￥1,000と記入すると、現金過不足勘定の残高はゼロになります。相手科目は借方に記入することになるため、雑損とします。

| | | | | | |
|---|---|---|---|---|---|
| 3/31 | (借) 雑　　損 | 1,000 | (貸) 現金過不足 | 1,000 |

現 金 過 不 足

| | | | |
|---|---|---|---|
| 3/10 現　　金 | 5,000 | 3/15 支払手数料 | 4,000 |
| | | 31 雑　　損 | 1,000 |

3/15 支払手数料 4,000：原因が判明した分
31 雑損 1,000：原因が判明しない分
決算整理後の残高はゼロ

決算整理前の現金過不足勘定の残高は借方残高￥1,000でしたが、決算整理後の残高はゼロになります。

基本 テキスト 第10章

# 24 決算整理2

## 解答

問1

| | 借方科目 | 金額 | 貸方科目 | 金額 |
|---|---|---|---|---|
| (1) | 仕入<br>繰越商品 | 27,000<br>35,000 | 繰越商品<br>仕入 | 27,000<br>35,000 |
| (2) | 貸倒引当金繰入 | 2,000 | 貸倒引当金 | 2,000 |

繰越商品

| | | | | | |
|---|---|---|---|---|---|
| 4/1 | 前期繰越 | 27,000 | 3/31 | 仕入 | 27,000 |
| 3/31 | 仕入 | 35,000 | | | |

仕入

| | | | | | |
|---|---|---|---|---|---|
| | ××× | 930,000 | 3/31 | 繰越商品 | 35,000 |
| 3/31 | 繰越商品 | 27,000 | | | |

貸倒引当金

| | | | | | |
|---|---|---|---|---|---|
| | | | | ××× | 9,000 |
| | | | 3/31 | 貸倒引当金繰入 | 2,000 |

貸倒引当金繰入

| | | | | | |
|---|---|---|---|---|---|
| 3/31 | 貸倒引当金 | 2,000 | | | |

問2

| | 借方科目 | 金額 | 貸方科目 | 金額 |
|---|---|---|---|---|
| (1) | 貸倒引当金繰入 | 21,000 | 貸倒引当金 | 21,000 |
| (2) | 貸倒引当金 | 3,000 | 貸倒引当金戻入 | 3,000 |

解解
説答
基本

## 解　説

ここが
ポイント!

当期の正しい儲けを計算するには、当期分の正しい費用を集計する必要があります。決算整理前の仕入勘定(費用)の残高は、当期分の費用(売上原価)としてふさわしくありません。そこで、決算整理をします。

問1

(1)　決算整理後の仕入勘定(費用)の残高が売上原価に、繰越商品勘定(資産)の残高が期末商品棚卸高になるように、決算整理仕訳をします。

期中に商品を仕入れたときは、仕入れた商品を、仕入勘定の借方に記入しています。決算整理前の仕入勘定の残高は、期中に仕入れた商品の合計額を表しています。また、お店が持っている商品は繰越商品勘定で表します。繰越商品勘定の前期繰越高は、期首に持っていた商品を表しています。

繰　越　商　品

| 4/1 前期繰越 | 27,000 | |
|---|---|---|

期首に持っていた商品

仕　　入

| ×　×　× | 930,000 | |
|---|---|---|

期中に仕入れた商品

解答用紙の繰越商品勘定と仕入勘定を確認してみよう。

決算日に、期首に持っていた商品￥27,000について、次のような仕訳と転記を行います。

3/31（借）仕　　入　27,000　（貸）繰 越 商 品　27,000

繰越商品

| | | | |
|---|---|---|---|
| 4/ 1 前期繰越 | 27,000 | 3/31 仕入 | 27,000 |

仕　入

| | | | |
|---|---|---|---|
| ××× | 930,000 | | |
| 3/31 繰越商品 | 27,000 | | |

当期に売ることが可能な商品

仕入勘定の残高は、￥930,000＋￥27,000より￥957,000となります。この金額は、当期に売ることが可能な商品の合計額を表します。

期首に持っていた商品が￥27,000、期中に仕入れた商品の合計額が￥930,000ですので商品は合計で￥957,000です。
この時点で、仕入勘定の残高は借方残高￥957,000になっています。

問題文から、決算日に持っている商品は￥35,000とわかります。そこで、決算日に持っている商品￥35,000について、次のような仕訳と転記を行います。

3/31（借）繰 越 商 品　35,000　（貸）仕　　入　35,000

繰越商品

| | | | |
|---|---|---|---|
| 4/ 1 前期繰越 | 27,000 | 3/31 仕　入 | 27,000 |
| 3/31 仕　入 | 35,000 | | |

決算日に持っている商品

仕　入

| | | | |
|---|---|---|---|
| ××× | 930,000 | 3/31 繰越商品 | 35,000 |
| 3/31 繰越商品 | 27,000 | | |

期中に売上げた商品

仕入勘定の残高は、￥957,000－￥35,000より￥922,000となります。この金額は、期中に売上げた商品の合計額を表します。

商品￥957,000のうち、期中に売上げた商品の合計額が￥922,000、決算日に持っている商品が￥35,000です。

決算整理後の仕入勘定の残高は借方残高￥922,000になっています。

**復習しよう!**

決算整理後の仕入勘定の残高￥922,000は、期中に売上げた商品の原価(期中に売れた商品は、そもそもいくらで買ってきたものであったのか)を表します。これが売上原価です。このように、仕入勘定の残高が売上原価になるように決算整理を行うことを、問題文中で「売上原価は仕入勘定で計算する」と表現しています。また、期中に売上げた商品の売価(期中にお客さんにいくらで商品を売ったのか)を売上高といいます。売上高が売上原価を上回る額が、商品売買による儲けです。これを売上総利益と呼びます。

(2)　売掛金が￥550,000ありますが、このうち２％（￥550,000×0.02＝￥11,000）は貸倒れるかもしれないと見積っています。しかし、貸倒引当金は￥9,000しかないので、不足額を加えて貸倒引当金を￥11,000にします。

繰入額：￥11,000－￥9,000＝￥2,000

貸倒引当金繰入

| 借方 | | 貸方 |
|---|---|---|
| 3/31 貸倒引当金 | 2,000 | |

（繰入額）

貸倒引当金

| 借方 | 貸方 | |
|---|---|---|
| | ××× | 9,000 |
| | 3/31 貸倒引当金繰入 | 2,000 |

（貸倒見積額）

問2

(1) 受取手形￥800,000と売掛金￥400,000の合計￥1,200,000のうち3％が貸倒引当金の見積額になります。この見積額と決算整理前の貸倒引当金の残高を比べて貸倒引当金繰入（費用）または貸倒引当金戻入（収益）とします。

見積額：（￥800,000＋￥400,000）×3％＝￥36,000

繰入額：￥36,000－￥15,000＝￥21,000

(2) 貸倒引当金の見積額が、決算整理前の貸倒引当金の残高よりも少額のときは、貸倒引当金戻入（収益）で処理します。

見積額：￥500,000×2％＝￥10,000

戻入額：￥13,000－￥10,000＝￥3,000

基本　テキスト　第11章

# 25 決算整理３



## 解答

| | 借方科目 | 金　　額 | 貸方科目 | 金　　額 |
|---|---|---|---|---|
| 1 | 減価償却費 | 108,000 | 減価償却累計額 | 108,000 |
| 2 | 前払保険料 | 49,000 | 保険料 | 49,000 |
| 3 | 受取家賃 | 66,000 | 前受家賃 | 66,000 |
| 4 | 支払利息 | 8,000 | 未払利息 | 8,000 |
| 5 | 未収利息 | 5,000 | 受取利息 | 5,000 |

未収利息

| | |
|---|---|
| 3/31 受取利息　5,000 | |

前払保険料

| | |
|---|---|
| 3/31 保険料　49,000 | |

未払利息

| | |
|---|---|
| | 3/31 支払利息　8,000 |

前受家賃

| | |
|---|---|
| | 3/31 受取家賃　66,000 |

減価償却累計額

| | |
|---|---|
| | ×××　216,000 |
| | 3/31 減価償却費　108,000 |

受取利息

| | |
|---|---|
| | 3/31 未収利息　5,000 |

受取家賃

| | |
|---|---|
| 3/31 前受家賃　66,000 | ×××　132,000 |

減価償却費

| | |
|---|---|
| 3/31 減価償却累計額　108,000 | |

支払利息

| | |
|---|---|
| 3/31 未払利息　8,000 | |

保険料

| | |
|---|---|
| ×××　84,000 | 3/31 前払保険料　49,000 |

## 解　説

解答用紙を見ると、決算整理前の各勘定の残高がわかります。これを参考にして決算整理仕訳を行い、各勘定に転記します。決算整理後の各勘定の残高が何を表しているのかを考えながら解いていきましょう。

1.　備品を購入したときの価額は¥600,000ですが、その後使用することにより、5年後の価値は10％（¥600,000×0.1＝¥60,000）になってしまいます。5年間の価値の減少額は、¥600,000－¥60,000より¥540,000です。当期1年間の価値の減少額（¥540,000÷5年＝¥108,000）を減価償却費（費用）として計上します。

**減　価　償　却　費**

| | |
|---|---|
| 3/31 減価償却累計額　108,000 | |

当期の価値の減少額

**減価償却累計額**

| | |
|---|---|
| | ×××　216,000 |
| | 3/31 減価償却費　108,000 |

当期末までの価値の減少額

2.　当期の11/1に、11/1～10/31の12ヵ月分の保険料を支払っており、保険料（費用）が12ヵ月分（¥84,000）になっています。しかし、当期分は11/1～3/31の5ヵ月分であり、4/1～10/31の7ヵ月分は翌期分です。保険料を7ヵ月分減らして、5ヵ月分にします。

7ヵ月分の保険料：$¥84,000 \times \frac{7ヵ月}{12ヵ月} = ¥49,000$

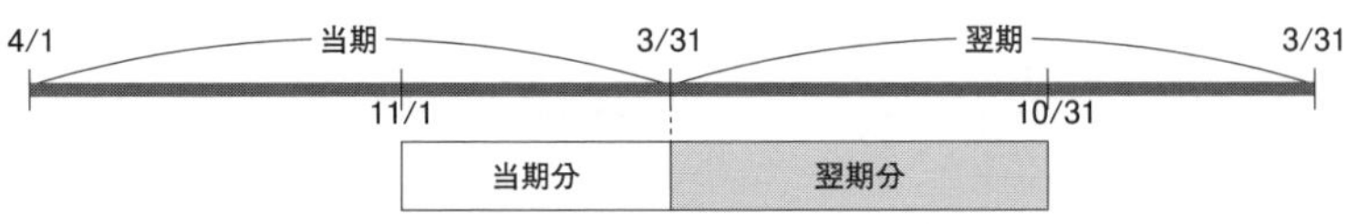


**保　険　料**

| | |
|---|---|
| ×××　84,000 | 3/31 前払保険料　49,000 |

当期分

**前払保険料**

| | |
|---|---|
| 3/31 保険料　49,000 | |

翌期分にもかかわらず当期に先に支払った分

3.　当期の１/１に、１/１～６/30の６ヵ月分の家賃を受取っており、受取家賃(収益)が６ヵ月分(¥132,000)になっています。しかし、当期分は１/１～３/31の３ヵ月分であり、４/１～６/30の３ヵ月分は翌期分です。受取家賃を３ヵ月分減らして、３ヵ月分にします。

$$３ヵ月分の家賃：¥132,000\times\frac{３ヵ月}{６ヵ月}=¥66,000$$

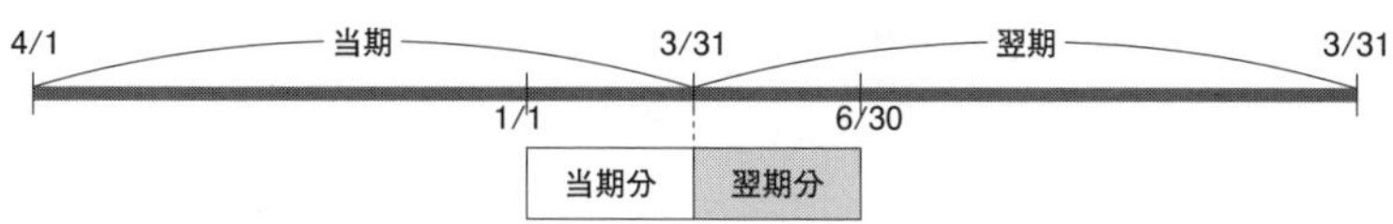


受　取　家　賃

| 借方 | | 貸方 | |
|---|---|---|---|
| 3/31 前受家賃 | 66,000 | × × × | 132,000 |
| 当期分 | | | |

前　受　家　賃

| 借方 | 貸方 | |
|---|---|---|
| | 3/31 受取家賃 | 66,000 |

翌期分にもかかわらず当期に先に受取った分

4.　翌期の７/31に８/１～７/31の12ヵ月分の利息を支払う契約であり、支払利息(費用)はゼロになっています。しかし、８/１～３/31の８ヵ月分は当期分です。支払利息を８ヵ月分計上します。

$$１年分の利息：¥200,000\times年利率0.06=¥12,000$$

$$８ヵ月分の利息：¥12,000\times\frac{８ヵ月}{12ヵ月}=¥8,000$$

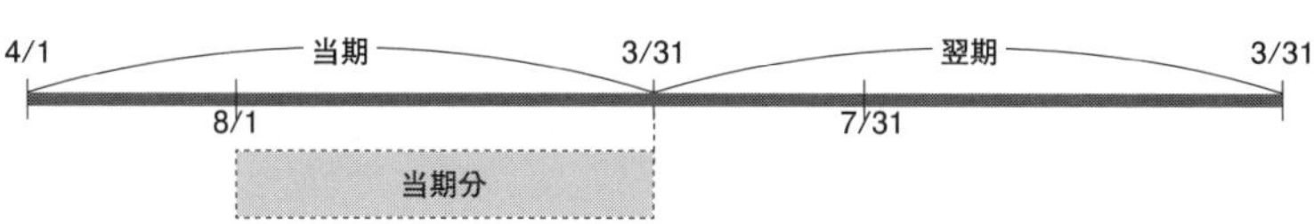


支　払　利　息

| 借方 | | 貸方 |
|---|---|---|
| 3/31 未払利息 | 8,000 | |

当期分

未　払　利　息

| 借方 | 貸方 | |
|---|---|---|
| | 3/31 支払利息 | 8,000 |

当期分にもかかわらずまだ支払っていない分

5.　翌期の７/31に12/１～７/31の８ヵ月分の利息を受取る契約であり、受取利息(収益)はゼロになっています。しかし、12/１～３/31の４ヵ月分は当期分です。受取利息を４ヵ月分計上します。

１年分の利息：￥300,000×年利率0.05＝￥15,000

４ヵ月分の利息：￥15,000×$\frac{4ヵ月}{12ヵ月}$＝￥5,000

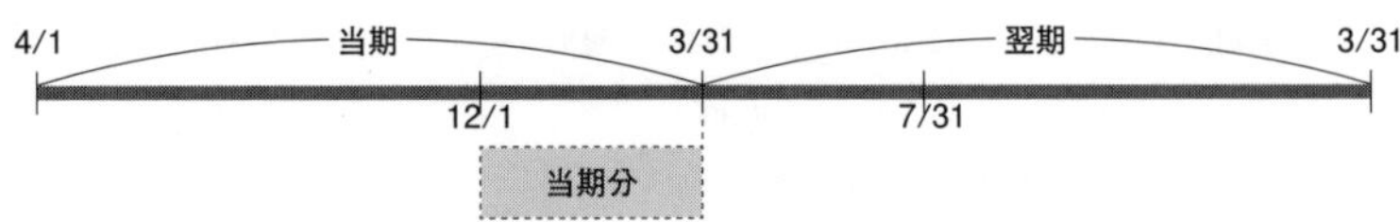


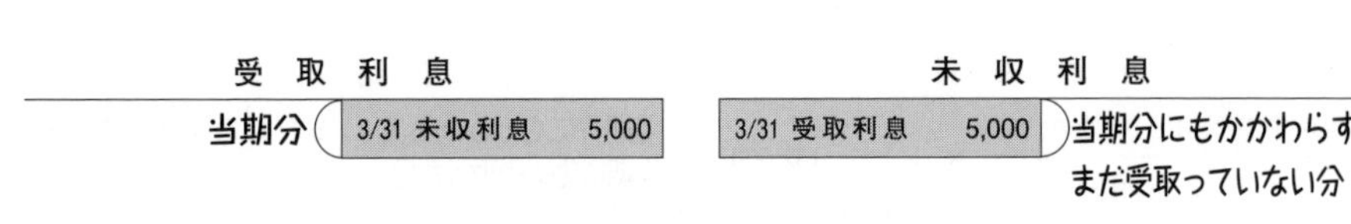

基本  テキスト 第10・11章

# 26 貸倒れ・固定資産の売却

## 解答

問1

| | 借方科目 | 金　額 | 貸方科目 | 金　額 |
|---|---|---|---|---|
| 1 | 貸倒損失 | 40,000 | 売掛金 | 40,000 |
| 2 | 貸倒引当金 | 240,000 | 売掛金 | 240,000 |
| 3 | 貸倒引当金<br>貸倒損失 | 300,000<br>50,000 | 売掛金 | 350,000 |
| 4 | 貸倒損失 | 150,000 | 売掛金 | 150,000 |

問2

| | 借方科目 | 金　額 | 貸方科目 | 金　額 |
|---|---|---|---|---|
| 1 | 減価償却累計額<br>現金 | 2,000,000<br>5,000,000 | 建物<br>固定資産売却益 | 6,000,000<br>1,000,000 |
| 2 | 減価償却累計額<br>未収入金<br>固定資産売却損 | 900,000<br>300,000<br>300,000 | 車両 | 1,500,000 |
| 3 | 減価償却累計額<br>未収入金<br>固定資産売却損 | 337,500<br>450,000<br>112,500 | 車両 | 900,000 |
| 4 | 減価償却累計額<br>減価償却費<br>未収入金 | 105,000<br>50,000<br>280,000 | 備品<br>固定資産売却益 | 400,000<br>35,000 |

## 解　説

前期に発生した売掛金や受取手形が貸倒れた場合は、貸倒引当金を充当し、不足する分は貸倒損失(費用)で処理します。しかし、当期に発生した売掛金や受取手形が貸倒れた場合は、貸倒引当金を充当しません。

問1

1.　回収できなくなった売掛金￥40,000を減少させます。貸倒引当金がないので、全額、貸倒損失(費用)の増加として処理します。
2.　回収できなくなった売掛金￥240,000を減少させます。貸倒引当金があるので、貸倒引当金を充当します。
3.　回収できなくなった売掛金￥350,000を減少させます。貸倒引当金があるので、貸倒引当金を充当しますが、￥50,000不足しています。この不足分は、貸倒損失(費用)の増加として処理します。
4.　回収できなくなった売掛金￥150,000を減少させます。貸倒引当金がありますが、貸倒れた売掛金が当期発生なので、貸倒引当金を充当することはできません。全額を、貸倒損失(費用)の増加として処理します。

**⚠ここに注意!**

貸倒引当金の設定では、期末において翌期に貸倒れるかもしれない金額を計上しています。貸倒れた売掛金が当期発生の場合、前期末に貸倒引当金の設定対象になっていません。そのため、当期発生の売掛金が貸倒れたときは、貸倒引当金を充当することができません。

固定資産を売却した場合、売却価額(売価)と売却時点の帳簿価額(簿価)との差額を固定資産売却損益とします。売却時点の帳簿価額は、取得原価から売却時点までに減少した価値を差引いた額です。

問2

1.　建物を購入したときの価額は¥6,000,000ですが、その後、決算を迎えるたびに価値の減少額を計上しています。購入してから前期末決算までの価値の減少額は¥2,000,000であり、売却した当期首における価値は¥4,000,000です。本問は、間接法のため、建物勘定の借方残高は¥6,000,000です。また、減価償却累計額勘定の貸方残高が、購入してから前期末決算までの価値の減少額¥2,000,000となっています。

売却価額：¥5,000,000
帳簿価額：¥6,000,000－¥2,000,000＝¥4,000,000
売却損益：売価－簿価＝¥5,000,000－¥4,000,000＝¥1,000,000（売却益）

減価償却累計額は、取得から前期末までの価値減少額の合計を表わしています。

2.　トラックを購入したときの価額は¥1,500,000ですが、その後、決算を迎えるたびに価値の減少額を計上しています。購入してから前期末決算までの価値の減少額は¥900,000であり、売却した当期首における価値は¥600,000です。本問は、間接法のため、車両勘定の借方残高は¥1,500,000です。また、減価償却累計額勘定の貸方残高が、購入してから前期末決算までの価値の減少額¥900,000となっています。

売却価額：¥300,000
帳簿価額：¥1,500,000－¥900,000＝¥600,000
売却損益：売価－簿価＝¥300,000－¥600,000＝△¥300,000（売却損）

3.　車両を購入したときの価額は¥900,000ですが、その後、決算を迎えるたびに価値の減少額を計上しています。購入してから前期末決算までの価値の減少額は¥337,500であり、売却した当期首における価値は¥562,500です。本問は、間接法のため、車両勘定の借方残高は¥900,000です。また、減価償却累計額勘定の貸方残高が、購入してから前期末決算までの価値の減少額¥337,500となっています。

売却価額：¥450,000
帳簿価額：¥900,000－¥337,500＝¥562,500
売却損益：売価－簿価＝¥450,000－¥562,500＝△¥112,500（売却損）

4.　備品を購入したときの価額は¥400,000ですが、その後、決算を迎えるたびに価値の減少額を計上しています。購入してから前期末決算までの価値の減少額は¥105,000であり、当期首における価値は¥295,000ですが、当期の×6年1月31日に売却しているため、当期首から売却日までの間に10ヵ月間分の価値の減少があると考えます。つまり、売却時点の価値は、¥295,000からさらに当期の価値の減少額¥50,000を差引き、¥245,000となります。

売却価額：¥280,000

減価償却費：$¥400,000 \times 0.9 \div 6年 \times \frac{10ヵ月}{12ヵ月} = ¥50,000$

帳簿価額：¥400,000－（¥105,000＋¥50,000）＝¥245,000
売却損益：売価－簿価＝¥280,000－¥245,000＝¥35,000（売却益）

売却時点の帳簿価額を求めるために、当期分の減価償却費の計算が必要です。

基本　テキスト 第12章

解解説答 基本

# 27 精算表の基礎

## 解　答

精　算　表

| 勘定科目 | 試算表 | | 修正記入 | | 損益計算書 | | 貸借対照表 | |
|---|---|---|---|---|---|---|---|---|
| | 借方 | 貸方 | 借方 | 貸方 | 借方 | 貸方 | 借方 | 貸方 |
| 現金 | 41,000 | | | | | | 41,000 | |
| 当座預金 | 120,000 | | | | | | 120,000 | |
| 受取手形 | 65,000 | | | | | | 65,000 | |
| 売掛金 | 110,000 | | | | | | 110,000 | |
| 繰越商品 | 25,000 | | 20,000 | 25,000 | | | 20,000 | |
| 建物 | 300,000 | | | | | | 300,000 | |
| 支払手形 | | 80,500 | | | | | | 80,500 |
| 買掛金 | | 109,000 | | | | | | 109,000 |
| 貸倒引当金 | | 2,500 | | 1,000 | | | | 3,500 |
| 減価償却累計額 | | 18,000 | | 9,000 | | | | 27,000 |
| 資本金 | | 200,000 | | | | | | 200,000 |
| 繰越利益剰余金 | | 100,000 | | | | | | 100,000 |
| 売上 | | 470,000 | | | | 470,000 | | |
| 仕入 | 280,000 | | 25,000 | 20,000 | 285,000 | | | |
| 給料 | 23,000 | | | | 23,000 | | | |
| 保険料 | 16,000 | | | 4,000 | 12,000 | | | |
| | 980,000 | 980,000 | | | | | | |
| 貸倒引当金繰入 | | | 1,000 | | 1,000 | | | |
| 減価償却費 | | | 9,000 | | 9,000 | | | |
| 前払保険料 | | | 4,000 | | | | 4,000 | |
| 当期純利益 | | | | | 140,000 | | | 140,000 |
| | | | 59,000 | 59,000 | 470,000 | 470,000 | 660,000 | 660,000 |

## 解説

ここが ポイント! 決算日を迎えると、決算整理仕訳を行い、これについても総勘定元帳に転記します。決算整理後の各勘定の残高は、資産・負債・純資産は貸借対照表に、収益・費用は損益計算書に記載します。この一連の計算を、精算表を使って行ってみましょう。

1.　受取手形と売掛金は￥65,000＋￥110,000より合計￥175,000、貸倒見積額は￥175,000×２％より￥3,500です。貸倒引当金は￥2,500しかないので、￥1,000加えます。

| | | | | | |
|---|---|---|---|---|---|
| （借） | 貸倒引当金繰入 | 1,000 | （貸） | 貸 倒 引 当 金 | 1,000 |

| 勘定科目 | 試算表 | | 修正記入 | | 損益計算書 | | 貸借対照表 | |
|---|---|---|---|---|---|---|---|---|
| | 借方 | 貸方 | 借方 | 貸方 | 借方 | 貸方 | 借方 | 貸方 |
| 貸倒引当金 | | 2,500 | | 1,000 | | | | 3,500 |
| 貸倒引当金繰入 | | | 1,000 | | 1,000 | | | |
| | 決算整理前残高 | | 決算整理 | | 決算整理後残高 | | | |

貸倒引当金は資産のマイナスを表す勘定なので貸借対照表に、貸倒引当金繰入は費用の勘定なので損益計算書に記載します。

2.　決算整理前の繰越商品勘定の残高￥25,000は、期首商品を表しています。期末商品は問題文から￥20,000とわかります。

| | | | | | |
|---|---|---|---|---|---|
| （借） | 仕　　入 | 25,000 | （貸） | 繰 越 商 品 | 25,000 |
| （借） | 繰 越 商 品 | 20,000 | （貸） | 仕　　入 | 20,000 |

| 勘定科目 | 試算表 | | 修正記入 | | 損益計算書 | | 貸借対照表 | |
|---|---|---|---|---|---|---|---|---|
| | 借方 | 貸方 | 借方 | 貸方 | 借方 | 貸方 | 借方 | 貸方 |
| 繰越商品 | 25,000 | | 20,000 | 25,000 | | | 20,000 | |
| 仕入 | 280,000 | | 25,000 | 20,000 | 285,000 | | | |
| | 決算整理前残高 | | 決算整理 | | 決算整理後残高 | | | |

繰越商品は資産の勘定なので貸借対照表に、仕入は費用の勘定なので損益計算書に記載します。

3.　建物勘定の残高￥300,000は、取得原価を表しています。当期1年間の価値の減少額は、(￥300,000－￥300,000×0.1)÷30年より￥9,000です。

(借) 減価償却費　9,000　(貸) 減価償却累計額　9,000

| 勘定科目 | 試算表 | | 修正記入 | | 損益計算書 | | 貸借対照表 | |
|---|---|---|---|---|---|---|---|---|
| | 借方 | 貸方 | 借方 | 貸方 | 借方 | 貸方 | 借方 | 貸方 |
| 減価償却累計額 | | 18,000 | | 9,000 | | | | 27,000 |
| 減価償却費 | | | 9,000 | | 9,000 | | | |
| | 決算整理前残高 | | 決算整理 | | 決算整理後残高 | | | |

減価償却累計額は資産のマイナスを表す勘定なので貸借対照表に、減価償却費は費用の勘定なので損益計算書に記載します。

4.　当期中に支払っており、保険料(費用)として計上されているものの中に、翌期分を前払いしている金額が含まれています。前払額は保険料(費用)から減らします。

(借) 前払保険料　4,000　(貸) 保険料　4,000

| 勘定科目 | 試算表 | | 修正記入 | | 損益計算書 | | 貸借対照表 | |
|---|---|---|---|---|---|---|---|---|
| | 借方 | 貸方 | 借方 | 貸方 | 借方 | 貸方 | 借方 | 貸方 |
| 保険料 | 16,000 | | | 4,000 | 12,000 | | | |
| 前払保険料 | | | 4,000 | | | | 4,000 | |
| | 決算整理前残高 | | 決算整理 | | 決算整理後残高 | | | |

保険料は費用の勘定なので損益計算書に、前払保険料は資産の勘定なので貸借対照表に記載します。

損益計算書欄の借方合計（決算整理後の費用合計）と損益計算書欄の貸方合計（決算整理後の収益合計）を求めます。

決算整理後の費用合計：￥285,000＋￥23,000＋￥12,000＋￥1,000
＋￥9,000＝￥330,000

決算整理後の収益合計：￥470,000

収益合計が費用合計を上回っている金額が当期純利益です。

当期純利益：￥470,000－￥330,000＝￥140,000

当期純利益￥140,000を損益計算書欄の借方に記入し、損益計算書欄の借方合計と貸方合計を一致させます。なお、当期純利益は、繰越利益剰余金の増加分を意味します。

最後に、貸借対照表欄の貸方に当期純利益￥140,000を記入し、貸借対照表欄の借方合計と貸方合計が￥660,000で一致していることを確認しましょう。

**復習しよう！**

試算表欄の金額に修正記入欄の金額を加減算すると、損益計算書欄または貸借対照表欄に記入する金額を求めることができます。損益計算書・貸借対照表に決算整理後残高を記入しているということをしっかり理解しましょう。

基本 テキスト 第12章

# 28 精算表の推定

## 解答

精　算　表

| 勘定科目 | 試算表 | | 修正記入 | | 損益計算書 | | 貸借対照表 | |
|---|---|---|---|---|---|---|---|---|
| | 借方 | 貸方 | 借方 | 貸方 | 借方 | 貸方 | 借方 | 貸方 |
| 現　　　金 | 92,590 | | | | | | 92,590 | |
| 売　掛　金 | 35,000 | | | | | | 35,000 | |
| 繰越商品 | **6,000** | | 7,200 | **6,000** | | | **7,200** | |
| 買　掛　金 | | 12,770 | | | | | | 12,770 |
| 借　入　金 | | 50,000 | | | | | | 50,000 |
| 貸倒引当金 | | **530** | | **170** | | | | 700 |
| 資　本　金 | | 50,000 | | | | | | 50,000 |
| 繰越利益剰余金 | | 20,000 | | | | | | 20,000 |
| 売　　　上 | | 68,105 | | | | 68,105 | | |
| 仕　　　入 | 51,000 | | **6,000** | **7,200** | 49,800 | | | |
| 給　　　料 | 16,440 | | | | 16,440 | | | |
| 支払利息 | **375** | | **125** | | 500 | | | |
| | **201,405** | **201,405** | | | | | | |
| 貸倒引当金繰入 | | | **170** | | 170 | | | |
| (**未払**)利息 | | | | **125** | | | | 125 |
| 当期純利益 | | | | | **1,195** | | | **1,195** |
| | | | **13,495** | **13,495** | **68,105** | **68,105** | **134,790** | **134,790** |

## 解説

ここがポイント!

試算表欄には決算整理前残高、修正記入欄には決算整理仕訳、損益計算書欄には収益・費用の決算整理後残高、貸借対照表欄には資産・負債・純資産の決算整理後残高が記入されます。どのような決算整理が行われたのか推定していきます。

1.　貸借対照表欄の貸倒引当金¥700は貸倒見積額です。貸倒引当金繰入が¥170であることから、決算整理で、貸倒引当金を¥170加えていることがわかります。

(借) 貸倒引当金繰入　170　(貸) 貸倒引当金　170

貸倒引当金繰入

| 貸倒引当金 170 | |
|---|---|

(繰入額)

貸倒引当金

| | ××× 530 |
|---|---|
| | 貸倒引当金繰入 170 |

(貸倒見積額)

| 勘定科目 | 試算表 | | 修正記入 | | 損益計算書 | | 貸借対照表 | |
|---|---|---|---|---|---|---|---|---|
| | 借方 | 貸方 | 借方 | 貸方 | 借方 | 貸方 | 借方 | 貸方 |
| 貸倒引当金 | | 530 | | 170 | | | | 700 |
| 貸倒引当金繰入 | | | 170 | | 170 | | | |
| | 決算整理前残高 | | 決算整理 | | 決算整理後残高 | | | |

2.　繰越商品の修正記入欄の借方¥7,200は期末商品、試算表欄の仕入¥51,000は当期商品仕入高、損益計算書欄の仕入¥49,800は売上原価です。

売上原価は、当期商品仕入高＋期首商品棚卸高－期末商品棚卸高で計算できるので、¥49,800＝¥51,000＋(　　)－¥7,200より、期首商品棚卸高は¥6,000です。試算表欄の繰越商品は¥6,000とわかります。

(借) 仕　　入　6,000　(貸) 繰越商品　6,000
(借) 繰越商品　7,200　(貸) 仕　　入　7,200

繰越商品

| ××× 6,000 | 仕入 6,000 |
|---|---|
| 仕入 7,200 (期末商品棚卸高) | |

仕入

| ××× 51,000 | 繰越商品 7,200 |
|---|---|
| 繰越商品 6,000 | (売上原価) |

| 勘定科目 | 試算表 | | 修正記入 | | 損益計算書 | | 貸借対照表 | |
|---|---|---|---|---|---|---|---|---|
| | 借方 | 貸方 | 借方 | 貸方 | 借方 | 貸方 | 借方 | 貸方 |
| 繰越商品 | 6,000 | | 7,200 | 6,000 | | | 7,200 | |
| 仕入 | 51,000 | | 6,000 | 7,200 | 49,800 | | | |
| | 決算整理前残高 | | 決算整理 | | 決算整理後残高 | | | |

3. (　　)利息￥125が貸借対照表欄の貸方に記入されていることから、(　　)利息は負債であり、前受利息または未払利息であると推定できます。前受利息と対応する収益は受取利息、未払利息と対応する費用は支払利息です。本問では支払利息があるため、(　　)利息は未払利息と判明します。決算整理で、当期に支払っていなくても、利息￥125は当期分であるとして、支払利息(費用)を計上していることがわかります。

**ここに注意!**

**支払利息(費用)の未払いがあるときに計上されるのが未払利息(負債)、前払いがあるときに計上されるのが前払利息(資産)です。また、受取利息(収益)の未収があるときに計上されるのが未収利息(資産)、前受けがあるときに計上されるのが前受利息(負債)です。**

(借) 支 払 利 息　125　(貸) 未 払 利 息　125

支 払 利 息

| | |
|---|---|
| × × × | 375 |
| 未払利息 | 125 |

（375と125：当期分）

未 払 利 息

| | | |
|---|---|---|
| | 支払利息 | 125 |

（当期分にもかかわらずまだ支払っていない分）

| 勘定科目 | 試算表 | | 修正記入 | | 損益計算書 | | 貸借対照表 | |
|---|---|---|---|---|---|---|---|---|
| | 借方 | 貸方 | 借方 | 貸方 | 借方 | 貸方 | 借方 | 貸方 |
| 支払利息 | 375 | | 125 | | 500 | | | |
| (未払)利息 | | | | 125 | | | | 125 |
| | 決算整理前残高 | | 決算整理 | | 決算整理後残高 | | | |

**復習しよう!**

試算表欄の金額に修正記入欄の金額を加減算すると、損益計算書欄または貸借対照表欄に記入する金額になるはずです。確かめてみましょう。また、最後に当期純利益を求めて精算表を完成させます。

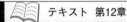

基本  テキスト 第12章

# 29 帳簿の締切り・財務諸表

## 解答

決算整理後残高試算表

| 借　　方 | 勘定科目 | 貸　　方 |
|---|---|---|
| 5,300 | 現　　　金 | |
| 106,000 | 当 座 預 金 | |
| 61,700 | 受 取 手 形 | |
| 75,300 | 売　掛　金 | |
| 10,700 | 繰 越 商 品 | |
| 1,500 | 未収手数料 | |
| 20,000 | 備　　　品 | |
| | 支 払 手 形 | 37,300 |
| | 買　掛　金 | 65,500 |
| | 貸倒引当金 | 4,110 |
| | 減価償却累計額 | 11,250 |
| | 資　本　金 | 100,000 |
| | 繰越利益剰余金 | 50,000 |
| | 売　　　上 | 119,200 |
| | 受取手数料 | 6,000 |
| | 貸倒引当金戻入 | 490 |
| 89,900 | 仕　　　入 | |
| 21,200 | 給　　　料 | |
| 2,250 | 減価償却費 | |
| 393,850 | | 393,850 |

(2)

損益計算書
自×2年4月1日　至×3年3月31日

| 借方 | 金額 | 貸方 | 金額 |
|---|---|---|---|
| (売上原価) | ( 89,900) | (売上高) | ( 119,200) |
| 給料 | ( 21,200) | 受取手数料 | ( 6,000) |
| 減価償却費 | ( 2,250) | 貸倒引当金戻入 | ( 490) |
| (当期純利益) | ( 12,340) | | |
| | ( 125,690) | | ( 125,690) |

貸借対照表
×3年3月31日

| 借方 | 金額 | 金額 | 貸方 | 金額 |
|---|---|---|---|---|
| 現金 | | ( 5,300) | 支払手形 | ( 37,300) |
| 当座預金 | | ( 106,000) | 買掛金 | ( 65,500) |
| 受取手形 | ( 61,700) | | 資本金 | ( 100,000) |
| 貸倒引当金 | ( 1,851) | ( 59,849) | 繰越利益剰余金 | ( 62,340) |
| 売掛金 | ( 75,300) | | | |
| 貸倒引当金 | ( 2,259) | ( 73,041) | | |
| 商品 | | ( 10,700) | | |
| 未収収益 | | ( 1,500) | | |
| 備品 | ( 20,000) | | | |
| 減価償却累計額 | ( 11,250) | ( 8,750) | | |
| | | ( 265,140) | | ( 265,140) |

## 解説

ここがポイント！

決算整理仕訳を行い、これを総勘定元帳に転記すると、決算整理後の各勘定の残高がわかります。その後、決算整理後のすべての収益・費用の勘定の残高を損益勘定に振替え(損益振替)、損益勘定の残高を繰越利益剰余金に振替えます(資本振替)。

## STEP 1 決算整理仕訳と転記を行います。

1.　受取手形と売掛金は￥61,700＋￥75,300より合計￥137,000、貸倒見積額は￥137,000×３％より￥4,110です。貸倒引当金は￥4,600あるので、￥490減らします。

| | | | | |
|---|---|---|---|---|
| (借) | 貸倒引当金 | 490 | (貸) 貸倒引当金戻入 | 490 |

2.　決算整理前の繰越商品勘定の残高￥11,000は、期首商品を表しています。期末商品は問題文から￥10,700とわかります。

| | | | | |
|---|---|---|---|---|
| (借) | 仕入 | 11,000 | (貸) 繰越商品 | 11,000 |
| (借) | 繰越商品 | 10,700 | (貸) 仕入 | 10,700 |

3.　備品勘定の残高￥20,000は、取得原価を表しています。当期１年間の価値の減少額は、(￥20,000－￥20,000×0.1)÷８年より￥2,250です。

| | | | | |
|---|---|---|---|---|
| (借) | 減価償却費 | 2,250 | (貸) 減価償却累計額 | 2,250 |

4.　当期中に受取っていなくても、当期分であれば受取手数料(収益)として計上します。

| | | | | |
|---|---|---|---|---|
| (借) | 未収手数料 | 1,500 | (貸) 受取手数料 | 1,500 |

## STEP 2 損益振替仕訳と転記を行います。

決算整理後の仕入勘定の残高は、借方残高￥89,900です。仕入勘定の残高がゼロになるように、仕入勘定の貸方に￥89,900と記入します。相手科目は損益とします。

| | | | | |
|---|---|---|---|---|
| (借) | 損益 | 89,900 | (貸) 仕入 | 89,900 |

仕　入

| | | | |
|---|---|---|---|
| ×××| 89,600 | 3/31 繰越商品 | 10,700 |
| 3/31 繰越商品 | 11,000 | 31 損益 | 89,900 |

損益振替後の残高はゼロ

すべての収益と費用の勘定について、同じように損益振替仕訳を行い、転記します。

| | | | | | |
|---|---|---|---|---|---|
| (借) | 売　　　上 | 119,200 | (貸) | 損　　　益 | 119,200 |
| (借) | 受取手数料 | 6,000 | (貸) | 損　　　益 | 6,000 |
| (借) | 貸倒引当金戻入 | 490 | (貸) | 損　　　益 | 490 |
| (借) | 損　　　益 | 21,200 | (貸) | 給　　　料 | 21,200 |
| (借) | 損　　　益 | 2,250 | (貸) | 減価償却費 | 2,250 |

**売　　上**

| 借方 | | | 貸方 | | |
|---|---|---|---|---|---|
| 3/31 | 損　益 | 119,200 | | ××× | 119,200 |

**受取手数料**

| 借方 | | | 貸方 | | |
|---|---|---|---|---|---|
| 3/31 | 損　益 | 6,000 | | ××× | 4,500 |
| | | | 3/31 | 未収手数料 | 1,500 |

**貸倒引当金戻入**

| 借方 | | | 貸方 | | |
|---|---|---|---|---|---|
| 3/31 | 損　益 | 490 | 3/31 | 貸倒引当金 | 490 |

**減価償却費**

| 借方 | | | 貸方 | | |
|---|---|---|---|---|---|
| 3/31 | 減価償却累計額 | 2,250 | 3/31 | 損　益 | 2,250 |

**給　　料**

| 借方 | | | 貸方 | | |
|---|---|---|---|---|---|
| | ××× | 21,200 | 3/31 | 損　益 | 21,200 |

**損　　益**

| 借方 | | | 貸方 | | |
|---|---|---|---|---|---|
| 3/31 | 仕　入 | 89,900 | 3/31 | 売　上 | 119,200 |
| 〃 | 給　料 | 21,200 | 〃 | 受取手数料 | 6,000 |
| 〃 | 減価償却費 | 2,250 | 〃 | 貸倒引当金戻入 | 490 |

当期純利益

費用　　収益

損益勘定の残高は、決算整理後の費用合計と収益合計の差額となるため、当期純利益または当期純損失を表します。本問では、損益勘定が貸方残高となっている(収益合計が費用合計を上回っている)ので当期純利益です。

## STEP 3 資本振替仕訳と転記を行います。

損益勘定の残高は、貸方残高￥12,340です。損益勘定の残高がゼロになるように、損益勘定の借方に￥12,340と記入します。相手科目は繰越利益剰余金とします。

| | | | | | |
|---|---|---|---|---|---|
| (借) | 損　　　益 | 12,340 | (貸) | 繰越利益剰余金 | 12,340 |

**損　　益**

| 借方 | | | 貸方 | | |
|---|---|---|---|---|---|
| 3/31 | 仕　入 | 89,900 | 3/31 | 売　上 | 119,200 |
| 〃 | 給　料 | 21,200 | 〃 | 受取手数料 | 6,000 |
| 〃 | 減価償却費 | 2,250 | 〃 | 貸倒引当金戻入 | 490 |
| 〃 | 繰越利益剰余金 | 12,340 | | | |

↑ 当期純利益

**繰越利益剰余金**

| 借方 | | | 貸方 | | |
|---|---|---|---|---|---|
| | | | | ××× | 50,000 |
| | | | 3/31 | 損　益 | 12,340 |

↑ 当期純利益

ここまでで、すべての収益・費用の勘定と損益勘定の残高はゼロになっています。最後に、資産・負債・純資産の勘定の残高を次期に繰越します。なお、繰越試算表には、この資産・負債・純資産の次期繰越高を記入します。

現　　金

| | |
|---|---|
| ×××　5,300 | 次期繰越高5,300 |

当 座 預 金

| | |
|---|---|
| ×××　106,000 | 次期繰越高106,000 |

受 取 手 形

| | |
|---|---|
| ×××　61,700 | 次期繰越高61,700 |

売　掛　金

| | |
|---|---|
| ×××　75,300 | 次期繰越高75,300 |

繰 越 商 品

| | |
|---|---|
| ×××　11,000 | 3/31 仕　入　11,000 |
| 3/31 仕　入　10,700 | 次期繰越高10,700 |

未 収 手 数 料

| | |
|---|---|
| 3/31 受取手数料　1,500 | 次期繰越高1,500 |

備　　品

| | |
|---|---|
| ×××　20,000 | 次期繰越高20,000 |

支 払 手 形

| | |
|---|---|
| 次期繰越高37,300 | ×××　37,300 |

買　掛　金

| | |
|---|---|
| 次期繰越高65,500 | ×××　65,500 |

貸 倒 引 当 金

| | |
|---|---|
| 3/31 貸倒引当金戻入　490 | ×××　4,600 |
| 次期繰越高4,110 | |

減価償却累計額

| | |
|---|---|
| 次期繰越高11,250 | ×××　9,000 |
| | 3/31 減価償却費　2,250 |

資　本　金

| | |
|---|---|
| 次期繰越高100,000 | ×××　100,000 |

繰越利益剰余金

| | |
|---|---|
| 次期繰越高62,340 | ×××　50,000 |
| | 3/31 損　益　12,340 |

損益計算書に決算整理後のすべての収益・費用の勘定の残高を記入します。

また、貸借対照表に決算整理後のすべての資産・負債・純資産の勘定の残高を記入します。

このとき、繰越利益剰余金勘定の残高は、資本振替後の残高が貸借対照表に記入されることに注意が必要です。

繰越利益剰余金

| | |
|---|---|
| 次期繰越高62,340 | ×××　50,000 |
| | 3/31 損　益　12,340 |

↑当期純利益

資本振替は決算整理の後に行うので、決算整理後残高に当期純利益を足すと次期繰越残高になります。

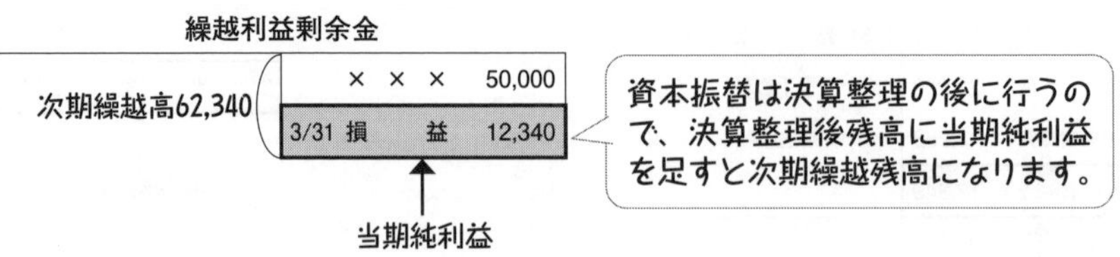

また、損益勘定・繰越試算表には勘定科目を記入しますが、損益計算書・貸借対照表には表示科目を記入するため注意が必要です。

| | 勘定科目 | 表示科目 |
|---|---|---|
| 損益勘定と損益計算書 | 売上 | 売上高 |
| | 仕入 | 売上原価 |
| 繰越試算表と貸借対照表 | 繰越商品 | 商品 |
| | 前払利息・前払保険料など | 前払費用 |
| | 未収利息・未収手数料など | 未収収益 |
| | 未払利息・未払地代など | 未払費用 |
| | 前受利息・前受家賃など | 前受収益 |

貸倒引当金と減価償却累計額は、繰越試算表では貸方に記入しますが、貸借対照表では資産から差引く形で記入します。

受取手形￥61,700から、これに対して設定した３％の貸倒引当金￥1,851を差引いて￥59,849と記入します。同様に、売掛金￥75,300から、これに対して設定した３％の貸倒引当金￥2,259を差引いて￥73,041、備品￥20,000から、備品の価値の減少額￥11,250を差引いて￥8,750と記入します。

**ここに注意！**

**本試験で決算整理後残高試算表や損益計算書・貸借対照表作成の問題が出題されたときは、下書き用紙に決算整理仕訳をした後、仕訳を見ながら電卓を叩いて決算整理後残高を求めた方が効率的です。**

基本  テキスト 第13章

# 30 株式会社の資本

## 解答

| | 借方科目 | 金額 | 貸方科目 | 金額 |
|---|---|---|---|---|
| 1 | 当座預金 | 1,000,000 | 資本金 | 1,000,000 |
| 2 | 損益 | 500,000 | 繰越利益剰余金 | 500,000 |
| 3 | 繰越利益剰余金 | 330,000 | 未払配当金<br>利益準備金 | 300,000<br>30,000 |
| 4 | 未払配当金 | 300,000 | 当座預金 | 300,000 |

## 解説

会社の元手となるものは、株式の発行時に株主から払込まれた分と会社が稼いだ利益のうちまだ使途が決まっていない分の２種類があります。前者は資本金で、後者は繰越利益剰余金で集計します。

1.　設立や増資により株式を発行した場合、払込まれた金額は、原則として全額を資本金(純資産)の増加として処理します。

2.　損益振替仕訳を損益勘定に転記した時点で集計された残高は、貸方残高であれば当期純利益を意味します。また、借方残高であれば当期純損失を意味します。本問では、当期純利益が￥500,000のため、損益勘定は貸方残高が￥500,000ということになります。そこで、当期純利益￥500,000を、損益勘定から繰越利益剰余金勘定（純資産）へ振替えます。

3.　株主総会で決議され、使い道の決まった利益は繰越利益剰余金（純資産）の減少として処理します。決議された内容のうち、後日、支払うこととなる配当金の金額は、未払配当金（負債）の増加とします。また、配当するときは、債権者を保護するために、利益準備金（純資産）を増加させます。なお、増加させる利益準備金は、配当金の10分の１が基本となります。

4.　配当金を実際に支払ったときは、未払配当金（負債）を減少させます。

基　本　 テキスト 第14章

# 31 主要簿

## 解　答

仕　訳　帳　　1

| ×年 | | 摘　　要 | | 元丁 | 借　方 | 貸　方 |
|---|---|---|---|---|---|---|
| 9 | 15 | （仕　入） | 諸　口 | 9 | 50,000 | |
| | | | （現　金） | 1 | | 10,000 |
| | | | （買掛金） | 5 | | 40,000 |
| | | 横浜商店より仕入れ | | | | |

総勘定元帳

現　　金　　1

| ×年 | | 摘　要 | 仕丁 | 金額 | ×年 | | 摘　要 | 仕丁 | 金額 |
|---|---|---|---|---|---|---|---|---|---|
| | | | | | 9 | 15 | 仕　入 | 1 | 10,000 |

買 掛 金　　5

| ×年 | | 摘　要 | 仕丁 | 金額 | ×年 | | 摘　要 | 仕丁 | 金額 |
|---|---|---|---|---|---|---|---|---|---|
| | | | | | 9 | 15 | 仕　入 | 1 | 40,000 |

仕　　入　　9

| ×年 | | 摘　要 | 仕丁 | 金額 | ×年 | | 摘　要 | 仕丁 | 金額 |
|---|---|---|---|---|---|---|---|---|---|
| 9 | 15 | 諸　口 | 1 | 50,000 | | | | | |

## 解　説

ここがポイント!

主要簿には、仕訳帳と総勘定元帳があります。「仕訳→転記」という、簿記の最も基本的な部分が論点です。転記にあたっては、「日付欄・仕丁欄・摘要欄・金額欄」の記入ができなければなりません。

1.　仕訳帳への記入

①　取引の発生月日を記入します。

②　摘要欄の中央から左側に借方科目を、右側に貸方科目を記入します。勘定科目はカッコ(　)でくくります。

③　原則として、借方科目を上の行に記入します。

④　片側に複数の勘定科目を記入する場合は、その上の行にカッコ(　)をつけずに諸口と記入します。

⑤　勘定科目の下に小書き(取引の要約)を記入します。

2.　総勘定元帳への転記

①　転記先の勘定を総勘定元帳から探し、口座番号を仕訳帳の元丁欄へ記入します。

②　総勘定元帳の勘定に、仕訳で借方に書いた勘定科目は、借方に転記します。また、仕訳で貸方に書いた勘定科目は、貸方に転記します。

③　摘要欄には相手勘定科目を記入します。なお、相手勘定科目が2つ以上あるときは諸口と記入します。

転記が正しくできるか、転記内容から仕訳が再現できるかは重要です。
仕訳を再現する場合には、「日付欄・摘要欄・金額欄」から、日付、相手勘定科目、金額を読取ります。

## 仕訳帳の書き方（参考）

仕訳帳の摘要欄の記入については、仕訳のかたちによって違いが生じます。たとえば、借方が２行、貸方が１行の場合は、貸方の方を上に記入します。
下記の具体例を用いて、摘要欄の記入について確認しておきましょう。

仕 訳 帳　　1

| 日付 | | 摘　要 | 元丁 | 借　方 | 貸　方 |
|---|---|---|---|---|---|
| 1 | 10 | (現　金) | | 100,000 | |
| | | (借入金) | | | 100,000 |
| | | 横浜銀行より借入 | | | |
| | 20 | 諸　口　(売　上) | | | 200,000 |
| | | (現　金) | | 120,000 | |
| | | (売掛金) | | 80,000 | |
| | | 川崎商店へ売上 | | | |
| | 30 | 諸　口　諸　口 | | | |
| | | (売掛金) | | 100,000 | |
| | | (発送費) | | 2,000 | |
| | | (売　上) | | | 100,000 |
| | | (現　金) | | | 2,000 |
| | | 湘南商店へ売上 | | | |

<摘要欄の記入方法>

① 中央から左側に借方科目を、右側に貸方科目を１行ずつ使って記入します。勘定科目はカッコ(　)でくくります。

② 原則として、借方科目を上の行に記入します。

③ 片側に複数の勘定科目を記入する場合は、その上の行にカッコ(　)をつけずに「諸口」と記入します。

④ 勘定科目の下に取引の要約(小書き)を記入しますが、日商簿記検定では通常省略します。

基本  テキスト 第14章

# 32 小口現金出納帳

## 解答

小口現金出納帳

| 受入金額 | ×年 | | 摘　　要 | 支払金額 | 支払内訳 | | | | |
|---|---|---|---|---|---|---|---|---|---|
| | | | | | 通信費 | 交通費 | 消耗品費 | 光熱費 | 雑　費 |
| 30,000 | 4 | 2 | 受　入　れ | | | | | | |
| | | 2 | ガ　ス　代 | 2,000 | | | | 2,000 | |
| | | 3 | バス回数券代 | 1,500 | | 1,500 | | | |
| | | 4 | コピー用紙代 | 2,000 | | | 2,000 | | |
| | | 5 | インターネット代 | 3,800 | 3,800 | | | | |
| | | 6 | お　茶　代 | 3,000 | | | | | 3,000 |
| | | | 合　　計 | 12,300 | 3,800 | 1,500 | 2,000 | 2,000 | 3,000 |
| | | 6 | 次週繰越 | 17,700 | | | | | |
| 30,000 | | | | 30,000 | | | | | |

## 解説

仕訳帳、総勘定元帳以外の帳簿を用いる場合もあります。仕訳帳と総勘定元帳を主要簿、これら以外の帳簿を補助簿といいます。小口現金出納帳は補助簿の1つであり、小口現金係が受入れと支払内容について記録をとります。

小口現金から支払ったときは、摘要欄にその内容をわかりやすい言葉で記入し、支払金額欄と支払内訳欄の適切な箇所に金額を記入します。

週末になると、その週の支払金額を合計します。本問では、￥2,000＋￥1,500＋￥2,000＋￥3,800＋￥3,000より￥12,300です。

週の初めに受入れた金額は￥30,000であったため、週末に残っている金額は￥30,000－￥12,300より￥17,700です。これを次週に繰越します。

最後に、受入金額欄と、支払金額欄の合計が￥30,000で一致していることを確認します。

基本  テキスト 第14章

# 33 商品有高帳

## 解答

(1) 先入先出法

商品有高帳

| 日付 | | 摘要 | 受入高 | | | 払出高 | | | 残高 | | |
|---|---|---|---|---|---|---|---|---|---|---|---|
| | | | 数量 | 単価 | 金額 | 数量 | 単価 | 金額 | 数量 | 単価 | 金額 |
| 4 | 1 | 前月繰越 | 30 | 150 | 4,500 | | | | 30 | 150 | 4,500 |
| | 6 | 仕入 | 20 | 155 | 3,100 | | | | 30 | 150 | 4,500 |
| | | | | | | | | | 20 | 155 | 3,100 |
| | 10 | 売上 | | | | 25 | 150 | 3,750 | 5 | 150 | 750 |
| | | | | | | | | | 20 | 155 | 3,100 |
| | 18 | 仕入 | 15 | 160 | 2,400 | | | | 5 | 150 | 750 |
| | | | | | | | | | 20 | 155 | 3,100 |
| | | | | | | | | | 15 | 160 | 2,400 |
| | 25 | 売上 | | | | 5 | 150 | 750 | 15 | 155 | 2,325 |
| | | | | | | 5 | 155 | 775 | 15 | 160 | 2,400 |

(2) 移動平均法

商品有高帳

| 日付 | | 摘要 | 受入高 | | | 払出高 | | | 残高 | | |
|---|---|---|---|---|---|---|---|---|---|---|---|
| | | | 数量 | 単価 | 金額 | 数量 | 単価 | 金額 | 数量 | 単価 | 金額 |
| 4 | 1 | 前月繰越 | 30 | 150 | 4,500 | | | | 30 | 150 | 4,500 |
| | 6 | 仕入 | 20 | 155 | 3,100 | | | | 50 | 152 | 7,600 |
| | 10 | 売上 | | | | 25 | 152 | 3,800 | 25 | 152 | 3,800 |
| | 18 | 仕入 | 15 | 160 | 2,400 | | | | 40 | 155 | 6,200 |
| | 25 | 売上 | | | | 10 | 155 | 1,550 | 30 | 155 | 4,650 |

## 解説

ここがポイント!

商品を仕入れたときは受入高欄に仕入れた商品の原価を、商品を売上げたときは払出高欄に売渡した商品の原価を、残高欄には現時点で保有している商品の原価を記入します。売渡した商品の原価は、先入先出法の場合は先に仕入れた商品から順に払出したものと仮定して求め、移動平均法の場合は商品の平均単価とします。

| 日付 | | 摘　　要 | 受　入　高 | | | 払　出　高 | | | 残　　高 | | |
|---|---|---|---|---|---|---|---|---|---|---|---|
| | | | 数量 | 単価 | 金額 | 数量 | 単価 | 金額 | 数量 | 単価 | 金額 |
| | | | | | | | | | | | |

増えた商品（商品を仕入れたとき）　減った商品（商品を売上げたとき）　手もとにある商品

(1)　**先入先出法**

4/ 6　受入高欄は、数量20個、単価￥155のため、金額は￥3,100となります。残高欄は、単価が異なる商品を区別してカッコでくくり、単価￥150の商品30個と、単価￥155の商品20個となります。

4/1時点で単価￥150の商品を30個保有しており、4/6に単価￥155の商品を20個仕入れています。

4/6時点で保有している商品は単価￥150の商品30個と単価￥155の商品20個です。これをカッコでくくります。

4/10　単価￥150の商品30個と、単価￥155の商品20個を保有していますが、先に仕入れた単価￥150の商品を払出したものと仮定して、売渡した商品は単価￥150の商品25個とします。残高欄は、単価￥150の商品が残り5個と、単価￥155の商品20個となります。

4/18　受入高欄は、数量15個、単価￥160のため、金額は￥2,400となります。残高欄は、単価￥150の商品5個と、単価￥155の商品20個と、単価￥160の商品15個となります。

4/25　単価￥150の商品5個と、単価￥155の商品20個と、単価￥160の商品15個を保有していますが、まず先に仕入れた単価￥150の商品5個を払出し、残り5個は次に仕入れた単価￥155の商品5個を払出したものと仮定して、売渡した商品は単価￥150の商品5個と、単価￥155の商品5個とします。残高欄は、単価￥155の商品が残り15個と、単価￥160の商品15個となります。

4/25に商品10個を売上げています。このうち5個は単価￥150の商品、残り5個は単価￥155の商品です。


(2)　移動平均法

4/ 6　受入高欄は、数量20個、単価￥155のため、金額は￥3,100となります。残高欄は、平均単価を計算し、数量は合計50個、金額は合計￥7,600、平均単価は￥7,600÷50個より￥152となります。

4/10　売渡した商品は単価￥152の商品25個とします。残高欄は、単価￥152の商品が残り25個となります。

4/18　受入高欄は、数量15個、単価￥160のため、金額は￥2,400となります。残高欄は、平均単価を計算し、数量は合計40個、金額は合計￥6,200、平均単価は￥6,200÷40個より￥155となります。

4/25　売渡した商品は単価￥155の商品10個とします。残高欄は、単価￥155の商品が残り30個となります。

基本　テキスト 第14章

# 34 仕入帳

## 解答

仕　入　帳

| ×年 | | 摘　要 | | 内　訳 | 金　額 |
|---|---|---|---|---|---|
| 5 | 6 | 中野商店 | 掛 | | |
| | | 電　卓　(100)台　@¥　(1,000) | | | (100,000) |
| | 8 | 中野商店 | 掛戻し | | |
| | | 電　卓　( 20)台　@¥　(1,000) | | | ( 20,000) |
| | 23 | 荻窪商店 | 現金 | | |
| | | 電　卓　(150)台　@¥　(1,200) | | | (180,000) |
| | 31 | | (総仕入高) | | (280,000) |
| | 〃 | | 仕入戻し高 | | ( 20,000) |
| | 〃 | | (純仕入高) | | (260,000) |

## 解説

仕入帳は、仕入に関する取引(仕入・仕入返品)があった場合に記入します。月末の締切りの記入を確認しておきましょう。
総仕入高から純仕入高まで、記入する順番と集計の仕方を覚えましょう。

1.　総仕入高は、返品高(本問では、仕入戻し高)を控除する前の金額¥280,000(=¥100,000+¥180,000)を集計します。
2.　仕入戻し高は、仕入戻し(仕入返品)の金額¥20,000を集計します。
3.　純仕入高は、総仕入高¥280,000から、返品高(本問では、仕入戻し高)¥20,000を控除します。

**ここに注意!**

返品があった場合は、本来、赤字で記入します。試験では、太字で記入されている場合があります。

基本  テキスト 第14章

# 35 売掛金元帳

## 解答

売掛金元帳
東京商店

| 日 | 付 | 摘要 | 借方 | 貸方 | 借／貸 | 残高 |
|---|---|---|---|---|---|---|
| 6 | 1 | 前月繰越 | 80,000 | | 借 | 80,000 |
| | 3 | 掛売上 | 100,000 | | 〃 | 180,000 |
| | 6 | 売上返品 | | 10,000 | 〃 | 170,000 |
| | 17 | 掛代金回収 | | 70,000 | 〃 | 100,000 |
| | 21 | 掛代金回収 | | 50,000 | 〃 | 50,000 |
| | 30 | 次月繰越 | | 50,000 | | |
| | | | 180,000 | 180,000 | | |
| 7 | 1 | 前月繰越 | 50,000 | | 借 | 50,000 |

## 解説

売掛金元帳(得意先元帳)は、得意先ごとに売掛金の残高を確認するために記入するものです。本問では、東京商店に対する売掛金が増減したら記入します。

6/11　他人振出約束手形の受取りによる売上は、売掛金が増減しないので、売掛金元帳へは記入しません。

基本 テキスト 第15章

# 36 伝票１

## 解答

| 入金伝票<br>×年１月20日 | |
|---|---|
| 科　目 | 金　額 |
| **前受金** | **43,000** |

| 出金伝票<br>×年２月27日 | |
|---|---|
| 科　目 | 金　額 |
| **保険料*** | **12,000** |

| 振替伝票<br>×年３月12日 | | | |
|---|---|---|---|
| 借方科目 | 金　額 | 貸方科目 | 金　額 |
| **仕　入** | **50,000** | **買掛金** | **50,000** |

| 振替伝票<br>×年４月18日 | | | |
|---|---|---|---|
| 借方科目 | 金　額 | 貸方科目 | 金　額 |
| **売掛金** | **70,000** | **売　上** | **70,000** |

＊　支払保険料でも可

## 解説

３伝票制では入金伝票、出金伝票、振替伝票の３種類の伝票を用いて、取引を記録します。入金伝票は、現金が増加するときに使います。出金伝票は、現金が減少するときに使います。そして、振替伝票は、現金が関係しないときに使います。

1/20（借）現　　　金　　43,000　　（貸）前　受　金　　43,000

現金が増加しているため、入金取引とわかります。

入金取引は入金伝票に記入します。入金取引の仕訳は必ず借方が「現金」となるため、入金伝票には貸方の勘定科目と金額を記入します。

→ 仕訳の借方は「現金」

| 入　金　伝　票<br>×年１月20日 | |
|---|---|
| 科　目 | 金　額 |
| 前受金 | 43,000 |

→ 仕訳の貸方は「前受金」

入金伝票に記入してあることから、仕訳の借方が現金であることがわかります。

2/27（借）保　険　料　　12,000　　（貸）現　　　金　　12,000

現金が減少しているため、出金取引とわかります。

出金取引は出金伝票に記入します。出金取引の仕訳は必ず貸方が「現金」となるため、出金伝票には借方の勘定科目と金額を記入します。

→ 仕訳の貸方は「現金」

| 出　金　伝　票<br>×年２月27日 | |
|---|---|
| 科　目 | 金　額 |
| 保険料 | 12,000 |

→ 仕訳の借方は「保険料」

出金伝票に記入してあることから、仕訳の貸方が現金であることがわかります。

3/12（借）仕　　　入　　50,000　　（貸）買　掛　金　　50,000

商品を仕入れているため、仕入取引とわかります。

入金、出金取引以外の取引は振替伝票に記入します。振替伝票には仕訳をそのまま記入します。

4/18（借）売　掛　金　　70,000　　（貸）売　　　上　　70,000

商品を売上げているため、売上取引とわかります。

振替伝票に記入します。

基本　テキスト 第15章

# 37 伝票2

## 解答

1．

| 入金伝票<br>×年×月×日 | |
|---|---|
| 科目 | 金額 |
| 売掛金 | 23,000 |

| 振替伝票<br>×年×月×日 | | | |
|---|---|---|---|
| 借方科目 | 金額 | 貸方科目 | 金額 |
| 売掛金 | 85,000 | 売上 | 85,000 |

2．

| 入金伝票<br>×年×月×日 | |
|---|---|
| 科目 | 金額 |
| 売上 | 23,000 |

| 振替伝票<br>×年×月×日 | | | |
|---|---|---|---|
| 借方科目 | 金額 | 貸方科目 | 金額 |
| 売掛金 | 62,000 | 売上 | 62,000 |

## 解　説

ここが
ポイント!

3伝票制の場合、入金取引は入金伝票に、出金取引は出金伝票に、入金、出金以外の取引は振替伝票に記入します。商品を売上げ、代金の一部を現金で受取った、という取引を起票するときは、入金伝票と振替伝票に記入しますが、この方法が2つあります。

本問の取引を仕訳すると次のようになります。

| | | | | |
|---|---|---|---|---|
| (借) | 現　　　　金 | 23,000 | (貸) 売　　　　上 | 85,000 |
| | 売　掛　金 | 62,000 | | |

1.　取引を「商品￥85,000を売上げ、代金を掛とした。その後、売掛金のうち￥23,000を現金で回収した。」と読み替えます。仕訳で表すと次のとおりです。

| | | | | |
|---|---|---|---|---|
| (借) | 売　掛　金 | 85,000 | (貸) 売　　　　上 | 85,000 |
| (借) | 現　　　　金 | 23,000 | (貸) 売　掛　金 | 23,000 |

上の仕訳を振替伝票に、下の仕訳を入金伝票に記入します。

1つの取引を2つに分け、2つの仕訳を行います。これらの仕訳を伝票に記入します。
1つの取引を2枚の伝票に記入することになります。

2.　取引を「商品￥23,000を売上げ、代金を現金で受取った。その後、商品￥62,000を売上げ、代金を掛とした。」と読み替えます。仕訳で表すと次のとおりです。

| | | | | |
|---|---|---|---|---|
| (借) | 現　　　　金 | 23,000 | (貸) 売　　　　上 | 23,000 |
| (借) | 売　掛　金 | 62,000 | (貸) 売　　　　上 | 62,000 |

上の仕訳を入金伝票に、下の仕訳を振替伝票に記入します。

復習しよう!

本問の１で記入した入金伝票と振替伝票を、仕訳のかたちに直してみます。

入金伝票には「売掛金　23,000」と記入されているので、これを仕訳すると次のようになります。

| | | | | |
|---|---|---|---|---|
| (借) | 現　　　金 | 23,000 | (貸) 売　掛　金 | 23,000 |

また、振替伝票には左側に「売掛金　85,000」、右側に「売上　85,000」と記入されているので、これを仕訳すると次のようになります。

| | | | | |
|---|---|---|---|---|
| (借) | 売　掛　金 | 85,000 | (貸) 売　　　上 | 85,000 |

この２つの仕訳を、売掛金を相殺して合わせると、本問の取引の仕訳と一致します。

| | | | | |
|---|---|---|---|---|
| (借) | 現　　　金 | 23,000 | (貸) 売　　　上 | 85,000 |
| | 売　掛　金 | 62,000 | | |

１つの取引を２枚の伝票に分けて記入しているので、２枚の伝票の記入内容を合わせると、もとの取引の仕訳と一致するのです。

同じように、本問の２で記入した入金伝票と振替伝票を、仕訳のかたちに直してみます。

| | | | | |
|---|---|---|---|---|
| (借) | 現　　　金 | 23,000 | (貸) 売　　　上 | 23,000 |
| (借) | 売　掛　金 | 62,000 | (貸) 売　　　上 | 62,000 |

この２つの仕訳を、売上を合算して合わせると、本問の取引の仕訳と一致します。

基本 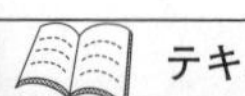 テキスト 第15章

# 38 伝票の集計・転記

## 解答

仕訳日計表

×2年4月1日　　10

| 借方 | 元丁 | 勘定科目 | 元丁 | 貸方 |
|---|---|---|---|---|
| 4,500 | 1 | 現金 | 1 | 4,800 |
| 3,500 | | 当座預金 | | 2,000 |
| 4,400 | 3 | 売掛金 | 3 | 2,800 |
| 1,500 | | 買掛金 | | 3,400 |
| 300 | 5 | 売上 | 5 | 4,400 |
| 3,400 | | 仕入 | | 200 |
| 17,600 | | | | 17,600 |

総勘定元帳

現金　　1

| ×2年 | | 摘要 | 仕丁 | 借方 | 貸方 | 借/貸 | 残高 |
|---|---|---|---|---|---|---|---|
| 4 | 1 | 前期繰越 | ✓ | 4,000 | | 借 | 4,000 |
| | 〃 | 仕訳日計表 | 10 | 4,500 | | 〃 | 8,500 |
| | 〃 | 〃 | 〃 | | 4,800 | 〃 | 3,700 |

売掛金　　3

| ×2年 | | 摘要 | 仕丁 | 借方 | 貸方 | 借/貸 | 残高 |
|---|---|---|---|---|---|---|---|
| 4 | 1 | 前期繰越 | ✓ | 5,000 | | 借 | 5,000 |
| | 〃 | 仕訳日計表 | 10 | 4,400 | | 〃 | 9,400 |
| | 〃 | 〃 | 〃 | | 2,800 | 〃 | 6,600 |

売　　上　　5

| ×2年 | | 摘　要 | 仕丁 | 借　方 | 貸　方 | 借/貸 | 残　高 |
|---|---|---|---|---|---|---|---|
| 4 | 1 | **仕訳日計表** | **10** | | **4,400** | **貸** | **4,400** |
| | 〃 | 〃 | 〃 | **300** | | 〃 | **4,100** |

得意先元帳

埼玉商店

| ×2年 | | 摘　要 | 仕丁 | 借　方 | 貸　方 | 借/貸 | 残　高 |
|---|---|---|---|---|---|---|---|
| 4 | 1 | 前期繰越 | ✓ | 4,000 | | 借 | 4,000 |
| | 〃 | **入金伝票** | **NO.102** | | **2,500** | 〃 | **1,500** |
| | 〃 | **振替伝票** | **NO.304** | **2,000** | | 〃 | **3,500** |
| | 〃 | 〃 | **NO.306** | | **300** | 〃 | **3,200** |

山梨商店

| ×2年 | | 摘　要 | 仕丁 | 借　方 | 貸　方 | 借/貸 | 残　高 |
|---|---|---|---|---|---|---|---|
| 4 | 1 | 前期繰越 | ✓ | 1,000 | | 借 | 1,000 |
| | 〃 | **振替伝票** | **NO.305** | **2,400** | | 〃 | **3,400** |

## 解　説

ここがポイント！

1日に記入した伝票をまとめた表を仕訳日計表といいます。総勘定元帳へは仕訳日計表から合計転記します。

補助簿である仕入先元帳・得意先元帳を作成している場合は、伝票から仕入先元帳・得意先元帳に個別転記します。

## STEP 1 仕訳日計表を作成します。

×2年4月1日の取引高を仕訳日計表に記入します。仕訳日計表の現金勘定の金額であれば、借方は当日の入金合計、貸方は当日の出金合計になります。

当日の取引を仕訳すると集計しやすくなります。

| | | | | | |
|---|---|---|---|---|---|
| (借) | 現　　　金 | 2,000 | (貸) | 当 座 預 金 | 2,000 |
| (借) | 現　　　金 | 2,500 | (貸) | 売掛金(埼玉) | 2,500 |
| (借) | 当 座 預 金 | 3,500 | (貸) | 現　　　金 | 3,500 |
| (借) | 買掛金(千葉) | 1,300 | (貸) | 現　　　金 | 1,300 |
| (借) | 仕　　　入 | 1600 | (貸) | 買掛金(千葉) | 1,600 |
| (借) | 仕　　　入 | 1,800 | (貸) | 買掛金(東京) | 1,800 |
| (借) | 買掛金(東京) | 200 | (貸) | 仕　　　入 | 200 |
| (借) | 売掛金(埼玉) | 2,000 | (貸) | 売　　　上 | 2,000 |
| (借) | 売掛金(山梨) | 2,400 | (貸) | 売　　　上 | 2,400 |
| (借) | 売　　　上 | 300 | (貸) | 売掛金(埼玉) | 300 |

借方に現金と仕訳した金額の合計は、¥2,000＋¥2,500より¥4,500です。また、貸方に現金と仕訳した金額の合計は、¥3,500＋¥1,300より¥4,800です。これらの金額を仕訳日計表に記入します。その他の勘定についても同様です。

## STEP 2 仕訳日計表から総勘定元帳の各勘定へ転記します。

現金勘定への転記であれば、仕訳日計表の現金勘定の借方¥4,500を現金勘定の借方へ、仕訳日計表の現金勘定の貸方¥4,800を現金勘定の貸方へ転記します。また、転記済みであるしるしとして、仕訳日計表の元丁欄に転記先の現金勘定の番号(丁数)「1」を、各勘定の仕丁欄に転記元の仕訳日計表の頁数「10」を記入します。

売掛金勘定および売上勘定への転記も同様に行います。

**復習しよう!**

総勘定元帳の形式には、借方と貸方を左右に分けて記入する形式と残高欄に残高を記入する形式があります。どちらの形式でも記入できるようにしておきましょう。

仕訳日計表の元丁欄への記入は、丁数がわかるものだけを記入すればよいです。
現金勘定への転記は、￥4,800を貸方へ転記した後、￥4,500を借方へ転記してもかまいません。


## STEP 3 伝票から、売掛金の増減を把握し、得意先元帳へ転記します。

埼玉商店に対する売掛金の増減を得意先元帳の埼玉商店勘定に、山梨商店に対する売掛金の増減を得意先元帳の山梨商店勘定に転記します。

摘要欄には転記元である伝票の種類、仕丁欄には転記元である伝票の番号を記入します。

得意先は、埼玉商店と山梨商店のみなので、埼玉商店と山梨商店の残高合計は、売掛金の残高と一致します。

基本  テキスト 第16章

# 39 証ひょうの見方

## 解答

| | 借方科目 | 金額 | 貸方科目 | 金額 |
|---|---|---|---|---|
| 1 | 消耗品費 | 32,400 | 未払金 | 32,400 |
| 2 | 売掛金 | 291,600 | 売上<br>仮受消費税 | 270,000<br>21,600 |

## 解説

問題文から取引の前提を読取り、請求書や納品書などの記載内容と合わせて、仕訳に必要な勘定科目や金額を読取る必要があります。
普通の仕訳問題を解くように、資料から情報を読取りましょう。

1. 事務用物品の購入は、物品の購入原価を用いて消耗品費(費用)の増加として処理します。物品の購入原価は、「本体価格+付随費用」です。そのため、送料も含めて消耗品費(費用)の増加とします。

**⚠ここに注意!**

消耗品費(費用)となる物品を購入した場合は、商品の仕入原価や有形固定資産の取得原価と同じように考えます。そのため、送料などの付随費用があるときは、これも消耗品費(費用)に含めて処理します。

2. 税抜きでの売上代金は全部で¥270,000です。仮受消費税¥21,600を合わせた¥291,600を売掛金とします。

応用 テキスト 第2～4章

# 40 仕訳問題１



## 解答

| | 借方科目 | 金額 | 貸方科目 | 金額 |
|---|---|---|---|---|
| 1 | 仕入 | 202,000 | 前払金 | 60,000 |
| | | | 買掛金 | 140,000 |
| | | | 現金 | 2,000 |
| 2 | 前受金 | 100,000 | 売上 | 905,000 |
| | 売掛金 | 805,000 | 未払金 | 5,000 |
| | 発送費 | 5,000 | | |
| 3 | 仕入 | 200,000 | 買掛金 | 200,000 |
| | 消耗品費 | 30,000 | 未払金 | 30,000 |
| 4 | 売掛金 | 553,000 | 売上 | 553,000 |
| | 発送費 | 6,000 | 普通預金 | 6,000 |
| 5 | 受取商品券 | 25,000 | 売上 | 25,000 |
| 6 | 貸倒引当金 | 120,000 | 売掛金 | 200,000 |
| | 貸倒損失 | 80,000 | | |

## 解説

ここがポイント！

代金の決済方法が複数となる場合、問題文が長くなるので、丁寧に読取り、状況を正確に把握する必要があります。また、取引が、仕入や売上に該当するかは、その取引が本業の商売で売るための商品についてかを読取って判断します。

1.　注文した商品が届いたときに仕入の仕訳をします。内金分は前払金の減少とし、残額は買掛金の増加とします。また、負担者が明記されていない引取運賃(仕入諸掛)は、当社負担として考え、仕入原価に含めます。
2.　代金のうち手付金は前受金で、翌月末に支払う先方負担の発送費は未払金で処理します。また、先方負担の発送費は売上代金に含めた上で、発送費として費用計上します。
3.　仕入取引かどうかは、購入したものが、本業の商売で売るための商品かどうかで判断します。本問では、販売用文房具は商品に該当するので、仕入れで処理します。一方、事務用文房具は商品には該当せず、消耗品に該当するので、消耗品費で処理します。

仕入代金の未払いは買掛金で、仕入代金以外の未払いは未払金で処理します。

4.　発送費などの売上諸掛は、当社負担、先方負担のいずれの場合であっても、費用で処理します。ただし、先方負担のときは、特に指示がない限り、売上に含めて処理することで、実質的に先方負担となるようにします。
5.　売上代金を共通商品券で受取った場合は、受取商品券で処理します。なお、受取商品券は、商品券の発行元に対して代金を請求できる権利を意味するので、資産の勘定科目です。
6.　貸倒れた売掛金のうち、前期発生分については、貸倒引当金を充当します。当期発生分については、貸倒引当金の設定後に発生したものなので、貸倒引当金は充当せず、貸倒損失として処理します。

前期発生の売掛金が貸倒れた場合は、まず、貸倒引当金を充当し、不足する分は貸倒損失とします。

応用 テキスト 第４・６章

# 41 仕訳問題２

## 解答

| | 借方科目 | 金　額 | 貸方科目 | 金　額 |
|---|---|---|---|---|
| 1 | 電子記録債権 | 300,000 | 売掛金 | 300,000 |
| 2 | 買掛金 | 350,000 | 電子記録債務 | 350,000 |
| 3 | クレジット売掛金<br>支払手数料 | 192,000<br>8,000 | 売上 | 200,000 |
| 4 | 仕入<br>仮払消費税 | 300,000<br>24,000 | 買掛金 | 324,000 |
| 5 | 受取手形<br>売掛金 | 350,000<br>200,000 | 売上<br>仮受消費税 | 500,000<br>50,000 |
| 6 | クレジット売掛金<br>支払手数料 | 158,400<br>6,600 | 売上<br>仮受消費税 | 150,000<br>15,000 |

## 解説

電子記録債権・債務は、約束手形の電子版と思って考えるとよいです。取引を税抜方式で処理する場合は、収益や費用を税抜価格で処理します。クレジット売掛金は、クレジットカードで決済した分について発生します。そして、信販会社に対する手数料は、支払手数料で処理します。

1.　電子記録債権の発生記録の請求を行ったので、「売掛金」が「電子記録債権」に替わります。「売掛金」を減少させ、「電子記録債権」を計上します。
2.　電子記録債務の発生記録の請求を行ったので、「買掛金」が「電子記録債務」に替わります。「買掛金」を減少させ、「電子記録債務」を計上します。
3.　クレジット販売により生じた信販会社に対するクレジット手数料は、支払手数料で処理します。またクレジット売掛金は、売上代金から支払手数料を除いた金額とします。

　　支払手数料：￥200,000×４％＝￥8,000

　　クレジット売掛金：￥200,000－￥8,000＝￥192,000

カードで決済する場合、回収できる金額は、信販会社に対する手数料分だけ少なくなります。


4.　仕入時に消費税を支払った場合、仮払消費税(資産)で処理します。

　　仮払消費税：￥300,000×８％＝￥24,000

5.　売上時に受取った消費税を仮受消費税(負債)で処理します。また、売上代金は、受取った消費税額分を除いた税抜価格で仕訳します。

　　売上：￥550,000－￥50,000＝￥500,000

6.　クレジット販売により生じた信販会社に対するクレジット手数料は、支払手数料で、売上代金に対する消費税は、仮受消費税で処理します。なお、クレジット手数料には消費税が課税されないため、仮払消費税は生じません。

　　売上：$￥165,000\times\frac{100}{110}=￥150,000$

　　仮受消費税：￥150,000×10％＝￥15,000

　　支払手数料：￥165,000×４％＝￥6,600

　　クレジット売掛金：￥165,000－￥6,600＝￥158,400

クレジット売掛金の金額は、最後に、貸借差額(借方と貸方の金額の差額)で求めましょう。

応用 テキスト 第３・５章

# 42 仕訳問題３



## 解答

| | 借方科目 | 金額 | 貸方科目 | 金額 |
|---|---|---|---|---|
| 1 | 現金 | 400,000 | 仮受金 | 400,000 |
| 2 | 現金過不足 | 1,700 | 現金 | 1,700 |
| 3 | 租税公課<br>現金過不足 | 2,000<br>7,700 | 売掛金<br>雑益 | 8,300<br>1,400 |
| 4 | 消耗品費<br>雑損 | 3,300<br>1,400 | 現金<br>受取手数料 | 700<br>4,000 |
| 5 | 通信費<br>消耗品費<br>雑費 | 2,400<br>4,500<br>800 | 当座預金 | 7,700 |
| 6 | 当座預金<br>支払手数料 | 899,200<br>800 | 売掛金 | 900,000 |

## 解説

現金過不足の期末における処理では、現金過不足を使うのか、使わないのかが、ポイントの１つです。帳簿残高と実際有高がズレているのが判明したのが、期末の場合は、現金過不足は使いません。

1.　内容が不明な入金があった場合は、仮受金で処理します。本問では、送金小切手を受取っているので現金で処理しますが、内容が不明なので、相手勘定科目は仮受金になります。なお、仮受金の内容が判明したときは、仮受金から適切な勘定科目に振替えます。

2.　現金の実査を行い、実際有高と帳簿残高に差額があることが判明した場合には、帳簿残高を実際有高に合わせます。また、原因を調査することになる差額は、現金過不足(仮勘定)で処理します。

　実際有高：￥74,300＋￥120,000＝￥194,300
　帳簿残高：現金出納帳の残高＝￥196,000

3.　期中に実際有高が帳簿残高に対して￥7,700超過していたため、いったん現金過不足を用いて処理しています。その後にズレの原因が判明したときは、再び現金過不足を用いて処理します。原因調査後もズレの原因が判明しないときは、現金過不足勘定の残高をゼロにします。このとき、相手勘定科目は貸方に記入する場合は、雑益(収益)とします。

期中に、帳簿残高と実際有高がズレたときは、現金過不足を使います。

4.　現金の実際有高が帳簿有高よりも￥700少なかったので、帳簿上、現金勘定残高を￥700減少させます。実際有高と帳簿有高の差異の原因について、消耗品費￥3,300及び受取手数料￥4,000が未記帳であることが判明しているので、ここで記帳します。また、原因不明分￥1,400は雑損で処理します。

5.　小口現金係から支払報告を受けた諸費用について、各費用の勘定科目で処理します。また、報告と同時に小口現金からの支払額と同額の小切手を振出して補給しているため、当座預金を減少させます。なお、お茶代については、通常、雑費で処理します。

6.　売掛金回収時に、得意先が振込手続きをする際に銀行へ支払う手数料を、当社が負担する場合があります。このとき、得意先へ振込手数料分の支払いを行うのではなく、振込んでもらう金額を、振込手数料分だけ少なくすることがあります。このときは、減少させる売掛金と入金額との差額を支払手数料で処理します。

応用　テキスト 第5～6章

# 43 仕訳問題4



## 解答

| | 借方科目 | 金額 | 貸方科目 | 金額 |
|---|---|---|---|---|
| 1 | 役員貸付金 | 3,000,000 | 普通預金 | 3,000,000 |
| 2 | 旅費交通費 | 4,200 | 仮払金 | 4,200 |
| 3 | 給料 | 1,500,000 | 預り金<br>立替金<br>当座預金 | 285,000<br>4,500<br>1,210,500 |
| 4 | 預り金<br>法定福利費 | 225,000<br>225,000 | 当座預金 | 450,000 |
| 5 | 仮受消費税 | 850,000 | 仮払消費税<br>未払消費税 | 640,000<br>210,000 |
| 6 | 法人税等 | 180,000 | 仮払法人税等<br>未払法人税等 | 80,000<br>100,000 |

## 解説

ここがポイント!

源泉所得税や健康保険・厚生年金については、給与から天引きしてから納付する仕組みを考えながら仕訳するようにしましょう。

消費税や法人税等については、期中の処理にもとづき、期末にどのように精算していくのかを考えながら仕訳するようにしましょう。

1. 会社の役員に対して貸付けを行った場合、貸付金の代わりに、役員貸付金を使って処理することがあります。考え方は、通常の貸付金と同じです。

役員から借入れをした場合は、借入金の代わりに、役員借入金を使うこともあります。


2. ＩＣカードに入金した段階では、どのような使いみちで使用するかは特定できません。そこで、入金時は仮払金で処理しておき、内容が確定したら適切な勘定へ振替える方法があります。本問では、バス代・電車賃として使用したことが判明したので、仮払金から旅費交通費へ振替えます。

旅費の概算払いの処理と同じように考えてやりましょう。


3. 雇用保険の保険料は、毎年７月に、４月から翌年３月までの保険料をまとめて会社が支払う仕組みになっています。そのため、７月から３月までの保険料の従業員負担分は、会社が立替えて支払っていることになります。そのため、保険料の支払時に、立替金で処理しています。そこで、７月以降の給与の支払時に、その月の保険料の従業員負担分を給与から天引きして清算します。よって、本問では、預り金で処理する源泉所得税と健康保険・厚生年金の保険料の従業員負担分とは区別して、立替金を減少させる処理をします。

**ここに注意！**

**雇用保険の４月から６月分の従業員負担分については、給与支払時に天引きしますが、保険料を７月に支払うために預かる意味になるので、預り金で処理します。**

4.　健康保険・厚生年金の保険料は、会社負担分と従業員負担分がありますが、会社がまとめて年金事務所に納付する仕組みになっています。会社が負担する分は、法定福利費という費用の勘定科目で処理します。



**ここに注意！**

**健康保険・社会保険の保険料は、７月分であれば８月末が納期限になります。つまり、保険料は翌月までに納付することになるので、納付する直前の給与の支払時に給与から天引きをします。**

5.　仮受消費税から仮払消費税を控除した金額を納税することになるので、これを、未払消費税で処理します。

未払消費税：￥850,000－￥640,000＝￥210,000

6.　法人税等の金額から仮払法人税等で処理してある中間申告分を控除した金額を納税することになります。よって、これを、未払法人税等で処理します。

法人税等：￥600,000×30％＝￥180,000

未払法人税等：￥180,000－￥80,000＝￥100,000

応用  テキスト 第7・11章

# 44 仕訳問題5

## 解答

| | 借方科目 | 金額 | 貸方科目 | 金額 |
|---|---|---|---|---|
| 1 | 支払家賃<br>差入保証金<br>支払手数料 | 350,000<br>1,050,000<br>350,000 | 当座預金 | 1,750,000 |
| 2 | 土地 | 28,310,000 | 未払金<br>普通預金 | 27,000,000<br>1,310,000 |
| 3 | 備品 | 4,300,000 | 当座預金<br>未払金<br>普通預金 | 1,200,000<br>2,800,000<br>300,000 |
| 4 | 建物<br>修繕費 | 6,000,000<br>2,000,000 | 普通預金 | 8,000,000 |
| 5 | 未収入金<br>減価償却累計額 | 90,000<br>240,000 | 備品<br>固定資産売却益 | 300,000<br>30,000 |
| 6 | 未収入金<br>減価償却費<br>減価償却累計額 | 1,150,000<br>400,000<br>2,250,000 | 車両<br>固定資産売却益 | 3,600,000<br>200,000 |

## 解説

有形固定資産を取得したときは、当社が負担することとなる金額が全部でいくらになるかが重要です。

有形固定資産を売却したときは、売却代金と売却時点で残っている価値(帳簿価額)との差額を固定資産売却損益とします。

1.　事務所等の賃借契約をする際に生じる敷金を支払った場合は、差入保証金(資産)で処理します。また、不動産業者に支払う仲介手数料は、支払手数料(費用)で処理します。

差入保証金：￥350,000×3ヵ月分＝￥1,050,000

支払手数料：￥350,000×1ヵ月分＝￥350,000

2.　有形固定資産の取得原価は、購入代価(本体価格)に付随費用を加算した金額です。本問では、購入手数料と土地の整地費用が付随費用として取得原価に含まれます。なお、土地の取得原価のうち後日支払う分は、未払金で処理します。

取得原価：@￥45,000×600㎡＋￥810,000＋￥500,000＝￥28,310,000

3.　当社で使用することを目的としたパソコンの購入は、備品の購入に該当します。備品の取得原価には、搬送・設置費用が含まれます。

取得原価：@￥400,000×10台＋￥300,000＝￥4,300,000

有形固定資産の取得原価に含める付随費用は、使用を開始するまでにかかった分をすべて含めます。

4.　建物などの有形固定資産について修繕や修理をした場合に、有形固定資産の価値の増加と考えるべき支出を資本的支出といいます。資本的支出は、その支出額を、有形固定資産の取得原価に加算します。一方、修繕費は、老朽化した部分を修繕して元の状態に戻すなど、単なる修繕・修理に該当するような支出を収益的支出といいます。収益的支出は、修繕費で処理します。

建物を修繕した場合に、資本的支出があるときは、建物を新たに買ったと思って仕訳を考えます。

5.　×2年4月1日に取得した備品が×6年3月31日(前期末)までに4年間価値が減少しており、減価償却累計額勘定で価値減少分が集計されています。そして、売却した×6年4月1日時点の帳簿価額は¥60,000と分かるので、売却代金¥90,000との差額を固定資産売却損益とします。

1年分の減価償却費：(¥300,000－¥0)÷5年＝¥60,000

期首減価償却累計額：¥60,000×4年＝¥240,000

売却した時点の帳簿価額：¥300,000－¥240,000＝¥60,000

固定資産売却損益：¥90,000－¥60,000＝¥30,000(売却益)

有形固定資産の売却の問題では、売却時点で残っている価値(帳簿価額)を求める必要があります。

6.　×1年7月1日に取得した車両が×5年3月31日(前期末)までに45ヵ月間価値が減少しており、減価償却累計額勘定で価値減少分が集計されています。また、当期の×5年11月30日に売却しているので、当期は8ヵ月間価値が減少しています。そのため、売却時点の帳簿価額は¥950,000と分かるので、売却代金¥1,150,000との差額を固定資産売却損益とします。

1年分の減価償却費：(¥3,600,000－¥0)÷6年＝¥600,000

期首減価償却累計額：$¥600,000 \times \frac{45ヵ月}{12ヵ月} = ¥2,250,000$

当期分の減価償却費：$¥600,000 \times \frac{8ヵ月}{12ヵ月} = ¥400,000$

売却した時点の帳簿価額：¥3,600,000－(¥2,250,000＋¥400,000)＝¥950,000

固定資産売却損益：¥1,150,000－¥950,000＝¥200,000(売却益)

応用　テキスト　第9～13章

# 45 仕訳問題6



## 解答

| | 借方科目 | 金額 | 貸方科目 | 金額 |
|---|---|---|---|---|
| 1 | 現金<br>クレジット売掛金 | 43,200<br>81,000 | 売上<br>仮受消費税 | 115,000<br>9,200 |
| 2 | 当座預金 | 1,000,000 | 資本金 | 1,000,000 |
| 3 | 繰越利益剰余金 | 440,000 | 未払配当金<br>利益準備金 | 400,000<br>40,000 |
| 4 | 租税公課 | 15,000 | 貯蔵品 | 15,000 |
| 5 | 受取利息 | 36,000 | 損益 | 36,000 |
| 6 | 繰越利益剰余金 | 350,000 | 損益 | 350,000 |

## 解説

決算時に行う仕訳は3つあり、「決算整理仕訳→損益振替仕訳→資本振替仕訳」の順番に行います。処理の手順を意識しながら、仕訳のやり方を整理しましょう。

1.　税抜方式で処理するので、税抜価格の¥115,000で売上を計上し、消費税部分の¥9,200は仮受消費税とします。現金で¥43,200を受取っているので、クレジット売掛金となるのは¥81,000です。

売上：¥25,000＋¥90,000＝¥115,000

クレジット売掛金：¥124,200－¥43,200＝¥81,000

クレジット手数料について指示がないので、処理は不要と考えます。

2.　当座預金口座に払込まれた金額¥1,000,000を、全額、資本金の増加として処理します。

3.　株主への配当金は後日支払うことになるので未払配当金で処理し、利益準備金を積立てることとなった分は利益準備金で処理します。そして、株主総会の決議によって、使いみちが決まった分だけ、繰越利益剰余金を減少させます。

4.　前期末の決算整理仕訳で貯蔵品とした分について、当期首に再振替仕訳を行い、租税公課に振替えます。

①　前期末の決算整理仕訳

| (借) 貯　蔵　品 | 15,000 | (貸) 租 税 公 課 | 15,000 |
|---|---|---|---|

②　当期首の再振替仕訳

| (借) 租 税 公 課 | 15,000 | (貸) 貯　蔵　品 | 15,000 |
|---|---|---|---|

**復習しよう!**

費用の前払い・未払いや収益の前受け・未収の決算整理仕訳をしたときも、翌期首に再振替仕訳をします。決算時に行う仕訳は、翌期にどのような影響があるのかを考えながら復習しましょう。

5.　受取利息の決算整理後残高は、￥36,000です。これを、損益振替仕訳を行って、損益勘定へ振替えます。具体的には、受取利息勘定の残高がゼロとなるように、受取利息を借方に仕訳します。そして、貸方は損益とします。

受取利息

| 借方 | 貸方 | |
|---|---|---|
| 36,000 | 受取額 | 24,000 |
| | 未収分 | 12,000 |

損　益

| 借方 | 貸方 |
|---|---|
| | 36,000 |

6.　当期の収益総額よりも費用総額の方が大きいので、損益勘定の残高は借方残高となり、当期純損失が生じていることが分かります。これを、損益勘定から繰越利益剰余金勘定へ振替えます。具体的には、損益勘定の残高がゼロとなるように、損益を貸方に仕訳し、借方は繰越利益剰余金とします。

損　益

| 借方 | 貸方 |
|---|---|
| 費用総額 6,800,000 | 収益総額 6,450,000 |
| | 当期純損失 350,000 |

繰越利益剰余金

| 借方 | 貸方 |
|---|---|
| 当期純損失 350,000 | 決算整理後残高 ××× |

損益勘定から繰越利益剰余金勘定への振替（資本振替）は、当期純利益と当期純損失のどちらの場合もできるようにしましょう。

応用  テキスト 第8章

# 46 月中取引高

解答

試算表

| 借方 | | | 勘定科目 | 貸方 | | |
|---|---|---|---|---|---|---|
| 10月31日の残高 | 10月中の取引高 | 10月1日の合計 | | 10月1日の合計 | 10月中の取引高 | 10月31日の残高 |
| 549,000 | 100,000 | 719,500 | 現金 | 226,500 | 44,000 | |
| 527,500 | 470,000 | 846,000 | 当座預金 | 395,000 | 393,500 | |
| 538,000 | 124,000 | 789,400 | 受取手形 | 375,400 | | |
| 650,000 | 350,000 | 1,325,000 | 売掛金 | 555,000 | 470,000 | |
| 233,000 | | 233,000 | 繰越商品 | | | |
| | | 39,400 | 前払金 | 14,400 | 25,000 | |
| | | 10,000 | 仮払金 | | 10,000 | |
| 1,200,000 | | 1,200,000 | 建物 | | | |
| | 70,000 | 150,000 | 支払手形 | 785,000 | 180,000 | 745,000 |
| | 95,000 | 335,000 | 買掛金 | 975,000 | 100,000 | 645,000 |
| | | | 前受金 | | 100,000 | 100,000 |
| | 20,000 | | 社会保険料預り金 | 15,000 | 20,000 | 15,000 |
| | | | 借入金 | 280,000 | | 280,000 |
| | | | 貸倒引当金 | 12,000 | | 12,000 |
| | | | 建物減価償却累計額 | 496,000 | 4,000 | 500,000 |
| | | | 資本金 | 1,000,000 | | 1,000,000 |
| | | | 繰越利益剰余金 | 215,000 | | 215,000 |
| | | | 売上 | 3,000,000 | 474,000 | 3,474,000 |
| 1,512,000 | 307,000 | 1,214,600 | 仕入 | 4,600 | 5,000 | |
| 1,115,000 | 215,000 | 900,000 | 給料 | | | |
| 87,600 | 10,000 | 77,600 | 旅費交通費 | | | |
| 244,000 | | 244,000 | 広告宣伝費 | | | |
| 130,000 | 22,000 | 108,000 | 水道光熱費 | | | |
| 61,000 | 11,000 | 50,000 | 通信費 | | | |
| 80,000 | 20,000 | 60,000 | 法定福利費 | | | |
| 20,000 | 4,000 | 16,000 | 減価償却費 | | | |
| 14,000 | | 14,000 | 租税公課 | | | |
| 24,900 | 7,500 | 17,400 | 支払利息 | | | |
| 6,986,000 | 1,825,500 | 8,348,900 | | 8,348,900 | 1,825,500 | 6,986,000 |

## 解　説

解答用紙を見ると、10月１日時点の各勘定の借方合計と貸方合計が分かります。資料に基づいて、10月中の取引を仕訳し、勘定ごとに集計します。ただし、10月中の取引高と10月31日時点の各勘定の残高を求める必要があります。

1.　まず、10月中の取引を仕訳します。

| 日付 | | 借方科目 | 金額 | | 貸方科目 | 金額 |
|---|---|---|---|---|---|---|
| 1日 | (借) | 旅費交通費 | 10,000 | (貸) | 仮払金 | 10,000 |
| 3日 | (借) | 支払手形 | 70,000 | (貸) | 当座預金 | 70,000 |
| 8日 | (借) | 仕入 | 125,000 | (貸) | 前払金 | 25,000 |
| | | | | | 買掛金 | 100,000 |
| 9日 | (借) | 買掛金 | 5,000 | (貸) | 仕入 | 5,000 |
| 11日 | (借) | 売掛金 | 350,000 | (貸) | 売上 | 350,000 |
| 12日 | (借) | 仕入 | 182,000 | (貸) | 支払手形 | 180,000 |
| | | | | | 現金 | 2,000 |
| 15日 | (借) | 受取手形 | 124,000 | (貸) | 売上 | 124,000 |
| 17日 | (借) | 買掛金 | 90,000 | (貸) | 当座預金 | 90,000 |
| 20日 | (借) | 給料 | 215,000 | (貸) | 当座預金 | 195,000 |
| | | | | | 社会保険料預り金 | 20,000 |
| 21日 | (借) | 水道光熱費 | 22,000 | (貸) | 当座預金 | 31,000 |
| | | 通信費 | 9,000 | | | |
| 22日 | (借) | 当座預金 | 470,000 | (貸) | 売掛金 | 470,000 |
| 25日 | (借) | 支払利息 | 7,500 | (貸) | 当座預金 | 7,500 |
| 27日 | (借) | 通信費 | 2,000 | (貸) | 現金 | 2,000 |
| 28日 | (借) | 現金 | 100,000 | (貸) | 前受金 | 100,000 |
| 30日 | (借) | 社会保険料預り金 | 20,000 | (貸) | 現金 | 40,000 |
| | | 法定福利費 | 20,000 | | | |
| 31日 | (借) | 減価償却費 | 4,000 | (貸) | 減価償却累計額 | 4,000 |

2.　次に、勘定ごとに集計をします。例えば、現金勘定は、次のようになります。

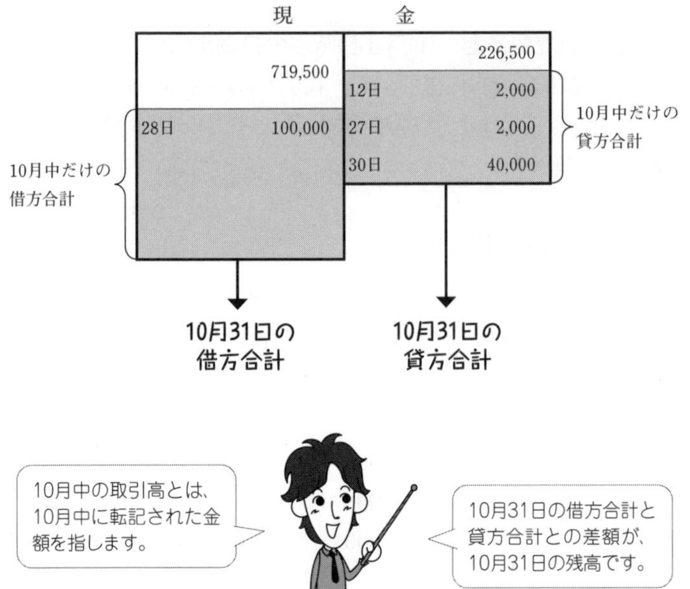


10月中の取引を仕訳したら、10月中に借方に現金と仕訳した金額を集計します。同様に、10月中に貸方に現金と仕訳した金額を集計します。

10月中の取引高(借方)：￥100,000

10月中の取引高(貸方)：￥2,000＋￥2,000＋￥40,000＝￥44,000

<u>試　算　表</u>

| 借　方 | | | 勘定科目 | 貸　方 | | |
|---|---|---|---|---|---|---|
| 10月31日の残高 | 10月中の取引高 | 10月1日の合計 | | 10月1日の合計 | 10月中の取引高 | 10月31日の残高 |
| **549,000** | **100,000** | 719,500 | 現　　　金 | 226,500 | **44,000** | |

10月１日時点の合計に10月中の取引高を加算すると、10月31日時点の合計が分かります。そして、借方合計と貸方合計との差額をとれば、残高が分かります。

10月31日の借方合計：￥719,500＋￥100,000＝￥819,500

10月31日の貸方合計：￥226,500＋￥44,000＝￥270,500

10月31日の借方残高：￥819,500－￥270,500＝￥549,000

応用 テキスト 第8章

# 47 掛明細表



## 解答

合計残高試算表

| 借方 | | | 勘定科目 | 貸方 | | |
|---|---|---|---|---|---|---|
| 10月31日の残高 | 10月31日の合計 | 10月1日の合計 | | 10月1日の合計 | 10月31日の合計 | 10月31日の残高 |
| 86,000 | 156,900 | 151,900 | 現金 | 23,600 | 70,900 | |
| 58,000 | 216,000 | 116,000 | 当座預金 | 93,000 | 158,000 | |
| 54,000 | 95,300 | 45,300 | 受取手形 | 21,300 | 41,300 | |
| 114,500 | 236,500 | 96,500 | 売掛金 | 83,500 | 122,000 | |
| 1,000 | 23,000 | 23,000 | 電子記録債権 | 2,000 | 22,000 | |
| 3,000 | 3,000 | 3,000 | 繰越商品 | | | |
| | 76,100 | 46,100 | 支払手形 | 76,100 | 96,100 | 20,000 |
| | 91,200 | 69,200 | 買掛金 | 82,900 | 165,900 | 74,700 |
| | | | 電子記録債務 | 30,000 | 40,000 | 40,000 |
| | 4,500 | | 前受金 | 4,500 | 9,500 | 5,000 |
| | | | 預り金 | 1,800 | 4,500 | 4,500 |
| | | | 資本金 | 70,000 | 70,000 | 70,000 |
| | | | 繰越利益剰余金 | 30,000 | 30,000 | 30,000 |
| | 7,000 | 3,500 | 売上 | 207,000 | 426,500 | 419,500 |
| 249,200 | 254,000 | 126,000 | 仕入 | 2,800 | 4,800 | |
| 98,000 | 98,000 | 48,000 | 給料 | | | |
| 663,700 | 1,261,500 | 728,500 | | 728,500 | 1,261,500 | 663,700 |

売掛金明細表

| | 10月1日 | 10月31日 |
|---|---|---|
| 大阪商店 | 4,900 | ( 26,900 ) |
| 神戸商店 | 3,000 | ( 35,000 ) |
| 京都商店 | 5,100 | ( 52,600 ) |
| | 13,000 | ( 114,500 ) |

買掛金明細表

| | 10月1日 | 10月31日 |
|---|---|---|
| 東京商店 | 5,200 | ( 22,700 ) |
| 横浜商店 | 3,900 | ( 20,900 ) |
| 千葉商店 | 4,600 | ( 31,100 ) |
| | 13,700 | ( 74,700 ) |

## 解　説

解答用紙を見ると、10/1時点の各商店に対する売掛金、買掛金がわかります。資料に基づいて、10月中の売掛金、買掛金の増減を把握し、10/31時点の各商店に対する売掛金、買掛金を計算します。

10月中の取引を仕訳します。各商店に対する売掛金、買掛金の増減を把握するため、商店名を付けておきます。

| | | 借方科目 | 金額 | | 貸方科目 | 金額 |
|---|---|---|---|---|---|---|
| 1. | (借) | 現　　金 | 5,000 | (貸) | 前　受　金 | 5,000 |
| 2. | (借) | 給　　料 | 50,000 | (貸) | 現　　金 | 47,300 |
| | | | | | 預　り　金 | 2,700 |
| 3. | (借) | 仕　　入 | 128,000 | (貸) | 当座預金 | 15,000 |
| | | | | | 買掛金(東京) | 31,000 |
| | | | | | 買掛金(横浜) | 25,000 |
| | | | | | 買掛金(千葉) | 27,000 |
| | | | | | 支払手形 | 20,000 |
| | | | | | 電子記録債務 | 10,000 |
| | (借) | 買掛金(東京) | 1,500 | (貸) | 仕　　入 | 2,000 |
| | | 買掛金(千葉) | 500 | | | |
| 4. | (借) | 当座預金 | 25,000 | (貸) | 売　　上 | 219,500 |
| | | 売掛金(大阪) | 47,000 | | | |
| | | 売掛金(神戸) | 33,000 | | | |
| | | 売掛金(京都) | 60,000 | | | |
| | | 受取手形 | 50,000 | | | |
| | | 前　受　金 | 4,500 | | | |
| | (借) | 売　　上 | 3,500 | (貸) | 売掛金(神戸) | 1,000 |
| | | | | | 売掛金(京都) | 2,500 |
| 5. | (借) | 当座預金 | 75,000 | (貸) | 売掛金(大阪) | 25,000 |
| | | | | | 売掛金(京都) | 10,000 |
| | | | | | 受取手形 | 20,000 |
| | | | | | 電子記録債権 | 20,000 |

| 6. | (借) | 買掛金(東京) | 12,000 | (貸) | 当座預金 | 50,000 |
|---|---|---|---|---|---|---|
| | | 買掛金(横浜) | 8,000 | | | |
| | | 支払手形 | 30,000 | | | |

現金勘定は、10月中の仕訳を転記すると次のようになります。

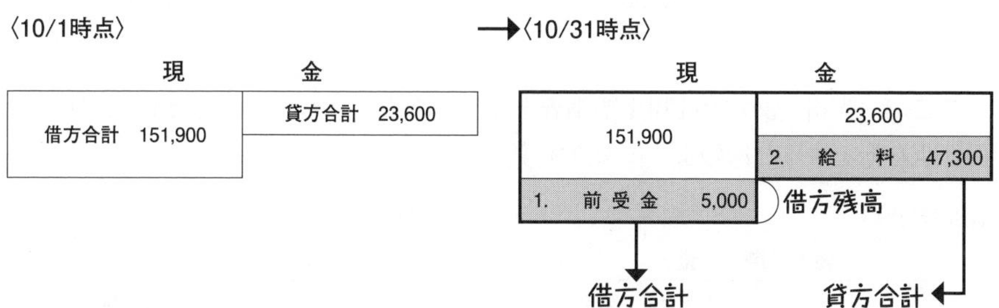


また、本問では売掛金明細表と買掛金明細表も作成する必要があります。

売掛金明細表の10/１の金額は、解答用紙に記載済みになっています。ここから、10/１時点で、大阪商店に対する売掛金が￥4,900、神戸商店に対する売掛金が￥3,000、京都商店に対する売掛金が￥5,100あることがわかります。

10月中の仕訳から、売掛金の増減額を商店ごとに集計します。

大阪商店に対する売掛金は、10/１時点では￥4,900であったのが、10月中に￥47,000増加し、￥25,000減少しているので、￥4,900＋￥47,000－￥25,000より、10/31時点の大阪商店に対する売掛金は￥26,900となります。

同様に、神戸商店に対する売掛金は、￥3,000＋￥33,000－￥1,000より￥35,000、京都商店に対する売掛金は￥5,100＋￥60,000－￥2,500－￥10,000より￥52,600となります。

| | 10月１日 | | 10月31日 |
|---|---|---|---|
| 大阪商店 | 4,900 | ＋47,000－25,000＝ | ( 26,900) |
| 神戸商店 | 3,000 | ＋33,000－1,000＝ | ( 35,000) |
| 京都商店 | 5,100 | ＋60,000－2,500－10,000＝ | ( 52,600) |
| | 13,000 | | ( 114,500) |

買掛金明細表も同様に作成します。

| | 10月1日 | | 10月31日 |
|---|---|---|---|
| 東京商店 | 5,200 | ＋31,000－1,500－12,000＝ | ( 22,700) |
| 横浜商店 | 3,900 | ＋25,000－8,000＝ | ( 20,900) |
| 千葉商店 | 4,600 | ＋27,000－500＝ | ( 31,100) |
| | 13,700 | | ( 74,700) |

ここで、売掛金勘定と売掛金明細表を比べてみましょう。売掛金勘定は、10月中の仕訳を転記すると次のようになります。

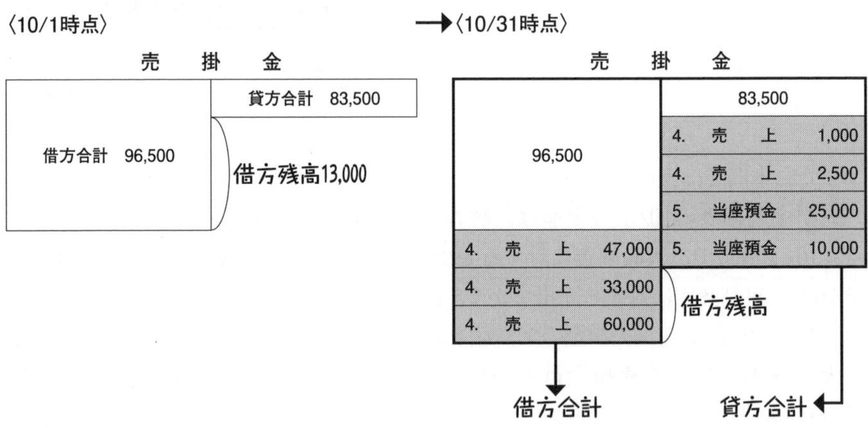


**復習しよう！**

10/31時点で、大阪商店から受取る権利のある商品代金が￥26,900、神戸商店から受取る権利のある商品代金が￥35,000、京都商店から受取る権利のある商品代金が￥52,600あります。したがって、他店から受取る権利のある商品代金は合計で￥114,500です。これが、10/31時点の売掛金勘定の借方残高です。

応用 テキスト 第8章

# 48 二重仕訳



## 解答

合計試算表

| 借方 | | 勘定科目 | 貸方 | |
|---|---|---|---|---|
| 3月31日の合計 | 3月1日の合計 | | 3月1日の合計 | 3月31日の合計 |
| 84,500 | 69,500 | 現金 | 2,800 | 48,800 |
| 136,500 | 76,500 | 当座預金 | 12,000 | 65,000 |
| 60,000 | 50,000 | 受取手形 | 20,000 | 50,000 |
| 140,000 | 80,000 | 売掛金 | 20,000 | 34,500 |
| 7,000 | 7,000 | 繰越商品 | | |
| 40,000 | 20,000 | 支払手形 | 55,000 | 103,000 |
| 64,000 | 13,000 | 買掛金 | 78,000 | 123,000 |
| 6,500 | 5,000 | 前受金 | 6,500 | 6,500 |
| 3,000 | 3,000 | 預り金 | 3,500 | 6,700 |
| | | 資本金 | 130,000 | 130,000 |
| 6,500 | 2,000 | 売上 | 100,000 | 200,500 |
| | | 受取手数料 | 5,000 | 11,000 |
| 161,000 | 76,000 | 仕入 | 4,200 | 7,200 |
| 77,200 | 35,000 | 給料 | | |
| 786,200 | 437,000 | | 437,000 | 786,200 |

## 解説

ここがポイント！

本問では、現金の受取りに関する取引、現金の支払いに関する取引、商品の仕入に関する取引…といったように、取引が種類ごとにまとめられています。このような場合、たとえば、商品を仕入れて代金を現金で支払ったという取引は、現金の支払いに関する取引であり、かつ商品の仕入に関する取引でもあるため、資料の２ヵ所に挙げられています。したがって、１つの取引を２度集計してしまわないように、注意が必要です。

3月中の取引を仕訳します。

| | | | | | | | |
|---|---|---|---|---|---|---|---|
| 1. | (1) | (借) | 現金 | 9,000 | (貸) | 売上 | 9,000 |
| | (2) | (借) | 現金 | 6,000 | (貸) | 受取手数料 | 6,000 |
| 2. | (1) | (借) | 仕入 | 7,000 | (貸) | 現金 | 7,000 |
| | (2) | (借) | 給料 | 42,200 | (貸) | 現金 | 39,000 |
| | | | | | | 預り金 | 3,200 |
| 3. | ~~(1)~~ | ~~(借)~~ | ~~仕入~~ | ~~7,000~~ | ~~(貸)~~ | ~~現金~~ | ~~7,000~~ |
| | (2) | (借) | 仕入 | 15,000 | (貸) | 当座預金 | 15,000 |
| | (3) | (借) | 仕入 | 45,000 | (貸) | 買掛金 | 45,000 |
| | | (借) | 買掛金 | 3,000 | (貸) | 仕入 | 3,000 |
| | (4) | (借) | 仕入 | 18,000 | (貸) | 支払手形 | 18,000 |
| 4. | ~~(1)~~ | ~~(借)~~ | ~~現金~~ | ~~9,000~~ | ~~(貸)~~ | ~~売上~~ | ~~9,000~~ |
| | (2) | (借) | 当座預金 | 20,000 | (貸) | 売上 | 20,000 |
| | (3) | (借) | 売掛金 | 60,000 | (貸) | 売上 | 60,000 |
| | | (借) | 売上 | 4,500 | (貸) | 売掛金 | 4,500 |
| | (4) | (借) | 受取手形 | 10,000 | (貸) | 売上 | 10,000 |
| | (5) | (借) | 前受金 | 1,500 | (貸) | 売上 | 1,500 |
| 5. | ~~(1)~~ | ~~(借)~~ | ~~当座預金~~ | ~~20,000~~ | ~~(貸)~~ | ~~売上~~ | ~~20,000~~ |
| | (2) | (借) | 当座預金 | 30,000 | (貸) | 受取手形 | 30,000 |
| | (3) | (借) | 当座預金 | 10,000 | (貸) | 売掛金 | 10,000 |
| 6. | ~~(1)~~ | ~~(借)~~ | ~~仕入~~ | ~~15,000~~ | ~~(貸)~~ | ~~当座預金~~ | ~~15,000~~ |
| | (2) | (借) | 買掛金 | 18,000 | (貸) | 当座預金 | 18,000 |
| | (3) | (借) | 支払手形 | 20,000 | (貸) | 当座預金 | 20,000 |
| 7. | (1) | (借) | 買掛金 | 30,000 | (貸) | 支払手形 | 30,000 |

2(1)と3(1)(商品を仕入れて代金を現金で支払った)、1(1)と4(1)(商品を売上げて代金を現金で受取った)、4(2)と5(1)(商品を売上げて代金を当座預金に預入れた)、3(2)と6(1)(商品を仕入れて代金を当座預金から支払った)は、同じ取引が資料の2ヵ所に挙げられたものです。1つの取引を2度集計してしまわないように、一方の仕訳を二重線を引いて取消します。

現金勘定は、３月中の仕訳を転記すると次のようになります。

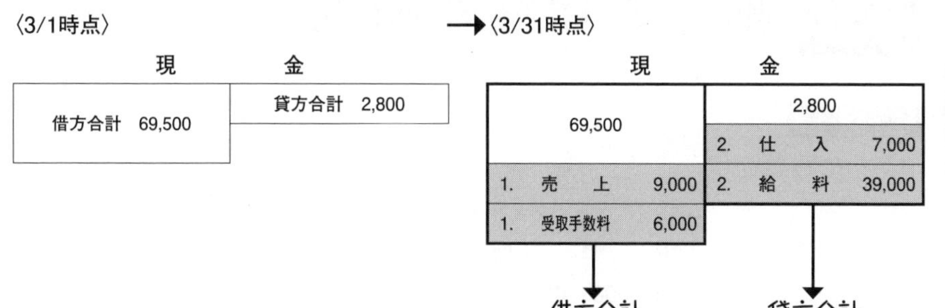

二重仕訳とならないように一方の仕訳を取消してしまえば集計は他の問題と同様です。

**復習しよう！**

応用47でも、取引が種類ごとにまとめられていました。しかし、その問題では、１つの取引が資料の２ヵ所に挙げられていることはありません。

応用47では、たとえば小切手の振出による仕入高という取引は、当座預金からの引落しに関する取引としては挙げられず、商品の仕入に関する取引として挙げられています。資料の当座預金からの引落しに関する取引の部分に「上記３を除く」と記載されていることから、それがわかるのです。

応用  テキスト 第8章

# 49 前期末貸借対照表

## 解答

残高試算表

×2年4月30日　(単位：円)

| 借方 | 勘定科目 | 貸方 |
|---|---|---|
| 756,000 | 現金 | |
| 2,924,000 | 当座預金 | |
| 1,232,000 | 受取手形 | |
| 1,744,000 | 売掛金 | |
| 150,000 | 電子記録債権 | |
| 40,000 | 前払金 | |
| 640,000 | 繰越商品 | |
| 4,000,000 | 建物 | |
| | 支払手形 | 662,000 |
| | 買掛金 | 1,690,000 |
| | 前受金 | 40,000 |
| | 預り金 | 42,000 |
| | 借入金 | 2,000,000 |
| | 貸倒引当金 | 22,000 |
| | 減価償却累計額 | 1,620,000 |
| | 資本金 | 4,800,000 |
| | 繰越利益剰余金 | 600,000 |
| | 売上 | 836,000 |
| 586,000 | 仕入 | |
| 240,000 | 給料 | |
| 10,000 | 通信費 | |
| 30,000 | 保険料 | |
| | 支払利息 | 40,000 |
| 12,352,000 | | 12,352,000 |

取引資料が補助簿の内容として与えられています。取引の種類ごとに取引資料がある場合と同様に、２つの補助簿に記入されている取引があるため、どちらか一方は集計しないようにしなければなりません。

資料(B) 4 月中の取引を仕訳し、その結果と資料(A)前期末貸借対照表の金額を集計して、各勘定の残高を算定します。

1.　現金出納帳

（借方）

| | | | | | | |
|---|---|---|---|---|---|---|
| ① | （借） | 現　　　金 | 300,000 | （貸） | 当座預金 | 300,000 |
| ② | （借） | 現　　　金 | 76,000 | （貸） | 前　受　金 | 76,000 |

（貸方）

| | | | | | | |
|---|---|---|---|---|---|---|
| ① | （借） | 前　払　金 | 70,000 | （貸） | 現　　　金 | 70,000 |
| ② | （借） | 通　信　費 | 10,000 | （貸） | 現　　　金 | 10,000 |

2.　当座預金出納帳

（借方）

| | | | | | | |
|---|---|---|---|---|---|---|
| ① | （借） | 当座預金 | 274,000 | （貸） | 受取手形 | 274,000 |
| ② | （借） | 当座預金 | 352,000 | （貸） | 売　掛　金 | 352,000 |
| ③ | （借） | 当座預金 | 108,000 | （貸） | 売　　　上 | 108,000 |
| ④ | （借） | 当座預金 | 200,000 | （貸） | 未収入金 | 200,000 |

（貸方）

| | | | | | | |
|---|---|---|---|---|---|---|
| ① | ~~（借）~~ | ~~現　　　金~~ | ~~300,000~~ | ~~（貸）~~ | ~~当座預金~~ | ~~300,000~~ |
| ② | （借） | 支払手形 | 268,000 | （貸） | 当座預金 | 268,000 |
| ③ | （借） | 買　掛　金 | 212,000 | （貸） | 当座預金 | 212,000 |
| ④ | （借） | 仕　　　入 | 122,000 | （貸） | 当座預金 | 122,000 |
| ⑤ | （借） | 給　　　料 | 240,000 | （貸） | 当座預金 | 228,000 |
| | | | | | 預　り　金 | 12,000 |
| ⑥ | （借） | 電子記録債務 | 80,000 | （貸） | 当座預金 | 80,000 |

3.　売上帳

| | 借方 | 金額 | 貸方 | 金額 |
|---|---|---|---|---|
| ① | ~~(借) 当座預金~~ | ~~108,000~~ | ~~(貸) 売上~~ | ~~108,000~~ |
| ② | (借) 売掛金 | 394,000 | (貸) 売上 | 394,000 |
| | (借) 売上 | 8,000 | (貸) 売掛金 | 8,000 |
| ③ | (借) 受取手形 | 306,000 | (貸) 売上 | 306,000 |
| ④ | (借) 前受金 | 36,000 | (貸) 売上 | 36,000 |

4.　仕入帳

| | 借方 | 金額 | 貸方 | 金額 |
|---|---|---|---|---|
| ① | ~~(借) 仕入~~ | ~~122,000~~ | ~~(貸) 当座預金~~ | ~~122,000~~ |
| ② | (借) 仕入 | 288,000 | (貸) 買掛金 | 288,000 |
| | (借) 買掛金 | 6,000 | (貸) 仕入 | 6,000 |
| ③ | (借) 仕入 | 152,000 | (貸) 支払手形 | 152,000 |
| ④ | (借) 仕入 | 30,000 | (貸) 前払金 | 30,000 |

5.　1月中の補助簿に記入されない取引

| | 借方 | 金額 | 貸方 | 金額 |
|---|---|---|---|---|
| ① | (借) 保険料 | 30,000 | (貸) 前払保険料 | 30,000 |
| | (借) 未払利息 | 40,000 | (貸) 支払利息 | 40,000 |
| ② | (借) 貸倒引当金 | 40,000 | (貸) 売掛金 | 40,000 |
| ③ | (借) 買掛金 | 160,000 | (貸) 支払手形 | 160,000 |
| ④ | (借) 電子記録債権 | 150,000 | (貸) 売掛金 | 150,000 |
| ⑤ | (借) 買掛金 | 80,000 | (貸) 電子記録債務 | 80,000 |

本問において、二重仕訳となる取引は以下の３組です。二重に集計しないように、片方の仕訳を二重線で消してから、集計します。

「１．(借方)①」と「２．(貸方)①」…当座預金からの現金引出高￥300,000
「２．(借方)③」と「３．①」…当座振込による売上高￥108,000
「２．(貸方)④」と「４．①」…小切手振出による仕入高￥122,000

応用 テキスト 第12章

# 50 精算表1



## 解答

精　算　表

| 勘定科目 | 試算表 | | 修正記入 | | 損益計算書 | | 貸借対照表 | |
|---|---|---|---|---|---|---|---|---|
| | 借方 | 貸方 | 借方 | 貸方 | 借方 | 貸方 | 借方 | 貸方 |
| 現金 | 137,100 | | 1,400 | | | | 138,500 | |
| 受取手形 | 30,050 | | | | | | 30,050 | |
| 売掛金 | 24,500 | | | 1,400 | | | 23,100 | |
| 繰越商品 | 11,800 | | 12,600 | 11,800 | | | 12,600 | |
| 備品 | 20,000 | | 5,000 | | | | 25,000 | |
| 仮払金 | 5,000 | | | 5,000 | | | | |
| 支払手形 | | 24,500 | | | | | | 24,500 |
| 買掛金 | | 28,005 | | | | | | 28,005 |
| 貸倒引当金 | | 700 | | 363 | | | | 1,063 |
| 減価償却累計額 | | 1,800 | | 4,200 | | | | 6,000 |
| 資本金 | | 120,000 | | | | | | 120,000 |
| 繰越利益剰余金 | | 40,000 | | | | | | 40,000 |
| 売上 | | 240,000 | | | | 240,000 | | |
| 仕入 | 147,000 | | 11,800 | 12,600 | 146,200 | | | |
| 給料 | 76,000 | | 3,200 | | 79,200 | | | |
| 支払手数料 | 800 | | | 500 | 300 | | | |
| 保険料 | 2,755 | | | 1,015 | 1,740 | | | |
| | 455,005 | 455,005 | | | | | | |
| 貸倒引当金繰入 | | | 363 | | 363 | | | |
| 減価償却費 | | | 4,200 | | 4,200 | | | |
| (未払)給料 | | | | 3,200 | | | | 3,200 |
| (前払)手数料 | | | 500 | | | | 500 | |
| (前払)保険料 | | | 1,015 | | | | 1,015 | |
| 当期純利益 | | | | | 7,997 | | | 7,997 |
| | | | 40,078 | 40,078 | 240,000 | 240,000 | 230,765 | 230,765 |

## 解　説

決算日を迎えると決算整理を行い、決算整理後残高を貸借対照表・損益計算書に記載します。なお、未処理や誤処理の事項がある場合は、まずこの記帳・訂正を行ってから、決算整理仕訳を行いましょう。

1. 未処理事項を記帳します。得意先振出の小切手を受け取っているので現金の増加として処理します。

| | | | | |
|---|---|---|---|---|
| (借) | 現　　金 | 1,400 | (貸) 売　掛　金 | 1,400 |

2. 未処理事項を記帳します。備品を取得したときに、次の仕訳が行われています。

| | | | | |
|---|---|---|---|---|
| (借) | 仮　払　金 | 5,000 | (貸) 現　　金 | 5,000 |

支払額は備品の取得原価であるため、仮払金を取消し、備品の増加として処理します。

| | | | | |
|---|---|---|---|---|
| (借) | 備　　品 | 5,000 | (貸) 仮　払　金 | 5,000 |

3. 決算整理前の売掛金勘定の残高は￥24,500ですが、1.で￥1,400減少しています。受取手形と売掛金は￥30,050＋(￥24,500－￥1,400)より合計￥53,150、貸倒見積額は￥53,150×0.02より￥1,063です。貸倒引当金は￥700しかないので、￥363加えます。

| | | | | |
|---|---|---|---|---|
| (借) | 貸倒引当金繰入 | 363 | (貸) 貸倒引当金 | 363 |

4. 決算整理前の繰越商品勘定の残高￥11,800は、期首商品を表しています。期末商品は問題文から￥12,600とわかります。

| | | | | |
|---|---|---|---|---|
| (借) | 仕　　入 | 11,800 | (貸) 繰越商品 | 11,800 |
| (借) | 繰越商品 | 12,600 | (貸) 仕　　入 | 12,600 |

5. 決算整理前の備品勘定の残高￥20,000は、前期以前から所有していた備品の取得原価を表しています。当期1年間の価値の減少額は、(￥20,000－￥20,000×0.1)÷5年より￥3,600です。さらに、2.で×6年8月1日に備品￥5,000を取得しており、決算日までの8ヵ月間の価値の減少額は、(￥5,000－￥5,000×0.1)÷5年×8ヵ月/12ヵ月より￥600です。

| | | | | |
|---|---|---|---|---|
| (借) | 減価償却費 | 4,200 | (貸) 減価償却累計額 | 4,200 |

6. 当期中に支払っていなくても、当期分であれば給料(費用)として計上します。

| (借) 給　　料 | 3,200 | (貸) 未払給料 | 3,200 |
|---|---|---|---|

7. 当期の1/1に、1/1～8/31の8ヵ月分の手数料を支払っており、支払手数料(費用)が8ヵ月分(¥800)になっています。しかし、当期分は1/1～3/31の3ヵ月分であり、4/1～8/31の5ヵ月分は翌期分です。支払手数料を5ヵ月分減らして、3ヵ月分にします。

5ヵ月分の手数料：¥800×5ヵ月/8ヵ月＝¥500

| (借) 前払手数料 | 500 | (貸) 支払手数料 | 500 |
|---|---|---|---|

8. 11/1に、11/1～10/31の12ヵ月分の保険料を支払っていますが、4/1～10/31の7ヵ月分は翌期分です。よって、当期の決算では保険料を7ヵ月分減らす必要があるため、7ヵ月分の保険料を計算します。

「毎年11/1に支払っている」という部分から、前期の11/1にも11/1～10/31の12ヵ月分を支払っており、前期の決算でも4/1～10/31の7ヵ月分を減らす処理が行われたことがわかります。

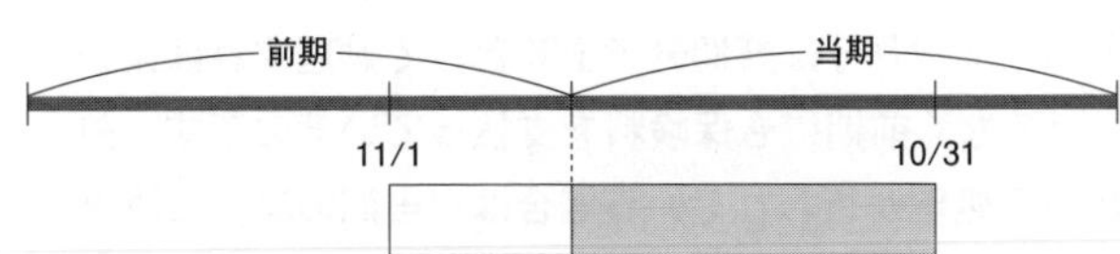


よって、当期の期首に再振替仕訳、つまり前期の決算で減らした7ヵ月分を再び保険料(費用)として計上する仕訳が行われたはずです。当期中、決算整理前までに行われた仕訳は次の2つです。

〈再振替仕訳〉

| (借) 保　険　料 | 7ヵ月分 | (貸) 前払保険料 | 7ヵ月分 |
|---|---|---|---|

〈保険料支払時の仕訳〉

| (借) 保　険　料 | 12ヵ月分 | (貸) 現金など | 12ヵ月分 |
|---|---|---|---|

保険料勘定の借方には期首に7ヵ月分が、保険料支払時に12ヵ月分が転記されています。

したがって、決算整理前の保険料勘定の残高￥2,755は、７ヵ月分＋12ヵ月分より19ヵ月分の保険料であることがわかります。ここから、７ヵ月分の保険料を計算することができます。

７ヵ月分の保険料：￥2,755×７ヵ月/19ヵ月＝￥1,015

(借) 前払保険料　1,015　(貸) 保　険　料　1,015

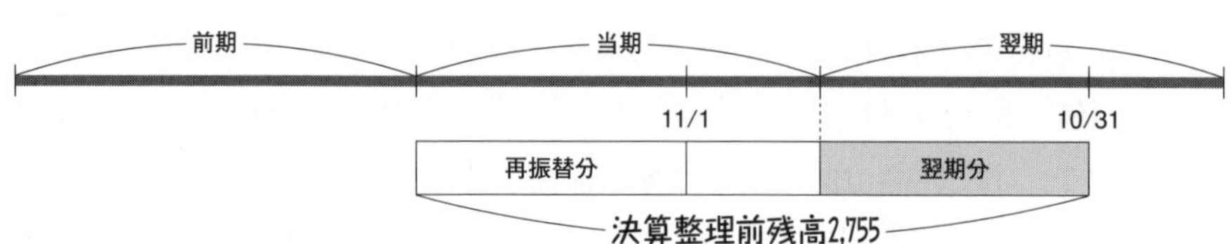


**復習しよう!**

本問の７と８を比べてみましょう。７では、当期中に支払った手数料８ヵ月分のうち、５ヵ月分は翌期分であるとして処理しています。仮に８で、保険料を支払ったのが当期だけであったとしたら、当期中に支払った保険料12ヵ月分のうち、７ヵ月分は翌期分であるとして処理すればよいのですが、ここでは当期だけでなく前期にも保険料を支払っているのです。前期の決算でも保険料の前払いの処理が行われている場合は、当期の期首に再振替仕訳が行われていることを考慮しなければなりません。

応　用　テキスト　第12章

# 51 精算表2



## 解　答

精　算　表

| 勘定科目 | 試算表 |  | 修正記入 |  | 損益計算書 |  | 貸借対照表 |  |
|---|---|---|---|---|---|---|---|---|
|  | 借方 | 貸方 | 借方 | 貸方 | 借方 | 貸方 | 借方 | 貸方 |
| 現　　金 | 32,600 |  | 16,000 |  |  |  | 48,600 |  |
| 売 掛 金 | 114,000 |  |  | 1,000 |  |  | 113,000 |  |
| 繰越商品 | 8,000 |  | 9,100 | 8,000 |  |  | 9,100 |  |
| 貸 付 金 | 20,000 |  |  |  |  |  | 20,000 |  |
| 建　　物 | 150,000 |  |  | 20,000 |  |  | 130,000 |  |
| 備　　品 | 30,000 |  |  |  |  |  | 30,000 |  |
| 買 掛 金 |  | 59,910 |  |  |  |  |  | 59,910 |
| 貸倒引当金 |  | 3,000 | 1,000 | 260 |  |  |  | 2,260 |
| 建物減価償却累計額 |  | 22,500 | 3,000 | 3,900 |  |  |  | 23,400 |
| 備品減価償却累計額 |  | 6,000 |  | 6,000 |  |  |  | 12,000 |
| 資 本 金 |  | 200,000 |  |  |  |  |  | 200,000 |
| 繰越利益剰余金 |  | 40,000 |  |  |  |  |  | 40,000 |
| 売　　上 |  | 168,000 |  |  |  | 168,000 |  |  |
| 受取手数料 |  | 770 |  | 600 |  | 1,370 |  |  |
| 受取家賃 |  | 2,520 | 1,080 |  |  | 1,440 |  |  |
| 受取利息 |  | 500 | 150 |  |  | 350 |  |  |
| 仕　　入 | 120,000 |  | 8,000 | 9,100 | 118,900 |  |  |  |
| 給　　料 | 26,000 |  |  |  | 26,000 |  |  |  |
| 租税公課 | 2,600 |  |  | 300 | 2,300 |  |  |  |
|  | 503,200 | 503,200 |  |  |  |  |  |  |
| 固定資産売却(**損**) |  |  | 600 |  | 600 |  |  |  |
| 貸倒引当金繰入 |  |  | 260 |  | 260 |  |  |  |
| 減価償却費 |  |  | 400 |  | 10,300 |  |  |  |
|  |  |  | 9,900 |  |  |  |  |  |
| (**貯　蔵　品**) |  |  | 300 |  |  |  | 300 |  |
| (**未収**)手数料 |  |  | 600 |  |  |  | 600 |  |
| (**前受**)利　息 |  |  |  | 150 |  |  |  | 150 |
| (**前受**)家　賃 |  |  |  | 1,080 |  |  |  | 1,080 |
| 当期純利益 |  |  |  |  | 12,800 |  |  | 12,800 |
|  |  |  | 50,390 | 50,390 | 171,160 | 171,160 | 351,600 | 351,600 |

## 解 説

1. 未処理事項を記帳します。貸倒れた売掛金の分だけ、貸倒引当金を充当します。

| | | | | | |
|---|---|---|---|---|---|
| (借) | 貸倒引当金 | 1,000 | (貸) | 売　掛　金 | 1,000 |

2. 未処理事項を記帳します。購入してから前期末決算までの価値の減少額は¥3,000であり、当期首からさらに8ヵ月使用して売却しています。

8ヵ月間の価値の減少額：(¥20,000－¥20,000×0.1)÷30年×8ヵ月/12ヵ月＝¥400

| | | | | | |
|---|---|---|---|---|---|
| (借) | 建物減価償却累計額 | 3,000 | (貸) | 建　　物 | 20,000 |
| | 減価償却費 | 400 | | | |
| | 現　　金 | 16,000 | | | |
| | 固定資産売却損 | 600 | | | |

3. 決算整理前の売掛金勘定の残高は¥114,000ですが、1.で¥1,000減少しています。売掛金は¥113,000、貸倒見積額は¥113,000×2%より¥2,260です。決算整理前の貸倒引当金勘定の残高は¥3,000ですが、1.で¥1,000減少しています。貸倒引当金は¥3,000－¥1,000より¥2,000しかないので、¥260加えます。

| | | | | | |
|---|---|---|---|---|---|
| (借) | 貸倒引当金繰入 | 260 | (貸) | 貸倒引当金 | 260 |

4. 決算整理前の繰越商品勘定の残高¥8,000は、期首商品を表しています。期末商品は問題文から¥9,100とわかります。

| | | | | | |
|---|---|---|---|---|---|
| (借) | 仕　　入 | 8,000 | (貸) | 繰越商品 | 8,000 |
| (借) | 繰越商品 | 9,100 | (貸) | 仕　　入 | 9,100 |

5. 決算整理前の建物勘定の残高¥150,000は、前期以前から所有していた建物の取得原価を表しています。2.で建物¥20,000を売却しており、建物¥130,000の当期1年間の価値の減少額は、(¥130,000－¥130,000×0.1)÷30年より¥3,900です。また、決算整理前の備品勘定の残高¥30,000は、備品の取得原価を表しています。当期1年間の価値の減少額は、(¥30,000－¥0)÷5年より¥6,000です。

| | | | | | |
|---|---|---|---|---|---|
| (借) | 減価償却費 | 9,900 | (貸) | 建物減価償却累計額 | 3,900 |
| | | | | 備品減価償却累計額 | 6,000 |

6.　決算整理前の租税公課勘定の残高￥2,600は、購入高を表しています。このうち消費高￥2,300だけを租税公課(費用)とするため、租税公課を￥300減らします。未消費高￥300は貯蔵品(資産)とします。

| (借) 貯　蔵　品 | 300 | (貸) 租 税 公 課 | 300 |
|---|---|---|---|



7.　当期中に受取っていなくても、当期分であれば受取手数料(収益)として計上します。

| (借) 未収手数料 | 600 | (貸) 受取手数料 | 600 |
|---|---|---|---|

8.　当期の9/1に、9/1～6/30の10ヵ月分の利息を受取っており、受取利息(収益)が10ヵ月分(￥500)になっています。しかし、当期分は9/1～3/31の7ヵ月分であり、4/1～6/30の3ヵ月分は翌期分です。受取利息を3ヵ月分減らして、7ヵ月分にします。

1年分の利息：￥20,000×年利率3％＝￥600
3ヵ月分の利息：￥600×3ヵ月/12ヵ月＝￥150

| (借) 受 取 利 息 | 150 | (貸) 前 受 利 息 | 150 |
|---|---|---|---|

9.　1/1に、1/1～12/31の12ヵ月分の家賃を受取っていますが、4/1～12/31の9ヵ月分は翌期分です。よって、当期の決算では受取家賃を9ヵ月分減らす必要があるため、9ヵ月分の受取家賃を計算します。

毎年1/1に受取っているという部分から、前期の1/1にも1/1～12/31の12ヵ月分を受取っており、前期の決算でも4/1～12/31の9ヵ月分を減らす処理が行われたことがわかります。

よって、当期の期首に再振替仕訳、つまり、前期の決算で減らした9ヵ月分を再び受取家賃(収益)として計上する仕訳が行われたはずです。

したがって、決算整理前の受取家賃勘定の残高￥2,520は、9ヵ月分＋12ヵ月分より21ヵ月分の受取家賃であることがわかります。ここから、9ヵ月分の受取家賃を計算することができます。

9ヵ月分の家賃：￥2,520×9ヵ月/21ヵ月＝￥1,080

| (借) 受 取 家 賃 | 1,080 | (貸) 前 受 家 賃 | 1,080 |
|---|---|---|---|

応用  テキスト 第12章

# 52 精算表の推定

## 解答

精　算　表

| 勘定科目 | 試算表 | | 修正記入 | | 損益計算書 | | 貸借対照表 | |
|---|---|---|---|---|---|---|---|---|
| | 借方 | 貸方 | 借方 | 貸方 | 借方 | 貸方 | 借方 | 貸方 |
| 現金 | 1,500 | | | | | | 1,500 | |
| 現金過不足 | | 200 | 200 | | | | | |
| 売掛金 | 25,000 | | | | | | 25,000 | |
| 繰越商品 | 8,000 | | **7,600** | **8,000** | | | 7,600 | |
| 貸付金 | 30,000 | | | | | | 30,000 | |
| 建物 | 50,000 | | | | | | 50,000 | |
| 買掛金 | | 10,000 | | | | | | 10,000 |
| 貸倒引当金 | | 650 | **150** | | | | | 500 |
| 減価償却累計額 | | 9,000 | | 1,500 | | | | **10,500** |
| 資本金 | | 85,000 | | | | | | 85,000 |
| 繰越利益剰余金 | | 5,000 | | | | | | 5,000 |
| 売上 | | 85,050 | | | | 85,050 | | |
| 仕入 | 68,000 | | **8,000** | **7,600** | **68,400** | | | |
| 給料 | 10,000 | | | | 10,000 | | | |
| 通信費 | 2,400 | | | **300** | **2,100** | | | |
| | 194,900 | 194,900 | | | | | | |
| 雑益 | | | | **200** | | 200 | | |
| 貸倒引当金戻入 | | | | **150** | | **150** | | |
| 減価償却費 | | | **1,500** | | **1,500** | | | |
| 貯蔵品 | | | 300 | | | | **300** | |
| 受取利息 | | | | 450 | | **450** | | |
| (**未収**)利息 | | | 450 | | | | **450** | |
| 当期純利益 | | | | | **3,850** | | | **3,850** |
| | | | **18,200** | **18,200** | **85,850** | **85,850** | **114,850** | **114,850** |

## 解　説

解答用紙の精算表に記載済みの金額に注目して、どのような決算整理が行われたのか推定していきましょう。最後に当期純利益を求めて精算表を完成させます。

1.　現金過不足の修正記入欄の借方￥200、雑益の損益計算書欄の貸方￥200より、決算日を迎えても現金の帳簿残高と実際有高のズレの原因が判明せず、現金過不足勘定の残高をゼロとして、相手科目を雑益としたことがわかります。

（借）現金過不足　200　（貸）雑　益　200

| 勘定科目 | 試算表 | | 修正記入 | | 損益計算書 | | 貸借対照表 | |
|---|---|---|---|---|---|---|---|---|
| | 借方 | 貸方 | 借方 | 貸方 | 借方 | 貸方 | 借方 | 貸方 |
| 現金過不足 | | 200 | 200 | | | | | |
| 雑　益 | | | | 200 | | 200 | | |

2.　貸借対照表欄の貸倒引当金￥500は貸倒見積額です。試算表欄の貸倒引当金が￥650であることから、決算整理で、貸倒引当金を￥150減らしていることがわかります。

（借）貸倒引当金　150　（貸）貸倒引当金戻入　150

| 勘定科目 | 試算表 | | 修正記入 | | 損益計算書 | | 貸借対照表 | |
|---|---|---|---|---|---|---|---|---|
| | 借方 | 貸方 | 借方 | 貸方 | 借方 | 貸方 | 借方 | 貸方 |
| 貸倒引当金 | | 650 | 150 | | | | | 500 |
| 貸倒引当金戻入 | | | | 150 | | 150 | | |

3.　試算表欄の繰越商品￥8,000は期首商品、貸借対照表欄の繰越商品￥7,600は期末商品です。

| | | | |
|---|---|---|---|
| (借) 仕　　　入 | 8,000 | (貸) 繰 越 商 品 | 8,000 |
| (借) 繰 越 商 品 | 7,600 | (貸) 仕　　　入 | 7,600 |

| 勘定科目 | 試算表 | | 修正記入 | | 損益計算書 | | 貸借対照表 | |
|---|---|---|---|---|---|---|---|---|
| | 借方 | 貸方 | 借方 | 貸方 | 借方 | 貸方 | 借方 | 貸方 |
| 繰越商品 | 8,000 | | 7,600 | 8,000 | | | 7,600 | |
| 仕　　入 | 68,000 | | 8,000 | 7,600 | 68,400 | | | |

4.　減価償却累計額の修正記入欄の貸方￥1,500より、当期の価値の減少額が￥1,500とわかります。

| | | | |
|---|---|---|---|
| (借) 減価償却費 | 1,500 | (貸) 減価償却累計額 | 1,500 |

| 勘定科目 | 試算表 | | 修正記入 | | 損益計算書 | | 貸借対照表 | |
|---|---|---|---|---|---|---|---|---|
| | 借方 | 貸方 | 借方 | 貸方 | 借方 | 貸方 | 借方 | 貸方 |
| 減価償却累計額 | | 9,000 | | 1,500 | | | | 10,500 |
| 減価償却費 | | | 1,500 | | 1,500 | | | |

5.　試算表欄の通信費￥2,400は、購入高です。貯蔵品の修正記入欄の借方￥300より、消費高￥2,100だけを通信費(費用)とするため、通信費を￥300減らし、未消費高￥300を貯蔵品(資産)としたことがわかります。

| | | | |
|---|---|---|---|
| (借) 貯　蔵　品 | 300 | (貸) 通　信　費 | 300 |

| 勘定科目 | 試算表 | | 修正記入 | | 損益計算書 | | 貸借対照表 | |
|---|---|---|---|---|---|---|---|---|
| | 借方 | 貸方 | 借方 | 貸方 | 借方 | 貸方 | 借方 | 貸方 |
| 通　信　費 | 2,400 | | | 300 | 2,100 | | | |
| 貯　蔵　品 | | | 300 | | | | 300 | |

6.　受取利息の修正記入欄の貸方に￥450、(　　)利息の修正記入欄の借方に￥450と記入されています。受取利息(収益)と対応するのは、未収利息(資産)と前受利息(負債)です。本問では、修正記入欄の借方に記入されているため、(　　)利息は未収利息と判明します。決算整理で、当期に受取っていなくても、利息￥450は当期分であるとして、受取利息(収益)を計上していることがわかります。

(借) 未 収 利 息　　450　　(貸) 受 取 利 息　　450

| 勘定科目 | 試 算 表 | | 修 正 記 入 | | 損益計算書 | | 貸借対照表 | |
|---|---|---|---|---|---|---|---|---|
| | 借方 | 貸方 | 借方 | 貸方 | 借方 | 貸方 | 借方 | 貸方 |
| 受 取 利 息 | | | | 450 | | 450 | | |
| (未収) 利 息 | | | 450 | | | | 450 | |

**復習しよう!**

本問の現金過不足と雑益に注目してみましょう。

期中に、現金勘定の残高(帳簿残高)と、実際に持っている現金の額(実際有高)のズレに気づいたときに、現金過不足勘定を使って次のような仕訳が行われたとします。

(借) 現　　　金　　200　　(貸) 現 金 過 不 足　　200

いったん現金過不足勘定を用いて処理した後にズレの原因が判明したときは、再び現金過不足勘定を用いて処理します。しかし、原因が判明しなければ、現金過不足勘定の残高は変化しません。決算整理前の現金過不足勘定の残高は、期中にズレに気づき、現金過不足勘定で処理しておいたけれども、原因が判明しなかった金額を意味しています。

決算日を迎えてもズレの原因が判明しないときは、現金過不足勘定の残高をゼロにします。このとき、相手科目は雑損または雑益とします。この処理が決算整理です。本問での決算整理仕訳は次のとおりです。

(借) 現 金 過 不 足　　200　　(貸) 雑　　　益　　200

応用  テキスト 第12章

# 53 帳簿の締切り

## 解答

決算整理後残高試算表

| 借方 | 勘定科目 | 貸方 |
|---:|:---|---:|
| 352,000 | 現金 | |
| 582,000 | 普通預金 | |
| 404,000 | 売掛金 | |
| 131,000 | 繰越商品 | |
| 3,000 | （**貯蔵品**） | |
| 12,000 | （**未収**）手数料 | |
| 20,000 | （**前払**）家賃 | |
| 1,200,000 | 建物 | |
| | 買掛金 | 280,670 |
| | （**未払**）利息 | 250 |
| | 未払法人税等 | 74,000 |
| | 借入金 | 120,000 |
| | 貸倒引当金 | 8,080 |
| | 減価償却累計額 | 360,000 |
| | 資本金 | 1,100,000 |
| | 繰越利益剰余金 | 467,000 |
| | 売上 | 3,189,330 |
| | 受取手数料 | 68,000 |
| 2,045,000 | 仕入 | |
| 581,000 | 給料 | |
| 19,000 | 通信費 | |
| 32,000 | 保険料 | |
| 120,000 | 支払家賃 | |
| 80 | 貸倒引当金繰入 | |
| 40,000 | 減価償却費 | |
| 250 | 支払利息 | |
| 126,000 | 法人税等 | |
| 5,667,330 | | 5,667,330 |

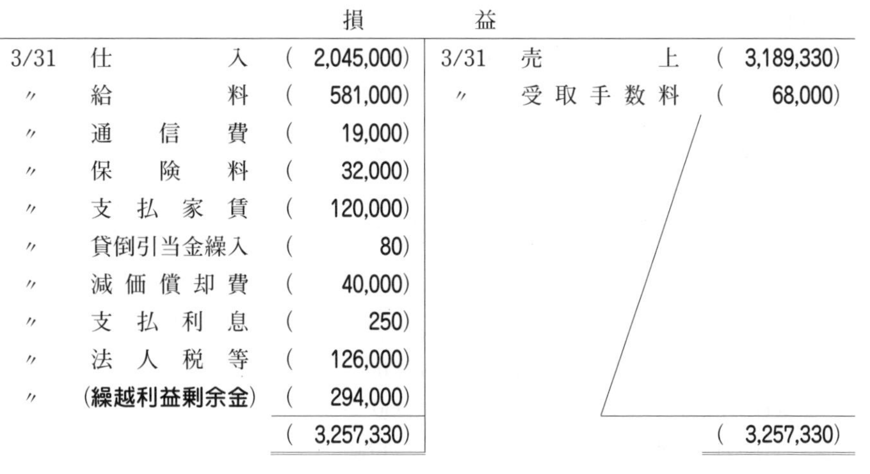

損　益

| 日付 | 摘要 | 金額 | 日付 | 摘要 | 金額 |
|---|---|---|---|---|---|
| 3/31 | 仕入 | (2,045,000) | 3/31 | 売上 | (3,189,330) |
| 〃 | 給料 | (581,000) | 〃 | 受取手数料 | (68,000) |
| 〃 | 通信費 | (19,000) | | | |
| 〃 | 保険料 | (32,000) | | | |
| 〃 | 支払家賃 | (120,000) | | | |
| 〃 | 貸倒引当金繰入 | (80) | | | |
| 〃 | 減価償却費 | (40,000) | | | |
| 〃 | 支払利息 | (250) | | | |
| 〃 | 法人税等 | (126,000) | | | |
| 〃 | (**繰越利益剰余金**) | (294,000) | | | |
| | | (3,257,330) | | | (3,257,330) |

繰越利益剰余金

| 日付 | 摘要 | 金額 | 日付 | 摘要 | 金額 |
|---|---|---|---|---|---|
| 3/31 | 次期繰越 | (761,000) | 4/ 1 | 前期繰越 | (467,000) |
| | | | 3/31 | (**損益**) | (294,000) |
| | | (761,000) | | | (761,000) |

## 解　説

**ここがポイント!** 決算で行う仕訳には、決算整理仕訳・損益振替仕訳・資本振替仕訳の3つがあります。損益振替仕訳を転記することで、損益勘定で当期純利益が算定できます。また、資本振替仕訳を転記することで、繰越利益剰余金勘定で使い道の決まっていない利益の累計を算定できます。

1.　売上返品の未処理

販売した商品の一部が返品された場合には、掛売上の反対仕訳をします。

| (借) | 売上 | 11,000 | (貸) | 売掛金 | 11,000 |
|---|---|---|---|---|---|

2.　通信費

郵便切手は購入時に通信費(費用)で処理しますが、期末において未使用分があるときは、貯蔵品(資産)に振替えます。

| | | | | |
|---|---|---|---|---|
| (借) | 貯　蔵　品 | 3,000 | (貸) 通　信　費 | 3,000 |

3.　貸倒引当金の設定

貸倒引当金の設定にあたって、売上返品の処理により売掛金が減少することを考慮しなければいけません。

| | | | | |
|---|---|---|---|---|
| (借) | 貸倒引当金繰入 | 80 | (貸) 貸倒引当金 | 80 |

売掛金：￥415,000－￥11,000＝￥404,000

貸倒見積額：￥404,000×２％＝￥8,080

貸倒引当金繰入：￥8,080－￥8,000＝￥80

4.　売上原価の算定

売上原価を仕入勘定で算定するので、まず、期首商品棚卸高を繰越商品(資産)から仕入(費用)へ振替えます。次に、期末商品棚卸高を、仕入(費用)から繰越商品(資産)へ振替えます。

| | | | | |
|---|---|---|---|---|
| (借) | 仕　　　入 | 141,000 | (貸) 繰越商品 | 141,000 |
| | 繰越商品 | 131,000 | 仕　　　入 | 131,000 |

売上原価：￥141,000＋￥2,035,000－￥131,000＝￥2,045,000

5.　減価償却

| | | | | |
|---|---|---|---|---|
| (借) | 減価償却費 | 40,000 | (貸) 減価償却累計額 | 40,000 |

建物：(￥1,200,000－￥０)÷30年＝￥40,000

6.　受取手数料の未収

受取手数料(収益)を増加させるとともに、未収手数料(資産)を増加させます。

| | | | | |
|---|---|---|---|---|
| (借) | 未収手数料 | 12,000 | (貸) 受取手数料 | 12,000 |

7.　利息の未払い

当期分(３月１日～３月31日の分)の支払利息が未払いとなっているため、これを計上します。そのため、支払利息(費用)と未払利息(負債)を増加させます。

| | | | | |
|---|---|---|---|---|
| (借) | 支払利息 | 250 | (貸) 未払利息 | 250 |

未払利息：$￥120,000 \times 2.5\% \times \frac{1ヵ月}{12ヵ月} = ￥250$

8.　家賃の前払い(半年同額)

残高試算表の支払家賃￥140,000が何ヵ月分の金額にあたるのかを考えます。前期の12月1日に、×2年12月1日～×3年5月31日の6ヵ月分の家賃を支払っています。そのため、前期末の決算において、×3年4月1日～×3年5月31日の2ヵ月分の家賃について次の仕訳を行っています。

| (借) 前払家賃 | 2ヵ月分 | (貸) 支払家賃 | 2ヵ月分 |
|---|---|---|---|

(1)　当期首において、前期末の処理に基づいた再振替仕訳をします。

| (借) 支払家賃 | 2ヵ月分 | (貸) 前払家賃 | 2ヵ月分 |
|---|---|---|---|

(2)　当期の6月1日に、6ヵ月分の家賃を支払っています。

| (借) 支払家賃 | 6ヵ月分 | (貸) 現金など | 6ヵ月分 |
|---|---|---|---|

(3)　当期の12月1日に、6ヵ月分の家賃を支払っています。

| (借) 支払家賃 | 6ヵ月分 | (貸) 現金など | 6ヵ月分 |
|---|---|---|---|

上記の(1)～(3)が当期中に行われた仕訳です。よって、残高試算表の支払家賃￥140,000は、合計14ヵ月分の金額であることがわかります。

このうち、翌期分(×4年4月1日～×4年5月31日の2ヵ月分)の支払家賃について、次の仕訳を行います。

| (借) 前払家賃 | 20,000 | (貸) 支払家賃 | 20,000 |
|---|---|---|---|

前払家賃：$￥140{,}000 \times \frac{2ヵ月}{14ヵ月} = ￥20{,}000$

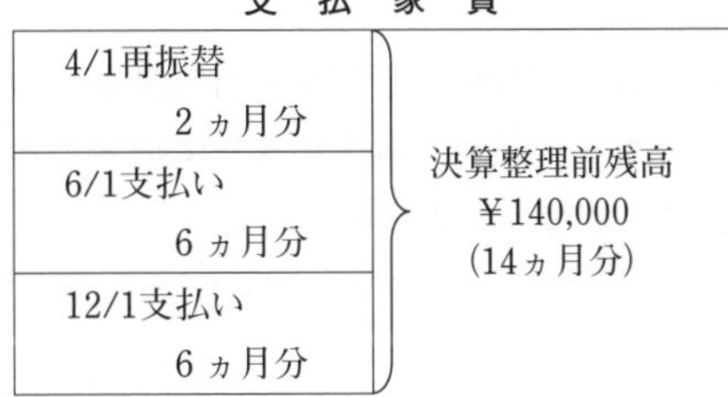

9.　損益振替仕訳

上記１～８の決算整理等の仕訳を行った後、収益・費用の勘定の残高を損益勘定に振替えます。

| | | | | | |
|---|---|---|---|---|---|
| (借) | 売上 | 3,189,330 | (貸) | 損益 | 3,257,330 |
| | 受取手数料 | 68,000 | | | |
| (借) | 損益 | 2,837,330 | (貸) | 仕入 | 2,045,000 |
| | | | | 給料 | 581,000 |
| | | | | 通信費 | 19,000 |
| | | | | 保険料 | 32,000 |
| | | | | 支払家賃 | 120,000 |
| | | | | 貸倒引当金繰入 | 80 |
| | | | | 減価償却費 | 40,000 |
| | | | | 支払利息 | 250 |

損益勘定の貸方には収益の決算整理残高が、借方には費用の決算整理残高が転記されます。収益と費用の差額から、税引前当期純利益は￥420,000と計算できます。

**復習しよう！**

収益・費用の決算整理後残高は、損益勘定へ振替えます。損益振替仕訳にもとづいて損益勘定へ転記すると、決算日の日付、相手勘定科目である収益・費用の勘定科目、収益・費用の決算整理後残高が転記されます。

そして、損益勘定の残高は、収益合計と費用合計の差額、つまり、当期純利益または当期純損失となります。なお、法人税等を考慮するときは、税引前当期純利益にもとづいて、法人税等を計算します。

10. 法人税等の計算

法人税等￥126,000と、決算整理前残高試算表の仮払法人税等￥52,000との差額を未払法人税等とします。

| | | | | | |
|---|---|---|---|---|---|
| （借） | 法人税等 | 126,000 | （貸） | 仮払法人税等 | 52,000 |
| | | | | 未払法人税等 | 74,000 |

法人税等￥126,000は、収益や費用と同じように、損益勘定に振替えます。

| | | | | | |
|---|---|---|---|---|---|
| （借） | 損益 | 126,000 | （貸） | 法人税等 | 126,000 |

これにより、損益勘定の残高は、税引前当期純利益￥420,000よりも￥126,000だけ少なくなり、貸方残高￥294,000となります。これが当期純利益にあたります。

11. 資本振替

損益勘定の残高を繰越利益剰余金勘定に振替えます。

| | | | | | |
|---|---|---|---|---|---|
| （借） | 損益 | 294,000 | （貸） | 繰越利益剰余金 | 294,000 |

損益勘定の残高：￥420,000－￥126,000＝￥294,000（貸方残高）

損　　益

| 借方 | 貸方 |
|---|---|
| 費用総額 2,963,330 | 収益総額 3,257,330 |
| 当期純利益 294,000 | |

繰越利益剰余金

| 借方 | 貸方 |
|---|---|
| | 前期繰越 467,000 |
| | 当期純利益 294,000 |

資本振替後の繰越利益剰余金勘定の残高は、当期末における最終的な期末残高です。

繰越利益剰余金の期末残高は、翌期に繰越されて、株主への配当の財源となります。

<参考>

貸 借 対 照 表

×4年3月31日　(単位：円)

| 借　方 | 金　額 | | 貸　方 | 金　額 |
|---|---|---|---|---|
| 現金 | | 352,000 | 買掛金 | 280,670 |
| 普通預金 | | 582,000 | 借入金 | 120,000 |
| 売掛金 | 404,000 | | 未払費用 | 250 |
| 貸倒引当金 | 8,080 | 395,920 | 未払法人税等 | 74,000 |
| 商品 | | 131,000 | 資本金 | 1,100,000 |
| 貯蔵品 | | 3,000 | 繰越利益剰余金 | 761,000 |
| 前払費用 | | 20,000 | | |
| 未収収益 | | 12,000 | | |
| 建物 | 1,200,000 | | | |
| 減価償却累計額 | 360,000 | 840,000 | | |
| | | 2,335,920 | | 2,335,920 |

貸借対照表を作成する際の注意点は、以下のとおりです。

① 繰越商品は、「商品」と表示します。
② 貸倒引当金は、売掛金から控除する形式で表示します。
③ 減価償却累計額は、建物から控除する形式で表示します。
④ 未収手数料は、「未収収益」と表示します。
⑤ 未払利息は、「未払費用」と表示します。
⑥ 前払家賃は、「前払費用」と表示します。

応用 テキスト 第12章

# 54 財務諸表1

解解
説答
応用

## 解答

損益計算書

自×8年4月1日 至×9年3月31日

| 借方 | 金額 | 貸方 | 金額 |
|---|---|---|---|
| 売上原価 | ( 1,985,000) | 売上高 | ( 3,550,000) |
| 給料 | ( 1,520,850) | 受取手数料 | ( 90,000) |
| 貸倒引当金繰入 | ( 1,800) | 受取利息 | ( 900) |
| 減価償却費 | ( 83,250) | | |
| 支払手数料 | ( 4,000) | | |
| 法人税等 | ( 13,800) | | |
| 当期純利益 | ( 32,200) | | |
| | ( 3,640,900) | | ( 3,640,900) |

貸借対照表

×9年3月31日

| 借方 | 金額 | | 貸方 | 金額 |
|---|---|---|---|---|
| 現金 | | ( 30,500) | 支払手形 | ( 450,000) |
| 当座預金 | | ( 400,000) | 買掛金 | ( 525,400) |
| 普通預金 | | ( 150,000) | 未払費用 | ( 50,000) |
| 受取手形 | ( 180,000 ) | | 未払法人税等 | ( 8,800) |
| 売掛金 | ( 220,000 ) | | 資本金 | ( 700,000) |
| 貸倒引当金 | ( 8,000 ) | ( 392,000) | 繰越利益剰余金 | ( 232,200) |
| 商品 | | ( 45,000) | | |
| 貸付金 | | ( 120,000) | | |
| 前払費用 | | ( 1,000) | | |
| 未収収益 | | ( 900) | | |
| 建物 | ( 850,000 ) | | | |
| 減価償却累計額 | ( 153,000 ) | ( 697,000) | | |
| 備品 | ( 250,000 ) | | | |
| 減価償却累計額 | ( 120,000 ) | ( 130,000) | | |
| | | (1,966,400) | | (1,966,400) |

## 解　説

決算整理を行って、決算整理後の資産・負債・純資産・収益・費用の勘定の残高を計算し、この決算整理後の残高に基づいて、損益計算書と貸借対照表に記入していきます。

1.　未処理事項を記帳します。かつて売掛金を回収したときに、次の仕訳が行われています。

| | | | | | |
|---|---|---|---|---|---|
| (借) | 現金など | 20,000 | (貸) | 仮受金 | 20,000 |

受取額は売掛金の回収額であるため、仮受金を取消し、売掛金の減少として処理します。

| | | | | | |
|---|---|---|---|---|---|
| (借) | 仮受金 | 20,000 | (貸) | 売掛金 | 20,000 |

2.　決算整理前の売掛金勘定の残高は￥240,000ですが、1．で￥20,000減少しています。受取手形と売掛金は￥180,000＋(￥240,000－￥20,000)より合計￥400,000、貸倒見積額は￥400,000×２％より￥8,000です。貸倒引当金は￥6,200しかないので、￥1,800加えます。

| | | | | | |
|---|---|---|---|---|---|
| (借) | 貸倒引当金繰入 | 1,800 | (貸) | 貸倒引当金 | 1,800 |

3.　決算整理前の繰越商品勘定の残高￥30,000は、期首商品を表しています。期末商品は問題文から￥45,000とわかります。

| | | | | | |
|---|---|---|---|---|---|
| (借) | 仕入 | 30,000 | (貸) | 繰越商品 | 30,000 |
| (借) | 繰越商品 | 45,000 | (貸) | 仕入 | 45,000 |

4.　決算整理前の建物勘定の残高￥850,000、備品勘定の残高￥250,000は取得原価を表しています。当期１年間の価値の減少額は、建物は(￥850,000－￥850,000×10％)÷20年より￥38,250、備品は(￥250,000－￥250,000×10％)÷５年より￥45,000です。

| | | | | | |
|---|---|---|---|---|---|
| (借) | 減価償却費 | 83,250 | (貸) | 建物減価償却累計額 | 38,250 |
| | | | | 備品減価償却累計額 | 45,000 |

5.　当期中に支払っていなくても、当期分であれば給料(費用)として計上します。

| (借) 給　　　料 | 50,000 | (貸) 未 払 給 料 | 50,000 |
|---|---|---|---|

6.　当期の8/1に、8/1～5/31の10ヵ月分の手数料を支払っており、支払手数料(費用)が10ヵ月分(¥5,000)になっています。しかし、当期分は8/1～3/31の8ヵ月分であり、4/1～5/31の2ヵ月分は翌期分です。支払手数料を2ヵ月分減らして、8ヵ月分にします。

2ヵ月分の手数料：$¥5,000 \times \frac{2ヵ月}{10ヵ月} = ¥1,000$

| (借) 前 払 手 数 料 | 1,000 | (貸) 支 払 手 数 料 | 1,000 |
|---|---|---|---|

7.　翌期の8/31に1/1～8/31の8ヵ月分の利息を受取る契約であり、受取利息(収益)はゼロになっています。しかし、1/1～3/31の3ヵ月分は当期分です。受取利息を3ヵ月分計上します。

1年分の利息：¥120,000×年利率3％＝¥3,600

3ヵ月分の利息：$¥3,600 \times \frac{3ヵ月}{12ヵ月} = ¥900$

| (借) 未 収 利 息 | 900 | (貸) 受 取 利 息 | 900 |
|---|---|---|---|

8.　税引前当期純利益に30％をかけて、法人税等を計算します。また、仮払法人税等との差額を未払法人税等とします。

法人税等：¥46,000×30％＝¥13,800

| (借) 法 人 税 等 | 13,800 | (貸) 仮払法人税等 | 5,000 |
|---|---|---|---|
| | | 未払法人税等 | 8,800 |

仕入と売上原価、繰越商品と商品など勘定科目と表示科目の違いに注意しましょう。


9.　貸借対照表の繰越利益剰余金は、繰越利益剰余金の決算整理前残高に当期純利益を加えたものになります。

応用  テキスト 第12章

# 55 財務諸表2

## 解答

損益計算書

自×1年4月1日　至×2年3月31日　(単位：円)

| 借方 | 金額 | 貸方 | 金額 |
|---|---|---|---|
| 売上原価 | ( 1,930,000) | 売上高 | ( 3,280,320) |
| 給料 | ( 510,000) | 受取手数料 | ( 95,000) |
| 通信費 | ( 311,000) | (**雑益**) | ( 1,000) |
| 保険料 | ( 8,000) | | |
| 旅費交通費 | ( 66,000) | | |
| 貸倒引当金繰入 | ( 6,320) | | |
| (**貸倒損失**) | ( 1,000) | | |
| 減価償却費 | ( 36,000) | | |
| 法定福利費 | ( 128,000) | | |
| 法人税等 | ( 114,000) | | |
| 当期純利益 | ( 266,000) | | |
| | ( 3,376,320) | | ( 3,376,320) |

貸借対照表

×2年 3月31日

| 借方 | 金額 | | 貸方 | 金額 |
|---|---|---|---|---|
| 現金 | | ( 169,000) | 買掛金 | ( 474,000) |
| 普通預金 | | ( 666,000) | 借入金 | ( 249,000) |
| 売掛金 | ( 416,000) | | 預り金 | ( 13,000) |
| (**貸倒引当金**) | ( 8,320) | ( 407,680) | 未払費用 | ( 13,000) |
| 商品 | | ( 109,000) | 未払法人税等 | ( 66,000) |
| 前払費用 | | ( 16,000) | 資本金 | (1,200,000) |
| 未収収益 | | ( 15,000) | 繰越利益剰余金 | ( 643,680) |
| 建物 | (1,600,000) | | | |
| (**減価償却累計額**) | ( 324,000) | (1,276,000) | | |
| | | (2,658,680) | | (2,658,680) |

## 解　説

ここが
ポイント!

損益計算書および貸借対照表を作成する問題です。決算整理等の仕訳を正しく行い、焦らず正確に集計していきましょう。仕訳を誤ってしまった場合は、各論点に戻り復習しましょう。



1.　貸倒れの処理

貸倒れた売掛金のうち、前期発生分については、貸倒引当金を充当します。当期発生分については、貸倒引当金の設定後に発生したものなので、貸倒引当金は充当せず、貸倒損失として処理します。なお、前期に発生した売掛金が貸倒れた場合は、まず、貸倒引当金を充当し、不足する分は貸倒損失とします。

| | | | | | |
|---|---|---|---|---|---|
| (借) | 貸倒引当金 | 3,000 | (貸) | 売掛金 | 4,000 |
| | 貸倒損失 | 1,000 | | | |

2.　現金過不足

期末において現金過不足が生じています。現金の実際有高が帳簿有高よりも¥11,000少ないため、現金を¥11,000減少させます。次に、旅費交通費が未記帳であったことから、旅費交通費を計上した上で、差額を原因不明分と考えて、雑益として処理します。

| | | | | | |
|---|---|---|---|---|---|
| (借) | 旅費交通費 | 12,000 | (貸) | 現金 | 11,000 |
| | | | | 雑益 | 1,000 |

3.　当座借越

当座預金が、期末時点において貸方残高となった場合は、決算整理仕訳において、当座借越勘定(負債)に振替えます。

| | | | | | |
|---|---|---|---|---|---|
| (借) | 当座預金 | 249,000 | (貸) | 当座借越 | 249,000 |

4.　売上原価の算定

繰越商品は「商品」として貸借対照表に表示し、仕入勘定で算定した売上原価は「売上原価」として損益計算書に表示します。

| | | | | | |
|---|---|---|---|---|---|
| (借) | 仕入 | 139,000 | (貸) | 繰越商品 | 139,000 |
| | 繰越商品 | 109,000 | | 仕入 | 109,000 |

5.　貸倒引当金の設定

貸倒引当金を売掛金から控除する形式で貸借対照表に表示します。なお、貸倒引当金の設定にあたって、前期発生の売掛金の貸倒れ及び当期発生の売掛金の貸倒れについて、未処理であることに留意が必要です。

| | | | | |
|---|---|---|---|---|
| (借) | 貸倒引当金繰入 | 6,320 | (貸) 貸倒引当金 | 6,320 |

貸倒見積額：(￥420,000－￥4,000)×２％＝￥8,320

貸倒引当金繰入：￥8,320－(￥5,000－￥3,000)＝￥6,320

貸倒見積額は貸借対照表に表示し、貸倒引当金繰入は損益計算書に表示します。

6.　減価償却

減価償却累計額を建物から控除する形式で、貸借対照表に表示します。

| | | | | |
|---|---|---|---|---|
| (借) | 減価償却費 | 36,000 | (貸) 減価償却累計額 | 36,000 |

減価償却費：(￥1,600,000－￥160,000)÷40年＝￥36,000

または、￥1,600,000×0.9÷40年＝￥36,000

7.　受取手数料の未収

未収手数料は、「未収収益」として貸借対照表に表示します。

| | | | | |
|---|---|---|---|---|
| (借) | 未収手数料 | 15,000 | (貸) 受取手数料 | 15,000 |

8.　保険料の前払い

翌期の分の保険料を前払保険料として計上します。前払保険料は「前払費用」として貸借対照表に表示します。

| | | | | |
|---|---|---|---|---|
| (借) | 前払保険料 | 16,000 | (貸) 保険料 | 16,000 |

前払保険料：￥24,000×８ヵ月／12ヵ月＝￥16,000

9.　法定福利費

当月分の社会保険料の事業主負担分は、当期の費用となります。そのため、法定福利費を計上するとともに、未払法定福利費を計上します。未払法定福利費を、貸借対照表上、「未払費用」として計上します。

| | | | | |
|---|---|---|---|---|
| (借) | 法定福利費 | 13,000 | (貸) 未払法定福利費 | 13,000 |

10. 法人税等の計算

法人税等￥114,000と、決算整理前残高試算表の仮払法人税等との差額を未払法人税等とします。

| | | | | |
|---|---|---|---|---|
| （借） | 法　人　税　等 | 114,000 | （貸）仮払法人税等 | 48,000 |
| | | | 未払法人税等 | 66,000 |

11. 貸借対照表の繰越利益剰余金は、決算整理前残高試算表の繰越利益剰余金の金額に当期純利益を加えた額になります。

応用  テキスト 第12章

# 56 決算整理後残高の推定

## 解答

損益計算書
自×6年10月1日 至×7年9月30日

| 借方 | 金額 | 貸方 | 金額 |
|---|---|---|---|
| 売上原価 | (1,505,000) | 売上高 | (2,100,000) |
| 給料 | (400,000) | 受取手数料 | (32,000) |
| 支払家賃 | (24,000) | | |
| 通信費 | (16,000) | | |
| 貸倒引当金繰入 | (3,000) | | |
| 減価償却費 | (105,000) | | |
| 支払利息 | (5,000) | | |
| 雑損 | (500) | | |
| 当期純利益 | (73,500) | | |
| | (2,132,000) | | (2,132,000) |

貸借対照表
×7年 9月30日

| 借方 | 金額 | | 貸方 | 金額 |
|---|---|---|---|---|
| 現金 | | (8,500) | 買掛金 | (700,000) |
| 当座預金 | | (400,000) | 借入金 | (200,000) |
| 売掛金 | (600,000) | | 未払費用 | (5,000) |
| 貸倒引当金 | (12,000) | (588,000) | 資本金 | (1,100,000) |
| 商品 | | (50,000) | 繰越利益剰余金 | (473,500) |
| 貯蔵品 | | (2,000) | | |
| 建物 | (1,000,000) | | | |
| 減価償却累計額 | (270,000) | (730,000) | | |
| 備品 | (500,000) | | | |
| 減価償却累計額 | (150,000) | (350,000) | | |
| 土地 | | (350,000) | | |
| | | (2,478,500) | | (2,478,500) |

損益計算書と貸借対照表には、決算整理後の資産・負債・純資産・収益・費用の勘定の残高を記入します。資料Ⅱに基づいて、資料Ⅰの「?」を推定していきます。



1.　決算整理で現金の帳簿残高を実際有高に合わせています。よって、決算整理後の現金￥8,500は実際有高です。帳簿残高が￥9,000であるため、雑損が￥500とわかります。

2.　売掛金は￥600,000、貸倒見積額は￥600,000×２％より￥12,000です。決算整理前の貸倒引当金は￥9,000であるため、貸倒引当金繰入が￥3,000とわかります。

3.　決算整理後の繰越商品￥50,000は期末商品です。売上原価は、当期商品仕入高＋期首商品－期末商品で計算できるので、￥1,500,000＋￥55,000－￥50,000より、決算整理後の仕入が￥1,505,000とわかります。

4.　決算整理後の建物￥1,000,000、備品￥500,000は取得原価を表しています。当期１年間の価値の減少額は、建物は(￥1,000,000－￥1,000,000×0.1)÷30年より￥30,000、備品は(￥500,000－￥500,000×0.1)÷６年より￥75,000です。減価償却費が￥105,000とわかります。

5.　決算整理後の貯蔵品は未消費高である￥2,000、決算整理後の通信費は消費高である￥16,000とわかります。

6.　翌期の３/31に４/１～３/31の12ヵ月分の利息を支払う契約であり、決算整理前の支払利息(費用)はゼロになっていたはずです。しかし、４/１～９/30の６ヵ月分は当期分です。決算整理で、支払利息を６ヵ月分見越計上しています。

　　１年分の利息：￥200,000×年利率５％＝￥10,000

　　６ヵ月分の利息：￥10,000×６ヵ月/12ヵ月＝￥5,000

　よって、決算整理後の支払利息が￥5,000、未払利息が￥5,000とわかります。

応用 テキスト 第14章

# 57 仕入先元帳

## 解答

| 日付 | 借方科目 | 金額 | 貸方科目 | 金額 |
|---|---|---|---|---|
| 5/ 2 | 仕入 | 32,000 | 買掛金 | 32,000 |
| 5/ 7 | 買掛金 | 2,000 | 仕入 | 2,000 |
| 5/18 | 仕入 | 26,000 | 買掛金 | 26,000 |
| 5/24 | 買掛金 | 69,000 | 現金 | 69,000 |

買　掛　金

| 日付 | 摘要 | 金額 | 日付 | 摘要 | 金額 |
|---|---|---|---|---|---|
| 5/ 7 | 仕入 | 2,000 | 5/ 1 | 前月繰越 | 77,000 |
| 24 | 現金 | 69,000 | 2 | 仕入 | 32,000 |
| | | | 18 | 仕入 | 26,000 |

仕入先元帳

福岡商会

| 日付 | | 摘要 | 借方 | 貸方 | 借/貸 | 残高 |
|---|---|---|---|---|---|---|
| 5 | 1 | 前月繰越 | | 41,000 | 貸 | 41,000 |
| | 2 | 仕入 | | 32,000 | 〃 | 73,000 |
| | 7 | 仕入戻し | 2,000 | | 〃 | 71,000 |
| | 24 | 現金 | 24,000 | | 〃 | 47,000 |

佐賀商会

| 日付 | | 摘要 | 借方 | 貸方 | 借/貸 | 残高 |
|---|---|---|---|---|---|---|
| 5 | 1 | 前月繰越 | | 36,000 | 貸 | 36,000 |
| | 18 | 仕入 | | 26,000 | 〃 | 62,000 |
| | 24 | 現金 | 45,000 | | 〃 | 17,000 |

## 解　説

**ここがポイント!**

買掛金勘定にはすべての商会に対する買掛金の増減が記入されますが、仕入先元帳の福岡商会には福岡商会に対する買掛金の増減だけを、仕入先元帳の佐賀商会には佐賀商会に対する買掛金の増減だけを記入します。買掛金勘定と仕入先元帳の関係を理解しましょう。

仕訳帳に仕訳し総勘定元帳に転記した後に、仕入先元帳に記入します。

5/ 2　福岡商会に対する買掛金が￥32,000増えたため、福岡商会の貸方欄に「32,000」と記入します。福岡商会に対する買掛金は、前月から繰越されてきた￥41,000と合計して、￥73,000となります。これを残高欄に記入します。

5/ 7　福岡商会に対する買掛金が￥2,000減ったため、福岡商会の借方欄に「2,000」と記入します。福岡商会に対する買掛金は￥2,000減って、￥71,000となります。これを残高欄に記入します。

5/18　佐賀商会に対する買掛金が￥26,000増えたため、佐賀商会の貸方欄に「26,000」と記入します。佐賀商会に対する買掛金は、前月から繰越されてきた￥36,000と合計して、￥62,000となります。これを残高欄に記入します。

5/24　福岡商会に対する買掛金が￥24,000、佐賀商会に対する買掛金が￥45,000減ったため、福岡商会の借方欄に「24,000」、佐賀商会の借方欄に「45,000」と記入します。福岡商会に対する買掛金は￥24,000減って、￥47,000となります。佐賀商会に対する買掛金は￥45,000減って、￥17,000となります。これをそれぞれの残高欄に記入します。

買　掛　金

| | | | | | |
|---|---|---|---|---|---|
| 5/ 7 | 仕　入 | 2,000 | 5/ 1 | 前月繰越 | 77,000 |
| 24 | 現　金 | 69,000 | 2 | 仕　入 | 32,000 |
| | 貸方残高64,000 | | 18 | 仕　入 | 26,000 |

→ 買掛金の減少（借方）　　↓ 買掛金の増加（貸方）

福　岡　商　会

| 日付 | | 摘　要 | 借　方 | 貸　方 | 借／貸 | 残　高 |
|---|---|---|---|---|---|---|
| 5 | 1 | 前月繰越 | | 41,000 | 貸 | 41,000 |
| | 2 | 仕　　入 | | 32,000 | 〃 | 73,000 |
| | 7 | 仕入戻し | 2,000 | | 〃 | 71,000 |
| | 24 | 現　　金 | 24,000 | | 〃 | 47,000 |

借方 ↓ 買掛金の減少　　貸方 ↓ 買掛金の増加

佐　賀　商　会

| 日付 | | 摘　要 | 借　方 | 貸　方 | 借／貸 | 残　高 |
|---|---|---|---|---|---|---|
| 5 | 1 | 前月繰越 | | 36,000 | 貸 | 36,000 |
| | 18 | 仕　　入 | | 26,000 | 〃 | 62,000 |
| | 24 | 現　　金 | 45,000 | | 〃 | 17,000 |

借方 ↓ 買掛金の減少　　貸方 ↓ 買掛金の増加

買掛金勘定の借方と仕入先元帳の借方、買掛金勘定の貸方と仕入先元帳の貸方の記入内容を比較してみましょう。

**復習しよう!**

5/1時点の福岡商会に対する買掛金は￥41,000、佐賀商会に対する買掛金は￥36,000であるため、5/1時点の買掛金は合わせて￥77,000です。5/1時点の買掛金勘定の残高は貸方残高￥77,000になっています。同様に、各時点の福岡商会に対する買掛金と、佐賀商会に対する買掛金を合わせると、その時点の買掛金勘定の残高と一致します。

応用 テキスト 第14章

# 58 手形記入帳



## 解答

受取手形

| | | | | | |
|---|---|---|---|---|---|
| 1/ 3 | (売上) | ( 290,000) | 1/24 | 普通預金 | ( 290,000) |
| 18 | (売掛金) | ( 350,000) | 31 | 当座預金 | ( 350,000) |
| 25 | (売上) | ( 270,000) | 〃 | 次月繰越 | ( 270,000) |
| | | ( 910,000) | | | ( 910,000) |

支払手形

| | | | | | |
|---|---|---|---|---|---|
| 1/31 | 当座預金 | ( 260,000) | 1/ 9 | (買掛金) | ( 260,000) |
| 〃 | 次月繰越 | ( 130,000) | 22 | (仕入) | ( 130,000) |
| | | ( 390,000) | | | ( 390,000) |

## 解説

ここがポイント! 仕訳帳に仕訳し総勘定元帳に転記した後に、手形記入帳に記入します。受取手形が増えたときは受取手形記入帳の左側の欄、減ったときはてん末欄に記入します。支払手形が増えたときは支払手形記入帳の左側の欄、減ったときはてん末欄に記入します。

受取手形記入帳

| 日付 | | 摘要 | 金額 | 省略 | てん末 | | |
|---|---|---|---|---|---|---|---|
| | | | | | 日付 | | 摘要 |
| 1 | 3 | 売上 | 290,000 | 省略 | 1 | 24 | 期日決済 |
| | 18 | 売掛金 | 350,000 | | | 31 | 期日決済 |
| | 25 | 売上 | 270,000 | | | | |

受取手形が増えたとき（借方が受取手形になる取引）

受取手形が減ったとき（貸方が受取手形になる取引）

受取手形が増えたときは、総勘定元帳の受取手形勘定の借方と、受取手形記入帳の左側の欄に記入しています。ここに注目して、1/3、1/18、1/25の取引を推定し、空欄に記入します。仕訳は次のとおりです。

| | | | | | |
|---|---|---|---|---|---|
| 1/3 | (借) 受取手形 | 290,000 | (貸) 売上 | 290,000 |
| 1/18 | (借) 受取手形 | 350,000 | (貸) 売掛金 | 350,000 |
| 1/25 | (借) 受取手形 | 270,000 | (貸) 売上 | 270,000 |

受取手形が減ったときは、総勘定元帳の受取手形勘定の貸方と、受取手形記入帳のてん末欄に記入しています。ここに注目して、1/24、1/31の取引を推定し、空欄に記入します。貸借差額で次月繰越高は¥270,000とわかります。仕訳は次のとおりです。

| | | | | |
|---|---|---|---|---|
| 1/24 | (借) 普通預金 | 290,000 | (貸) 受取手形 | 290,000 |
| 1/31 | (借) 当座預金 | 350,000 | (貸) 受取手形 | 350,000 |

支払手形記入帳

| 日付 | | 摘要 | 金額 | 省略 | てん末 | | |
|---|---|---|---|---|---|---|---|
| | | | | | 日付 | | 摘要 |
| 1 | 9 | 買掛金 | 260,000 | | 1 | 31 | 期日決済 |
| | 22 | 仕入 | 130,000 | | | | |

支払手形が増えたとき
(貸方が支払手形になる取引)

支払手形が減ったとき
(借方が支払手形になる取引)

支払手形が増えたときは、総勘定元帳の支払手形勘定の貸方と、支払手形記入帳の左側の欄に記入しています。ここに注目して、1/9、1/22の取引を推定し、空欄に記入します。仕訳は次のとおりです。

| | | | | |
|---|---|---|---|---|
| 1/9 | (借) 買掛金 | 260,000 | (貸) 支払手形 | 260,000 |
| 1/22 | (借) 仕入 | 130,000 | (貸) 支払手形 | 130,000 |

支払手形が減ったときは、総勘定元帳の支払手形勘定の借方と、支払手形記入帳のてん末欄に記入しています。ここに注目して、1/31の取引を推定し、空欄に記入します。貸借差額で次月繰越高は¥130,000とわかります。仕訳は次のとおりです。

| | | | | |
|---|---|---|---|---|
| 1/31 | (借) 支払手形 | 260,000 | (貸) 当座預金 | 260,000 |

応用 テキスト 第14章

# 59 補助簿の選択



## 解答

| 補助簿＼取引 | 1 | 2 | 3 | 4 | 5 |
|---|---|---|---|---|---|
| 現金出納帳 | | | ○ | ○ | |
| 当座預金出納帳 | | | | | |
| 仕入帳 | ○ | | | | |
| 売上帳 | | ○ | | | ○ |
| 商品有高帳 | ○ | ○ | | | ○ |
| 売掛金元帳 | | ○ | | ○ | ○ |
| 買掛金元帳 | ○ | | | | |
| 受取手形記入帳 | | ○ | | | |
| 支払手形記入帳 | ○ | | | | |
| 固定資産台帳 | | | ○ | | |

## 解説

取引を行ったときは、仕訳帳に仕訳し、総勘定元帳に転記します。その他に補助簿を用いている場合は、必要に応じて補助簿にも記入します。それぞれの補助簿の記入内容を確認しましょう。

1.　商品を仕入れているため仕入帳、商品が増加しているため商品有高帳、新潟商店に対する買掛金が増加しているため買掛金元帳の新潟商店、支払手形が増加しているため支払手形記入帳の左側の欄に記入します。

| | | | | |
|---|---|---|---|---|
| (借) | 仕　　入 | 10,000 | (貸) 支払手形 | 5,000 |
| | | | 買掛金 | 5,000 |

2.　商品を売上げているため売上帳、商品が減少しているため商品有高帳、富山商店に対する売掛金が増加しているため売掛金元帳の富山商店に、また受取手形が増加しているため受取手形記入帳の左側の欄に記入します。

| | | | | | |
|---|---|---|---|---|---|
| (借) | 受取手形 | 10,000 | (貸) | 売上 | 15,000 |
| | 売掛金 | 5,000 | | | |

3.　現金が減少しているため現金出納帳、固定資産である事務用パソコンが増加しているため、固定資産台帳に記入します。

| | | | | | |
|---|---|---|---|---|---|
| (借) | 備品 | 129,000 | (貸) | 未払金 | 120,000 |
| | | | | 現金 | 9,000 |

4.　現金が増加しているため現金出納帳、石川商店に対する売掛金が減少しているため売掛金元帳の石川商店に記入します。

| | | | | | |
|---|---|---|---|---|---|
| (借) | 現金 | 50,000 | (貸) | 売掛金 | 50,000 |

5.　売上げた商品が返品され、売上が減少するため売上帳、福井商店に対する売掛金が減少するため売掛金元帳の福井商店に記入します。また、売上返品があった場合、保有する商品の数量が増加するため商品有高帳に記入します。

| | | | | | |
|---|---|---|---|---|---|
| (借) | 売上 | 30,000 | (貸) | 売掛金 | 30,000 |

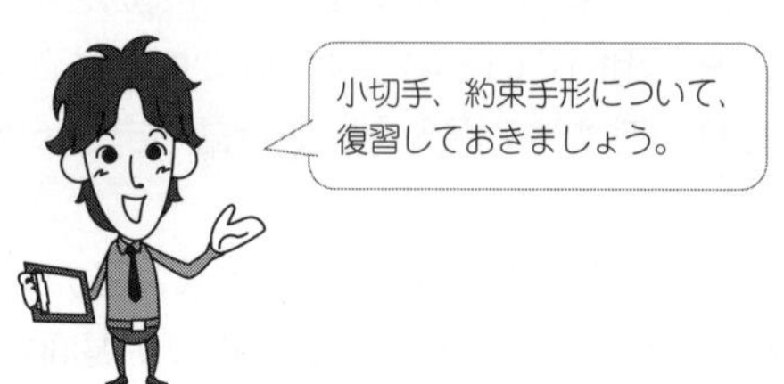

小切手、約束手形について、
復習しておきましょう。

**復習しよう！**

本問で、それぞれの補助簿について、どんな取引があったときに記入するのか、復習しましょう。

〈補助簿の記入内容について〉

現金出納帳 → 現金の増減

当座預金出納帳 → 当座預金の増減

仕入帳 → 商品の仕入、仕入戻し（仕入返品）

売上帳 → 商品の売上、売上戻り（売上返品）

商品有高帳 → 商品の増減

売掛金元帳（得意先元帳） → 得意先ごとの売掛金の増減

買掛金元帳（仕入先元帳） → 仕入先ごとの買掛金の増減

受取手形記入帳 → 受取手形の増減

支払手形記入帳 → 支払手形の増減

固定資産台帳 → 有形固定資産の増減

応用 テキスト 第14章

# 60 商品有高帳

## 解答

(1) 先入先出法

商品有高帳
鉛筆

| 日付 | | 摘要 | 受入高 | | | 払出高 | | | 残高 | | |
|---|---|---|---|---|---|---|---|---|---|---|---|
| | | | 数量 | 単価 | 金額 | 数量 | 単価 | 金額 | 数量 | 単価 | 金額 |
| 1 | 1 | 前月繰越 | 100 | 75 | 7,500 | | | | 100 | 75 | 7,500 |
| | 3 | 仕　入 | 200 | 60 | 12,000 | | | | ⎧100 | 75 | 7,500 |
| | | | | | | | | | ⎩200 | 60 | 12,000 |
| | 7 | 売　上 | | | | ⎧100 | 75 | 7,500 | | | |
| | | | | | | ⎩150 | 60 | 9,000 | 50 | 60 | 3,000 |
| | 15 | 仕　入 | 350 | 73 | 25,550 | | | | ⎧50 | 60 | 3,000 |
| | | | | | | | | | ⎩350 | 73 | 25,550 |
| | 26 | 売　上 | | | | ⎧50 | 60 | 3,000 | | | |
| | | | | | | ⎩100 | 73 | 7,300 | 250 | 73 | 18,250 |

(2) 移動平均法

商品有高帳
鉛筆

| 日付 | | 摘要 | 受入高 | | | 払出高 | | | 残高 | | |
|---|---|---|---|---|---|---|---|---|---|---|---|
| | | | 数量 | 単価 | 金額 | 数量 | 単価 | 金額 | 数量 | 単価 | 金額 |
| 1 | 1 | 前月繰越 | 100 | 75 | 7,500 | | | | 100 | 75 | 7,500 |
| | 3 | 仕　入 | 200 | 60 | 12,000 | | | | 300 | 65 | 19,500 |
| | 7 | 売　上 | | | | 250 | 65 | 16,250 | 50 | 65 | 3,250 |
| | 15 | 仕　入 | 350 | 73 | 25,550 | | | | 400 | 72 | 28,800 |
| | 26 | 売　上 | | | | 150 | 72 | 10,800 | 250 | 72 | 18,000 |

(1) 先入先出法

| | | |
|---|---|---|
| 売上高 | ( 36,000 ) | 円 |
| 売上原価 | ( 26,800 ) | 円 |
| 売上総利益 | ( 9,200 ) | 円 |

(2) 移動平均法

| | | |
|---|---|---|
| 売上高 | ( 36,000 ) | 円 |
| 売上原価 | ( 27,050 ) | 円 |
| 売上総利益 | ( 8,950 ) | 円 |

## 解説

会社は、商品の原価に利益を上乗せして売価とします。売上高は商品の売価、売上原価は売渡した商品の原価を指します。売上原価は商品有高帳の払出高欄から求まります。

**(1) 先入先出法**

1/ 3　商品(鉛筆)を¥12,000で200本仕入れています。単価は¥60です。また、残高欄は2行あるので、カッコでくくって記入します。

1/ 7　商品(鉛筆)を@¥90で250本売上げています。@¥75の商品100本と、@¥60の商品200本を保有していますが、まず先に仕入れた@¥75の商品100本を払出し、残り150本は次に仕入れた@¥60の商品を払出したものと仮定して記入します。よって、売渡した商品は@¥75の商品100本と、@¥60の商品150本とします。また、払出高欄は2行あるので、カッコでくくって記入します。

仕入帳には、いくらで商品を仕入れたのか(原価)が、売上帳には、いくらで商品を売上げたのか(売価)が記入されています。

商品有高帳には原価を記入します。

1/15　商品(鉛筆)を￥25,550で350本仕入れています。単価は￥73です。また、残高欄は2行あるので、カッコでくくって記入します。

**⚠ここに注意!**

**当店負担の仕入諸掛は商品の原価に含めます。よって、1/15に仕入れた商品の原価は、@￥71×350本より￥24,850ではなく、これに￥700を加算した￥25,550となります。したがって、単価は、￥25,550÷350本より￥73となります。**

1/26　商品(鉛筆)を@￥90で150本売上げています。@￥60の商品50本と、@￥73の商品350本を保有していますが、まず先に仕入れた@￥60の商品50本を払出し、残り100本は次に仕入れた@￥73の商品を払出したものと仮定して記入します。そして、売渡した商品は@￥60の商品50本と、@￥73の商品100本とします。

当月の売上高、売上原価、売上総利益を計算します。1/7の売上高は@￥90×250本より￥22,500です。また、1/7の売上原価は@￥75×100本＋@￥60×150本より￥16,500です。同様に、1/26の売上高は@￥90×150本より￥13,500です。また、1/26の売上原価は@￥60×50本＋@￥73×100本より￥10,300です。売上高が売上原価を上回る額が、売上総利益です。

売上高：￥22,500＋￥13,500＝￥36,000
売上原価：￥16,500＋￥10,300＝￥26,800
売上総利益：売上高￥36,000－売上原価￥26,800＝￥9,200

(2)　**移動平均法**

1/ 3　商品(鉛筆)を￥12,000で200本仕入れています。単価は￥60です。平均単価を計算します。平均単価は￥19,500÷300本より￥65となります。

1/ 7　売渡した商品は@￥65の商品250本とします。

1/15　商品(鉛筆)を￥25,550で350本仕入れています。単価は￥73です。平均単価を計算します。平均単価は￥28,800÷400本より￥72となります。

1/26　売渡した商品は@￥72の商品150本とします。

当月の売上高、売上原価、売上総利益を計算します。1/7の売上高は@￥90×250本より￥22,500です。また、1/7の売上原価は@￥65×250本より￥16,250です。同様に、1/26の売上高は@￥90×150本より￥13,500です。また、1/26の売上原価は@￥72×150本より￥10,800です。売上高が売上原価を上回る額が、売上総利益です。

売上高：￥22,500＋￥13,500＝￥36,000

売上原価：￥16,250＋￥10,800＝￥27,050

売上総利益：売上高￥36,000－売上原価￥27,050＝￥8,950



**復習しよう!**

売上原価とは、売上げた商品の原価(売れた商品は、そもそもいくらで買ってきたものであったのか)を指します。これは商品有高帳の払出高欄に記入した金額となります。先入先出法の場合は、払出高欄に記入した金額の合計は、￥7,500＋￥9,000＋￥3,000＋￥7,300より￥26,800、移動平均法の場合は、払出高欄に記入した金額の合計は、￥16,250＋￥10,800より￥27,050です。

商品を売上げたとき、先入先出法の場合は先に仕入れた商品から順に払出したものと仮定して売渡した商品の原価を求めますが、移動平均法の場合は商品の平均単価を売渡した商品の原価とします。したがって、先入先出法の場合と移動平均法の場合とでは、売上原価が異なるのです。

一方、売上高とは、売上げた商品の売価(お客さんにいくらで商品を売ったのか)を指します。これは先入先出法の場合も移動平均法の場合も同額です。

応用  テキスト 第14章

# 61 当座預金出納帳

## 解答

問1

当座預金出納帳

| 日付 | | 摘要 | 預入 | 引出 | 借/貸 | 残高 |
|---|---|---|---|---|---|---|
| 8 | 16 | 融資返済 | | 152,000 | 借 | 48,000 |
| | 18 | 小切手振出 | | 100,000 | 貸 | 52,000 |
| | 21 | 掛回収埼玉 | 249,500 | | 借 | 197,500 |
| | 23 | 普通預金振替 | 800,000 | | 〃 | 997,500 |
| | 24 | 掛支払千葉 | | 180,500 | 〃 | 817,000 |
| | 25 | 手形決済 | | 500,000 | 〃 | 317,000 |
| | 29 | 給与振込 | | 171,000 | 〃 | 146,000 |
| | 〃 | 振込手数料 | | 1,000 | 〃 | 145,000 |

問2

| | 借方科目 | 金額 | 貸方科目 | 金額 |
|---|---|---|---|---|
| 8/16 | 借入金<br>支払利息 | 150,000<br>2,000 | 当座預金 | 152,000 |
| 8/18 | 買掛金 | 100,000 | 当座預金 | 100,000 |
| 8/21 | 当座預金<br>支払手数料 | 249,500<br>500 | 売掛金 | 250,000 |
| 8/24 | 買掛金<br>支払手数料 | 180,000<br>500 | 当座預金 | 180,500 |
| 8/29 | 給料<br>支払手数料 | 180,000<br>1,000 | 預り金<br>当座預金 | 9,000<br>172,000 |

## 解　説

当座勘定照合表は、当座預金の実際の入出金に関する明細表です。これに対して、当座預金出納帳は、当座預金の増減に関する取引があったときに記入する補助簿です。

8/16　借入金の返済

支払金額のうち利息部分が￥2,000なので、元本部分は￥150,000です。

| | | | | |
|---|---|---|---|---|
| (借) | 借　入　金 | 150,000 | (貸) 当 座 預 金 | 152,000 |
| | 支 払 利 息 | 2,000 | | |

8/18　小切手の振出し

小切手を振出した場合、振出した時点では、まだ、当座預金は減少していません。しかし、小切手を受取った側がすぐに銀行で換金すると考えて、振出した時点で、当座預金の減少として処理します。そのため、帳簿に記帳する日付と実際の出金日が異なることがあります。

| | | | | |
|---|---|---|---|---|
| (借) | 買　掛　金 | 100,000 | (貸) 当 座 預 金 | 100,000 |

帳簿への記帳に使用する日付は８月18日ですが、実際の出金日は８月22日なので、日付が異なります。

8/21　売掛金の回収

商品売買は掛け取引で行われているので、得意先である埼玉商店からの振込みは、売掛金の回収と考えます。埼玉商店が振込み手続きをする際に銀行に支払う振込手数料を当社が負担する場合に、振込額を振込手数料分だけ少なくすることがあります。このときは、振込手数料分を支払手数料で処理します。

| (借) 当座預金 | 249,500 | (貸) 売掛金 | 250,000 |
|---|---|---|---|
| 支払手数料 | 500 | | |

8/22　小切手の引落し

小切手が銀行に持ち込まれ、当座預金から支払いをしています。しかし、小切手の振出時に既に仕訳を行っているため、実際の出金日には仕訳はしません。

8/23　普通預金からの振替え

買掛金などの支払いのために、普通預金口座から当座預金口座へお金を移動させています。

| (借) 当座預金 | 800,000 | (貸) 普通預金 | 800,000 |
|---|---|---|---|

8/24　買掛金の支払い

千葉商店へ買掛金を振込みによって支払っています。掛け代金と一緒に引落された振込手数料は、支払手数料で処理します。

| (借) 買掛金 | 180,000 | (貸) 当座預金 | 180,500 |
|---|---|---|---|
| 支払手数料 | 500 | | |

8/25　手形代金の支払い

支払手形の支払期日が到来し、手形代金が引落されています。

| (借) 支払手形 | 500,000 | (貸) 当座預金 | 500,000 |
|---|---|---|---|

8/29　給料の支払い

給料の支給総額から源泉徴収税額を差引いた手取額を、当座預金口座から振込んで支払っています。

| (借) 給料 | 180,000 | (貸) 預り金 | 9,000 |
|---|---|---|---|
| 支払手数料 | 1,000 | 当座預金 | 172,000 |

応用 テキスト 第14章

# 62 得意先元帳



## 解答

売掛金

| | | | | | |
|---|---|---|---|---|---|
| 4/1 | （前期繰越） | （1,000,000） | 5/12 | （売上） | （30,000） |
| 6/6 | （売上） | （200,000） | 10/15 | （当座預金） | （100,000） |
| 7/10 | （売上） | （300,000） | 2/21 | （現金） | （220,000） |
| 8/17 | （売上） | （350,000） | 3/31 | （次期繰越） | （1,500,000） |
| | | （1,850,000） | | | （1,850,000） |

## 解説

得意先元帳の広島商店には広島商店に対する売掛金の増減だけが、得意先元帳の岡山商店には岡山商店に対する売掛金の増減だけが記入されています。これらを合わせて、すべての商店に対する売掛金の増減を売掛金勘定に記入します。

広島商店に対する売掛金の前期繰越高￥600,000と、岡山商店に対する売掛金の前期繰越高￥400,000の合計が、売掛金勘定の前期繰越￥1,000,000となります。

得意先元帳の記入内容から、当期中の仕訳がわかります。これらの仕訳を売掛金勘定に転記します。

| | | | | | | |
|---|---|---|---|---|---|---|
| 5/12 | (借) | 売上 | 30,000 | (貸) | 売掛金(岡山) | 30,000 |
| 6/6 | (借) | 売掛金(広島) | 200,000 | (貸) | 売上 | 200,000 |
| 7/10 | (借) | 売掛金(岡山) | 300,000 | (貸) | 売上 | 300,000 |
| 8/17 | (借) | 売掛金(広島) | 150,000 | (貸) | 売上 | 350,000 |
| | | 売掛金(岡山) | 200,000 | | | |
| 10/15 | (借) | 当座預金 | 100,000 | (貸) | 売掛金(広島) | 100,000 |
| 2/21 | (借) | 現金 | 220,000 | (貸) | 売掛金(広島) | 120,000 |
| | | | | | 売掛金(岡山) | 100,000 |

広島商店に対する売掛金の次期繰越高￥730,000と、岡山商店に対する売掛金の次期繰越高￥770,000の合計が、売掛金勘定の次期繰越￥1,500,000となります。

応用  テキスト 第14章

# 63 仕入先元帳の推定

## 解答

| 1 | 2 | 3 | 4 | 5 |
|---|---|---|---|---|
| 仕　入 | 支払手形 | 現　金 | 24,000 | 25,000 |
| 6 | 7 | 8 | 9 | 10 |
| 101,000 | 152,000 | 50,000 | 2,000 | 58,000 |
| 11 | 12 | 13 | 14 | 15 |
| 96,000 | 31,000 | 43,000 | 56,000 | 8,000 |

## 解説

買掛金勘定に記入された買掛金の増減の内訳が、仕入先元帳の長野商店と群馬商店に記入されていることに注目して、空欄を推定していきます。

買　掛　金

| | | | | | |
|---|---|---|---|---|---|
| 2/ 2 | ( 1 ) | 2,000 | 1/ 1 | 前期繰越 | 23,000 |
| 9/10 | ( 2 ) | ( 4 ) | 2/ 1 | 仕入 | ( 8 ) |
| 11/25 | ( 3 ) | ( 5 ) | 3/14 | 仕入 | 79,000 |
| | 次期繰越高 | | | | |

〈買掛金の内訳〉

長　野　商　店

| | | | | | |
|---|---|---|---|---|---|
| 2/ 2 | 仕入 | ( 9 ) | 1/ 1 | 前期繰越 | 15,000 |
| 9/10 | 支払手形 | 24,000 | 2/ 1 | 仕入 | 50,000 |
| 11/25 | 現金 | 12,000 | 3/14 | 仕入 | ( 12 ) |
| | 次期繰越高 | | | | |

群　馬　商　店

| | | | | | |
|---|---|---|---|---|---|
| 11/25 | 現金 | 13,000 | 1/ 1 | 前期繰越 | ( 15 ) |
| | 次期繰越高 | | 3/14 | 仕入 | 48,000 |

1/ 1　買掛金勘定￥23,000＝長野商店￥15,000＋群馬商店￥（　15　）
（　15　）＝23,000－15,000＝8,000
2/ 1　買掛金勘定￥（　8　）＝長野商店￥50,000
（　8　）＝50,000
2/ 2　買掛金勘定￥2,000＝長野商店￥（　9　）
（　9　）＝2,000
2/2の長野商店の記入内容から、（　1　）は「仕入」とわかります。
3/14　買掛金勘定￥79,000＝長野商店￥（　12　）＋群馬商店￥48,000
（　12　）＝79,000－48,000＝31,000
9/10　買掛金勘定￥（　4　）＝長野商店￥24,000
（　4　）＝24,000
9/10の長野商店の記入内容から、（　2　）は「支払手形」とわかります。
11/25　買掛金勘定￥（　5　）＝長野商店￥12,000＋群馬商店￥13,000
（　5　）＝12,000＋13,000＝25,000
11/25の長野商店と群馬商店の記入内容から、（　3　）は「現金」とわかります。

買掛金勘定の貸借差額から（　6　）は101,000、長野商店の貸借差額から（　10　）は58,000、群馬商店の貸借差額から（　13　）は43,000とわかります。

長野商店に対する買掛金の次期繰越高￥58,000と、群馬商店に対する買掛金の次期繰越高￥43,000の合計が、買掛金勘定の次期繰越￥101,000となります。

当期中の仕訳は次のとおりです。

| 日付 | | 借方科目 | 金額 | | 貸方科目 | 金額 |
|---|---|---|---|---|---|---|
| 2/ 1 | (借) | 仕　　入 | 50,000 | (貸) | 買掛金(長野) | 50,000 |
| 2/ 2 | (借) | 買掛金(長野) | 2,000 | (貸) | 仕　　入 | 2,000 |
| 3/14 | (借) | 仕　　入 | 79,000 | (貸) | 買掛金(長野) | 31,000 |
| | | | | | 買掛金(群馬) | 48,000 |
| 9/10 | (借) | 買掛金(長野) | 24,000 | (貸) | 支払手形 | 24,000 |
| 11/25 | (借) | 買掛金(長野) | 12,000 | (貸) | 現　　金 | 25,000 |
| | | 買掛金(群馬) | 13,000 | | | |

応用 テキスト 第11～12章

# 64 費用の前払い

## 解答

1. ×5年度

| 日付 | 借方科目 | 金　額 | 貸方科目 | 金　額 |
|---|---|---|---|---|
| 7/1 | 保険料 | 12,000 | 現金 | 12,000 |
| 3/31 | 前払保険料 | 3,000 | 保険料 | 3,000 |
| 3/31 | 損益 | 9,000 | 保険料 | 9,000 |

保険料

| 日付 | 摘要 | 金額 | 日付 | 摘要 | 金額 |
|---|---|---|---|---|---|
| 7/ 1 | 現金 | 12,000 | 3/31 | 前払保険料 | 3,000 |
| | | | 〃 | 損益 | 9,000 |
| | | 12,000 | | | 12,000 |

前払保険料

| 日付 | 摘要 | 金額 | 日付 | 摘要 | 金額 |
|---|---|---|---|---|---|
| 3/31 | 保険料 | 3,000 | 3/31 | 次期繰越 | 3,000 |
| 4/ 1 | 前期繰越 | 3,000 | | | |

2. ×6年度

| 日付 | 借方科目 | 金　額 | 貸方科目 | 金　額 |
|---|---|---|---|---|
| 4/ 1 | 保険料 | 3,000 | 前払保険料 | 3,000 |
| 7/ 1 | 保険料 | 12,000 | 現金 | 12,000 |
| 3/31 | 前払保険料 | 3,000 | 保険料 | 3,000 |
| 3/31 | 損益 | 12,000 | 保険料 | 12,000 |

保険料

| 日付 | 摘要 | 金額 | 日付 | 摘要 | 金額 |
|---|---|---|---|---|---|
| 4/ 1 | 前払保険料 | 3,000 | 3/31 | 前払保険料 | 3,000 |
| 7/ 1 | 現金 | 12,000 | 〃 | 損益 | 12,000 |
| | | 15,000 | | | 15,000 |

前払保険料

| 日付 | 摘要 | 金額 | 日付 | 摘要 | 金額 |
|---|---|---|---|---|---|
| 4/ 1 | 前期繰越 | 3,000 | 4/ 1 | 保険料 | 3,000 |
| 3/31 | 保険料 | 3,000 | 3/31 | 次期繰越 | 3,000 |
| | | 6,000 | | | 6,000 |
| 4/ 1 | 前期繰越 | 3,000 | | | |

## 解　説

保険料に関する一連の仕訳と転記を確認していきます。また、決算整理後の保険料勘定の残高は損益勘定に振替え、決算整理後の前払保険料勘定の残高は次期に繰越します。

### 1.　×5 年度

7/1に、12ヵ月分の保険料を支払っていますが、4/1～6/30の3ヵ月分は翌期分です。よって決算では、保険料を3ヵ月分減らす必要があります。

$$3\text{ヵ月分の保険料：}¥12,000\times\frac{3\text{ヵ月}}{12\text{ヵ月}}=¥3,000$$

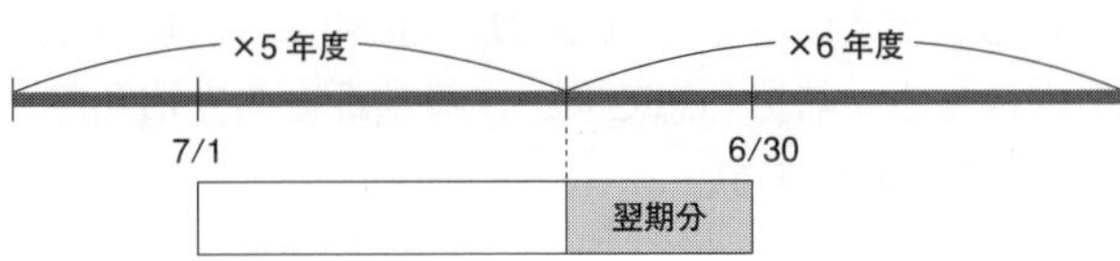


### 2.　×6 年度

×6年度の期首に再振替仕訳、つまり、×5年度の決算整理仕訳の逆仕訳を行います。

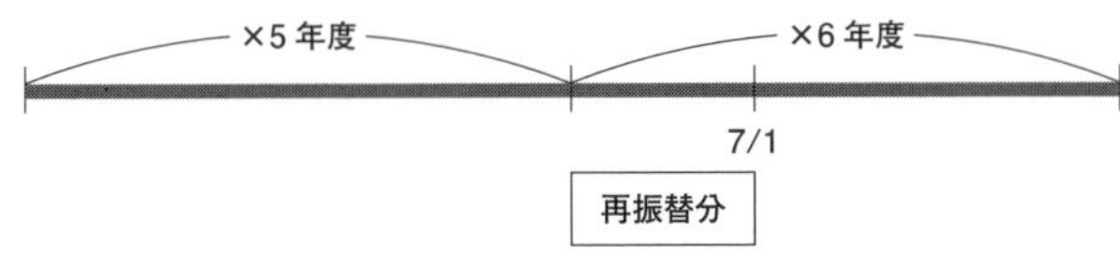


7/1に12ヵ月分の保険料を支払っていますが、4/1～6/30の3ヵ月分は翌期分です。よって決算では、保険料を3ヵ月分減らす必要があります。

$$3\text{ヵ月分の保険料：}¥12,000\times\frac{3\text{ヵ月}}{12\text{ヵ月}}=¥3,000$$

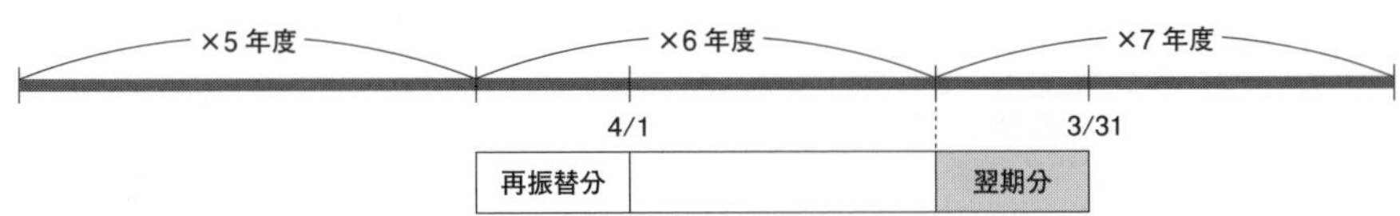

応用  テキスト 第11〜12章

# 65 費用の前払いと未払い

## 解答

| 1 | 2 | 3 | 4 | 5 |
|---|---|---|---|---|
| 未払利息 | 20,000 | 15,000 | 損　益 | 65,000 |
| 6 | 7 | 8 | 9 | 10 |
| 支払利息 | 前期繰越 | 支払利息 | 支払利息 | 65,000 |

## 解説

支払利息の未払いがあるときに計上されるのが未払利息、前払いがあるときにと計上されるのが前払利息です。決算整理後の支払利息勘定の残高は損益勘定に振替えます。

期首の日付で、未払利息勘定に記入がされています。

未払利息は負債であるため、「前期繰越」は貸方に記入されるはずです。よって、(　7　)が前期繰越とわかります。

ここから、前期の決算で未払利息￥20,000が計上され、これが当期に繰越されてきていることがわかります。当期の期首に再振替仕訳、つまり前期の決算整理仕訳の逆仕訳を行います。

〈再振替仕訳〉

4/ 1 (借) 未 払 利 息　　20,000　　(貸) 支 払 利 息　　20,000

未払利息勘定の借方に「4/1　支払利息　20,000」、支払利息勘定の貸方に「4/1　未払利息　20,000」と転記されます。よって、(　1　)が未払利息、(　2　)が20,000、(　6　)が支払利息とわかります。

期末の日付で、前払利息勘定に記入がされています。

ここから、当期の決算で前払利息￥15,000が計上され、これを次期に繰越していることがわかります。

〈決算整理仕訳〉

3/31 (借) 前払利息 15,000 (貸) 支払利息 15,000

前払利息勘定の借方に「3/31 支払利息 15,000」、支払利息勘定の貸方に「3/31 前払利息 15,000」と転記されます。よって、( 3 )が15,000、( 8 )が支払利息とわかります。

支払利息は費用であるため、決算整理後の支払利息勘定の残高は損益勘定に振替えます。

〈損益振替仕訳〉

3/31 (借) 損益 65,000 (貸) 支払利息 65,000

損益勘定の借方に「3/31 支払利息 65,000」、支払利息勘定の貸方に「3/31 損益 65,000」と転記されます。よって、( 4 )が損益、( 5 )が65,000、( 9 )が支払利息、( 10 )が65,000とわかります。

未払利息や前払利息は決算で計上されます。その後、次期に繰越され翌期の期首に再振替が行われます。

応用 テキスト 第6・12章

# 66 法人税等

## 解答

仮払法人税等

| 日付 | 摘要 | 金額 | 日付 | 摘要 | 金額 |
|---|---|---|---|---|---|
| (11/26) | (普通預金) | (300,000) | (3/31) | (法人税等) | (300,000) |

未払法人税等

| 日付 | 摘要 | 金額 | 日付 | 摘要 | 金額 |
|---|---|---|---|---|---|
| (5/28) | (普通預金) | (350,000) | (4/1) | (前期繰越) | (350,000) |
| (3/31) | (次期繰越) | (390,000) | (3/31) | (法人税等) | (390,000) |
| | | (740,000) | | | (740,000) |

法人税等

| 日付 | 摘要 | 金額 | 日付 | 摘要 | 金額 |
|---|---|---|---|---|---|
| (3/31) | (諸口) | (690,000) | (3/31) | (損益) | (690,000) |

## 解説

ここがポイント!

法人税等の処理を納税スケジュールも含めて整理しておきましょう。

また、勘定記入の1年間の流れについても確認しておきましょう。

例えば、貸借対照表に関する勘定への記入では、前記繰越の記入から次期繰越の記入までの記入順序を整理しておきましょう。

4/1　前期繰越の記入

未払法人税等勘定の前期末残高￥350,000が当期に繰越されています。そこで、未払法人税等勘定の貸方に「4/1　前期繰越　350,000」の記入をします。

5/28　前期分の確定申告

原則として、決算日の翌日から2ヵ月以内に確定申告を行い、納税まで完結させなければいけません。納付すべき法人税等を普通預金口座から納付したため、以下の仕訳をします。

| | | | |
|---|---|---|---|
| (借) 未払法人税等 | 350,000 | (貸) 普通預金 | 350,000 |

11/26　当期分の中間申告

前期分の法人税等が一定額以上の場合、期首から6ヵ月を経過した日から2ヵ月以内に中間申告を行い、納税まで完結させなければいけません。なお、中間申告により納付する金額は、前期分の法人税等の半分です。

| | | | |
|---|---|---|---|
| (借) 仮払法人税等 | 300,000 | (貸) 普通預金 | 300,000 |

中間申告額：$¥600,000 \times \frac{1}{2} = ¥300,000$

3/31　当期分の法人税等の計上

問題文より、税引前当期純利益に対して30%を計算し、法人税等を計上します。なお、法人税等の金額から中間申告により納付した分を差引いた金額を未払法人税等とします。

| | | | |
|---|---|---|---|
| (借) 法人税等 | 690,000 | (貸) 仮払法人税等 | 300,000 |
| | | 未払法人税等 | 390,000 |

法人税等：¥2,300,000×30％＝¥690,000

当期分の確定申告は、×4年5月31日までに行います。

3/31　損益振替

損益計算書に関する勘定については、損益振替仕訳を行い、決算整理後残高を損益勘定に振替えます。本問では、法人税等勘定の決算整理後残高￥690,000を損益勘定に振替えます。

| | | | | |
|---|---|---|---|---|
| (借) 損　　益 | 690,000 | | (貸) 法人税等 | 690,000 |

3/31　次期繰越の記入

貸借対照表に関する勘定については、期末残高を翌期に繰越すために、次期繰越の記入をします。そこで、未払法人税等勘定の借方に「3/31　次期繰越　390,000」の記入をします。

**ここに注意！**

本問における法人税等についてのスケジュールは次のようになります。

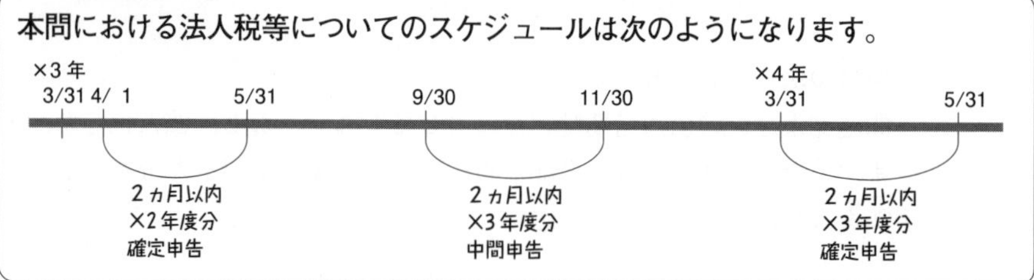

応用 テキスト 第11～12章

# 67 減価償却1



## 解答

| 日付 | 借方科目 | 金額 | 貸方科目 | 金額 |
|---|---|---|---|---|
| 7/ 1 | 備品 | 60,000 | 現金 | 60,000 |
| 12/31 | 現金<br>減価償却累計額<br>減価償却費 | 12,000<br>6,000<br>2,250 | 備品<br>固定資産売却益 | 20,000<br>250 |
| 2/ 1 | 備品 | 45,000 | 現金 | 45,000 |
| 3/31 | 減価償却費 | 4,725 | 減価償却累計額 | 4,725 |
| 3/31 | 損益<br>固定資産売却益 | 6,975<br>250 | 減価償却費<br>損益 | 6,975<br>250 |

備品

| 日付 | 摘要 | 金額 | 日付 | 摘要 | 金額 |
|---|---|---|---|---|---|
| 4/1 | 前期繰越 | 20,000 | 12/31 | 諸口 | 20,000 |
| 7/1 | 現金 | 60,000 | 3/31 | 次期繰越 | 105,000 |
| 2/1 | 現金 | 45,000 | | | |
| | | 125,000 | | | 125,000 |
| 4/1 | 前期繰越 | 105,000 | | | |

減価償却費

| 日付 | 摘要 | 金額 | 日付 | 摘要 | 金額 |
|---|---|---|---|---|---|
| 12/31 | 諸口 | 2,250 | 3/31 | 損益 | 6,975 |
| 3/31 | 減価償却累計額 | 4,725 | | | |
| | | 6,975 | | | 6,975 |

減価償却累計額

| 日付 | 摘要 | 金額 | 日付 | 摘要 | 金額 |
|---|---|---|---|---|---|
| 12/31 | 諸口 | 6,000 | 4/1 | 前期繰越 | 6,000 |
| 3/31 | 次期繰越 | 4,725 | 3/31 | 減価償却費 | 4,725 |
| | | 10,725 | | | 10,725 |
| | | | 4/1 | 前期繰越 | 4,725 |

固定資産売却益

| 日付 | 摘要 | 金額 | 日付 | 摘要 | 金額 |
|---|---|---|---|---|---|
| 3/31 | 損益 | 250 | 12/31 | 諸口 | 250 |

## 解　説

ここがポイント！ 間接法の場合、価値の減少額を減価償却費勘定と減価償却累計額勘定に記入します。決算整理後の減価償却費勘定、固定資産売却益勘定の残高は損益勘定に振替えます。また、決算整理後の備品勘定、減価償却累計額勘定の残高は、次期に繰越します。

〈備品A〉

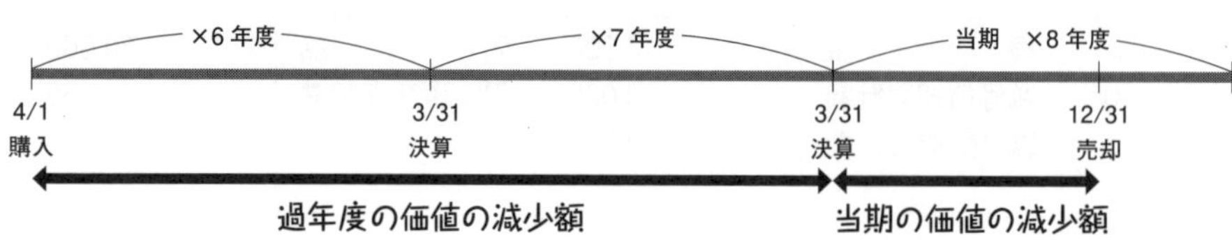


過年度の価値の減少額：(￥20,000－￥20,000×0.1)÷ 6 年× 2 年＝￥6,000

当期首の帳簿価額：￥20,000－￥6,000＝￥14,000

当期の価値の減少額：(￥20,000－￥20,000×0.1)÷ 6 年×$\frac{9\text{ヵ月}}{12\text{ヵ月}}$＝￥2,250

売却時の帳簿価額：￥20,000－￥6,000－￥2,250＝￥11,750

固定資産売却益：￥12,000－￥11,750＝￥250

〈備品B〉

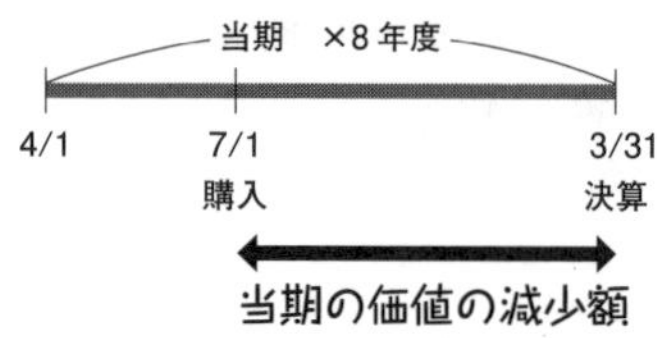


当期の価値の減少額：(￥60,000－￥60,000×0.1)÷10年×$\frac{9\text{ヵ月}}{12\text{ヵ月}}$＝￥4,050

〈備品C〉

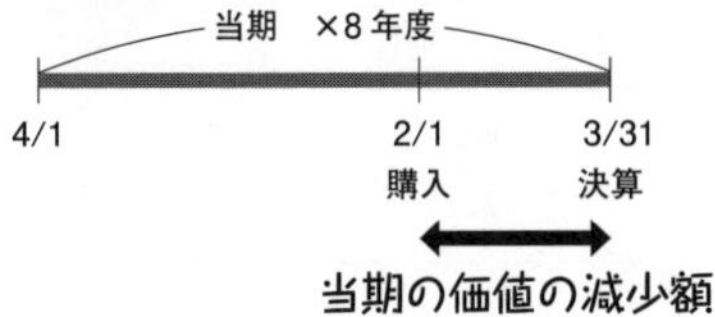


当期の価値の減少額：$(¥45{,}000-¥45{,}000\times0.1)\div10年\times\frac{2ヵ月}{12ヵ月}=¥675$

応用  テキスト 第11～12章

# 68 減価償却2

## 解 答

| 1 | 2 | 3 | 4 | 5 |
|---|---|---|---|---|
| 800,000 | 1,200,000 | 500,000 | 700,000 | 次期繰越 |
| 6 | 7 | 8 | 9 | 10 |
| 270,000 | 145,500 | 415,500 | 337,500 | 78,000 |
| 11 | 12 | 13 | 14 | 15 |
| 45,000 | 78,000 | 123,000 | 損　　益 | 123,000 |

## 解 説

備品ごとのタイムテーブルを書いて、備品ごとに価値の減少額を計算していきます。当期中に行われた仕訳を各勘定に転記して、空欄部分を推定します。

〈備品A〉

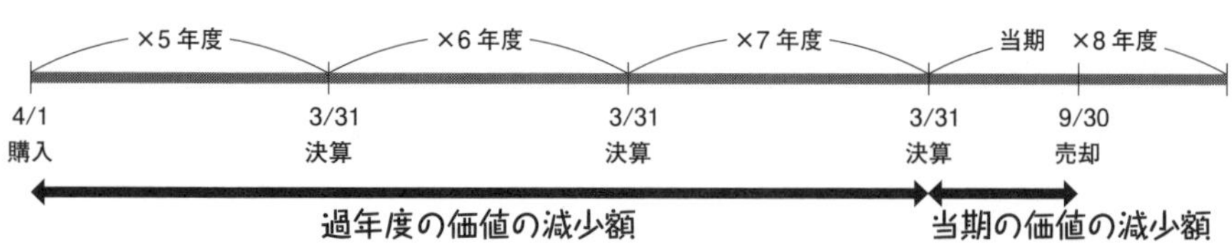


過年度の価値の減少額：(¥500,000－¥500,000×0.1)÷5年×3年＝¥270,000

当期の価値の減少額：(¥500,000－¥500,000×0.1)÷5年×$\frac{6ヵ月}{12ヵ月}$＝¥45,000

〈備品B〉

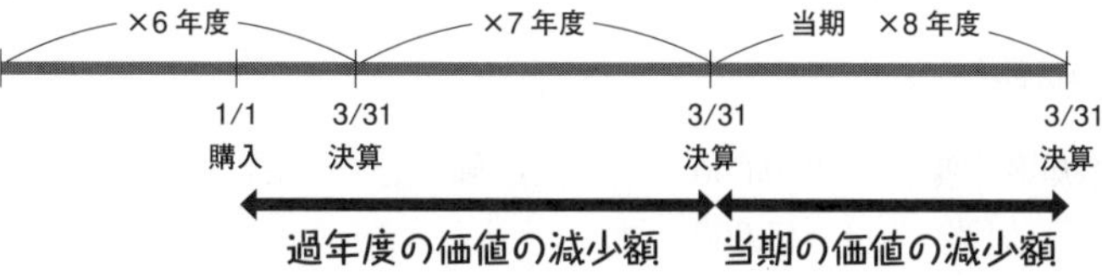


過年度の価値の減少額：(¥300,000－¥300,000×0.1)÷5年×$\frac{15ヵ月}{12ヵ月}$＝¥67,500

当期の価値の減少額：(¥300,000－¥300,000×0.1)÷5年＝¥54,000

〈備品C〉

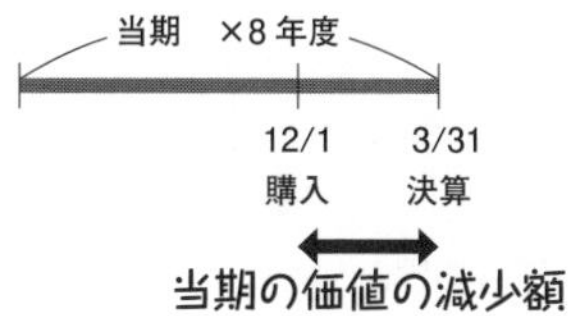


当期の価値の減少額：(¥400,000－¥400,000×0.1)÷5年×$\frac{4ヵ月}{12ヵ月}$＝¥24,000

備品の前期繰越高は備品Aと備品Bの取得原価です。¥500,000＋¥300,000より、(　1　)は800,000とわかります。また、減価償却累計額の前期繰越高は備品Aと備品Bの過年度の価値の減少額です。¥270,000＋¥67,500より、(　9　)は337,500とわかります。

間接法によるため、備品勘定の金額は取得時に取得原価を記入したまま売却するまで変化しません。

決算を迎えるたびに減価償却累計額勘定に価値の減少額を記入しています。

当期に行われた仕訳は次のとおりです。

〈備品Aの売却時の仕訳〉

| | | | | | |
|---|---|---|---|---|---|
| 9/30 | (借) 減価償却累計額 | 270,000 | (貸) 備　　品 | 500,000 |
| | 減価償却費 | 45,000 | | |
| | 現金など | ××× | | |
| | 固定資産売却損 | ××× | | |

〈備品Cの取得時の仕訳〉

| | | | | |
|---|---|---|---|---|
| 12/ 1 | (借) 備　　品 | 400,000 | (貸) 現　　金 | 400,000 |

〈決算整理仕訳〉

| | | | | |
|---|---|---|---|---|
| 3/31 | (借) 減価償却費 | 78,000 | (貸) 減価償却累計額 | 78,000 |

決算日時点で保有している備品Bと備品Cの減価償却を行います。

決算整理後の減価償却費勘定の残高は損益勘定に振替えます。よって、(　14　)が損益、(　15　)が123,000とわかります。

決算整理後の備品勘定の残高と減価償却累計額勘定の残高は次期に繰越します。よって、(　4　)が700,000、(　7　)が145,500とわかります。

**復習しよう!**

×8年度の備品と減価償却累計額の次期繰越高は×9年度の前期繰越高となります。この×9年度の備品の前期繰越高は備品Bと備品Cの取得原価です。また、×9年度の減価償却累計額の前期繰越高は備品Bと備品Cの過年度(×8年度まで)の価値の減少額です。

応用　テキスト 第13章

# 69 繰越利益剰余金

## 解答

繰越利益剰余金

| | | | | | |
|---|---|---|---|---|---|
| 5/20 | 未払配当金 | ( 800,000) | 4/1 | 前期繰越 | ( 3,500,000) |
| 〃 | 利益準備金 | ( 80,000) | 3/31 | 損益 | ( 1,000,000) |
| 3/31 | 次期繰越 | ( 3,620,000) | | | |
| | | ( 4,500,000) | | | ( 4,500,000) |

## 解説

繰越利益剰余金勘定の１年間の流れを問う問題です。繰越利益剰余金勘定は、過去の利益のうち、まだ使い道がきまっていないものを集計する勘定です。前期繰越額のうち一部が配当財源となり、使い道が決まり、残高が減少します。その後、決算を迎え、当期純利益が使い道がまだ決まっていないものとして、新たに集計されます。

1.　開始記入

資産・負債・純資産は期末残高を次期に繰越し、翌期首に繰越額を用いて開始記入をします。繰越利益剰余金勘定は純資産の勘定であるため、４月１日に貸方に「前期繰越」と記入します。なお、前期繰越額は、繰越利益剰余金勘定の決算整理前残高が、貸方残高￥2,620,000であることに着目して金額を推定します。決算整理前残高は、前期繰越額から株主総会の決議により￥880,000減少した金額です。よって、以下の算式で繰越利益剰余金の前期繰越額を算定することができます。

前期繰越：￥2,620,000＋￥880,000＝￥3,500,000

2. 期中取引

5/20　株主総会の決議により、繰越利益剰余金の処分が承認されたので、使い道の決まった分だけ、繰越利益剰余金の減少として処理します。

| | | | |
|---|---|---|---|
| (借) 繰越利益剰余金 | 880,000 | (貸) 未払配当金 | 800,000 |
| | | 利益準備金 | 80,000 |

利益準備金は、銀行などの債権者のために、会社法という法律のルールに従って、お金をとっておくための勘定です。

3. 資本振替仕訳

3/31　収益・費用の決算整理後残高を損益振替により損益勘定へ振替えることで、損益勘定で当期純利益または当期純損失が算定できます。算定された当期純利益または当期純損失は、資本振替仕訳により損益勘定から繰越利益剰余金勘定へ振替えられます。本問では、当期純利益￥1,000,000を繰越利益剰余金勘定へ振替えます。

| | | | |
|---|---|---|---|
| (借) 損　　益 | 1,000,000 | (貸) 繰越利益剰余金 | 1,000,000 |

損益

| 借方 | 貸方 |
|---|---|
| 費用総額 7,000,000 | 収益総額 8,000,000 |
| 当期純利益 1,000,000 | |

繰越利益剰余金

| 借方 | 貸方 |
|---|---|
| 配当など 880,000 | 前期繰越 3,500,000 |
| | 当期純利益 1,000,000 |

4. 繰越記入

資産・負債・純資産は期末残高を次期に繰越します。

応用 テキスト 第7章

# 70 誤記帳の訂正



## 解答

| | 借方科目 | 金　　額 | 貸方科目 | 金　　額 |
|---|---|---|---|---|
| 1 | 前　受　金 | 60,000 | 売　掛　金 | 60,000 |
| 2 | 当座預金<br>売　掛　金 | 220,000<br>230,000 | 現　　　金<br>未収入金 | 220,000<br>230,000 |
| 3 | 減価償却累計額 | 540,000 | 固定資産売却損 | 540,000 |

## 解説

ここがポイント！

仕訳の誤りに気づいた場合は、誤った仕訳の逆仕訳を行ってこれを取消した後、改めて正しい仕訳を行います。仕訳の誤りを訂正するために行う２つの仕訳(①誤った仕訳の逆仕訳と②正しい仕訳)を合わせて、訂正仕訳と呼びます。

1.　手付金を受取った際に計上した前受金を取消します。

| | | | | | |
|---|---|---|---|---|---|
| ① | (借) | 売　　　上 | 350,000 | (貸) 売　掛　金 | 350,000 |
| ② | (借) | 前　受　金 | 60,000 | (貸) 売　　　上 | 350,000 |
| | | 売　掛　金 | 290,000 | | |

売上、売掛金を相殺し、訂正仕訳とします。

2.　自己振出小切手を受取ったときは、当座預金の増加として処理します。また、商品代金を受取る権利は売掛金で処理します。

| | | | | | | |
|---|---|---|---|---|---|---|
| ① | (借) | 売　　　上 | 450,000 | (貸) | 現　　　金 | 220,000 |
| | | | | | 未 収 入 金 | 230,000 |
| ② | (借) | 当 座 預 金 | 220,000 | (貸) | 売　　　上 | 450,000 |
| | | 売　掛　金 | 230,000 | | | |

売上を相殺し、訂正仕訳とします。

3.　減価償却累計額を取消します。

| | | | | | | |
|---|---|---|---|---|---|---|
| ① | (借) | 備　　　品 | 500,000 | (貸) | 現　　　金 | 150,000 |
| | | 減価償却累計額 | 270,000 | | 未 収 入 金 | 50,000 |
| | | | | | 固定資産売却損 | 570,000 |
| ② | (借) | 現　　　金 | 150,000 | (貸) | 備　　　品 | 500,000 |
| | | 未 収 入 金 | 50,000 | | | |
| | | 減価償却累計額 | 270,000 | | | |
| | | 固定資産売却損 | 30,000 | | | |

備品、現金、未収入金、固定資産売却損を相殺し、減価償却累計額を合算して訂正仕訳とします。

応用 テキスト 第15章

# 71 一部現金取引



## 解答

1.

| 出金伝票<br>×年×月×日 | |
|---|---|
| 科目 | 金額 |
| 仕入 | 11,000 |

| 振替伝票<br>×年×月×日 | | | |
|---|---|---|---|
| 借方科目 | 金額 | 貸方科目 | 金額 |
| **仕入** | 14,000 | **買掛金** | 14,000 |

2.

| 入金伝票<br>×年×月×日 | |
|---|---|
| 科目 | 金額 |
| **売掛金** | 27,000 |

| 振替伝票<br>×年×月×日 | | | |
|---|---|---|---|
| 借方科目 | 金額 | 貸方科目 | 金額 |
| **売掛金** | 36,000 | **売上** | 36,000 |

## 解　説

ここが
ポイント!

一部現金取引を３伝票制で起票する方法は２つあります。どちらの方法で起票しているのかを、解答用紙の伝票の記載済みのところから推定していきます。

1.　解答用紙の出金伝票に「仕入」とあるため、現金による仕入について出金伝票に記入されていることがわかります。よって、取引を「商品￥11,000を仕入れ、代金を現金で支払った。その後、商品￥14,000を仕入れ、代金を掛とした。」と読み替えて起票していることが判明します。仕訳で表すと次のとおりです。

| | | | | | |
|---|---|---|---|---|---|
| (借) | 仕　　入 | 11,000 | (貸) | 現　　金 | 11,000 |
| (借) | 仕　　入 | 14,000 | (貸) | 買 掛 金 | 14,000 |

上の仕訳を出金伝票に、下の仕訳を振替伝票に記入します。

仮に「商品￥25,000を仕入れ、代金を掛とした。その後、買掛金のうち￥11,000を現金で支払った。」と読み替えていたとすると、
出金伝票には「買掛金」と記入されているはずです。

2.　解答用紙の振替伝票に「36,000」とあります。￥36,000は商品の売価の総額であるため、すべて掛で売上げたものとして振替伝票に記入されていることがわかります。よって、取引を「商品￥36,000を売上げ、代金を掛とした。その後、売掛金のうち￥27,000を現金で回収した。」と読み替えて起票していることが判明します。仕訳で表すと次のとおりです。

| | | | | | |
|---|---|---|---|---|---|
| (借) | 売 掛 金 | 36,000 | (貸) | 売　　上 | 36,000 |
| (借) | 現　　金 | 27,000 | (貸) | 売 掛 金 | 27,000 |

上の仕訳を振替伝票に、下の仕訳を入金伝票に記入します。

仮に「商品￥27,000を売上げ、代金を現金で受取った。その後、商品￥9,000を売上げ、代金を掛とした。」と読み替えていたとすると、
振替伝票には「9,000」と記入されているはずです。

**⚠ここに注意！**

3伝票制での処理方法を伝票の記入内容から判定させる場合のポイント

① 入金・出金伝票の科目欄が売上・仕入　⇒　取引を分解

② 入金・出金伝票の科目欄が売掛金・買掛金　⇒　いったんすべて掛け取引

③ 振替伝票の金額欄に取引総額を記入　⇒　いったんすべて掛け取引

応用  テキスト 第15章

# 72 伝票会計のまとめ

## 解答

仕 訳 日 計 表

×2年9月1日　　1

| 借　方 | 元丁 | 勘定科目 | 元丁 | 貸　方 |
|---|---|---|---|---|
| 67,000 | | 現　　金 | | 49,600 |
| 10,000 | | 当座預金 | | 35,000 |
| | | 受取手形 | | 10,000 |
| 92,000 | | 売掛金 | | 38,300 |
| 15,000 | | 支払手形 | | 15,000 |
| 55,400 | 7 | 買掛金 | 7 | 39,000 |
| 30,000 | | 借入金 | | 30,000 |
| 1,300 | | 売　　上 | | 92,000 |
| 39,000 | | 仕　　入 | | 1,400 |
| 600 | | 支払利息 | | |
| 310,300 | | | | 310,300 |

総 勘 定 元 帳

買 掛 金　　7

| ×2年 | | 摘　要 | 仕丁 | 借　方 | 貸　方 | 借/貸 | 残　高 |
|---|---|---|---|---|---|---|---|
| 9 | 1 | 前月繰越 | ✓ | | 60,000 | 貸 | 60,000 |
| | 〃 | 仕訳日計表 | 1 | | 39,000 | 〃 | 99,000 |
| | 〃 | 〃 | 〃 | 55,400 | | 〃 | 43,600 |

仕 入 先 元 帳

福 井 商 店

| ×2年 | | 摘　要 | 仕丁 | 借　方 | 貸　方 | 借/貸 | 残　高 |
|---|---|---|---|---|---|---|---|
| 9 | 1 | 前月繰越 | ✓ | | 24,000 | 貸 | 24,000 |
| | 〃 | 出金伝票 | No.201 | 19,000 | | 〃 | 5,000 |
| | 〃 | 振替伝票 | No.301 | | 21,000 | 〃 | 26,000 |
| | 〃 | 〃 | No.303 | 1,400 | | 〃 | 24,600 |

滋　賀　商　店

| ×2年 | | 摘　要 | 仕丁 | 借　方 | 貸　方 | 借/貸 | 残　高 |
|---|---|---|---|---|---|---|---|
| 9 | 1 | 前月繰越 | ✓ | | 36,000 | 貸 | 36,000 |
| | 〃 | **振替伝票** | **No.302** | | **18,000** | 〃 | **54,000** |
| | 〃 | 〃 | **No.304** | **20,000** | | 〃 | **34,000** |
| | 〃 | 〃 | **No.305** | **15,000** | | 〃 | **19,000** |

## 解　説

伝票から仕訳日計表を作成し、仕訳日計表から総勘定元帳へ合計転記するとともに、伝票から直接、仕入先元帳へ個別転記します。
転記は、すべて同じ日付なので、順番が異なっていても正解になります。

## STEP 1 仕訳日計表を作成します。

当日の取引を仕訳して集計します。

| | | | | | |
|---|---|---|---|---|---|
| (借) | 現　　　金 | 15,000 | (貸) | 売掛金(山口) | 15,000 |
| (借) | 現　　　金 | 22,000 | (貸) | 売掛金(島根) | 22,000 |
| (借) | 現　　　金 | 30,000 | (貸) | 借　入　金 | 30,000 |
| (借) | 買掛金(福井) | 19,000 | (貸) | 現　　　金 | 19,000 |
| (借) | 借　入　金 | 30,000 | (貸) | 現　　　金 | 30,000 |
| (借) | 支払利息 | 600 | (貸) | 現　　　金 | 600 |
| (借) | 仕　　　入 | 21,000 | (貸) | 買掛金(福井) | 21,000 |
| (借) | 仕　　　入 | 18,000 | (貸) | 買掛金(滋賀) | 18,000 |
| (借) | 買掛金(福井) | 1,400 | (貸) | 仕　　　入 | 1,400 |
| (借) | 買掛金(滋賀) | 20,000 | (貸) | 当座預金 | 20,000 |
| (借) | 買掛金(滋賀) | 15,000 | (貸) | 支払手形 | 15,000 |
| (借) | 売掛金(山口) | 42,000 | (貸) | 売　　　上 | 42,000 |
| (借) | 売掛金(島根) | 50,000 | (貸) | 売　　　上 | 50,000 |
| (借) | 売　　　上 | 1,300 | (貸) | 売掛金(島根) | 1,300 |
| (借) | 当座預金 | 10,000 | (貸) | 受取手形 | 10,000 |
| (借) | 支払手形 | 15,000 | (貸) | 当座預金 | 15,000 |

**STEP 2 仕訳日計表から総勘定元帳の各勘定へ転記します。**

仕訳日計表の買掛金勘定の金額を、買掛金勘定へ転記します。

総勘定元帳への転記は、仕訳日計表から勘定元帳の各勘定へ合計転記します。したがって、各勘定の摘要欄には、転記元として「仕訳日計表」と記入します。また、仕訳日計表の元丁欄に転記先の勘定の番号が、各勘定の仕丁欄に転記元の仕訳日計表の頁数が記入されます。

買掛金勘定の摘要欄には、「仕訳日計表」と記入します。

**STEP 3 伝票から、買掛金の増減を把握し、仕入先元帳へ転記します。**

福井商店に対する買掛金の増減を仕入先元帳の福井商店に、滋賀商店に対する買掛金の増減を仕入先元帳の滋賀商店に記入します。

仕入先元帳・得意先元帳へは、伝票から直接、個別転記します。したがって、各商店の摘要欄には「伝票の種類」が、仕丁欄には「伝票の番号」が記入されます。

仕丁欄には、「201」のように、伝票の番号のみを記入してもよいです。

**復習しよう!**

転記時の注意点を確認しておきましょう。

総勘定元帳の摘要欄には、転記元として「仕訳日計表」と記入します。一方、仕入先元帳・得意先元帳の摘要欄には、「伝票の種類」を記入します。また、仕丁欄には「伝票の番号」を記入します。

応用　テキスト 第1～15章

# 73 文章の穴埋め



## 解答

| ① | ② | ③ | ④ | ⑤ |
|---|---|---|---|---|
| 損益計算書 | 貸借対照表 | 貸借平均の原理 | 売掛金 | 補助元帳 |
| ⑥ | ⑦ | ⑧ | ⑨ | ⑩ |
| てん末 | 減価償却累計額 | 評価 | 繰越利益剰余金 | A社 |

## 解説

帳簿や会計処理などに関する文章の穴埋め問題です。簿記に関する基本的な用語などの理解が問われています。どの設問の空欄も重要な内容です。可能な限り、語群がなくても解答できるようになりましょう。

ア．　財務諸表には、一企業における一定期間の経営成績を示す損益計算書と、一定時点の財政状態を示す貸借対照表があります。

イ．　借方と貸方の合計が常に一致するという原理を、貸借平均の原理といいます。

ウ．　補助簿には、特定の取引の明細を記録する補助記入帳と、特定の勘定または事柄を記録する補助元帳の2種類があります。補助元帳には、得意先元帳・仕入先元帳・商品有高帳・固定資産台帳があります。

得意先元帳は、得意先ごとの売掛金の増減や残高を把握する補助簿であり、売掛金元帳ともいいます。なお、これに対して、仕入先元帳は、仕入先ごとの買掛金の増減や残高を把握する補助簿であり、買掛金元帳ともいいます。

エ．　手形記入帳のてん末欄は、手形債権や手形債務が消滅した場合に記入します。そのため、受取手形記入帳のてん末欄は、受取手形を減少させる場合に記入をします。

オ.　備品に対する減価償却累計額は、備品が減価した金額の累計額を意味します。減価償却累計額を備品の取得原価から控除することで、備品の期末における帳簿価額を評価することができます。そのため、減価償却累計額は、評価勘定と呼ばれます。

**復習しよう!**

売上債権(受取手形・売掛金など)に対して設定された貸倒引当金は、売上債権の期末残高のうち翌期中に回収ができないと見込まれる金額を意味します。この貸倒引当金を売上債権の期末残高から控除することで、売上債権の期末残高のうち、翌期中に回収が可能だと見込まれる金額を評価することができます。そのため、貸倒引当金も評価勘定と呼ばれます。

カ.　決算整理仕訳の後、損益振替仕訳により、収益・費用の各勘定残高が損益勘定に振替えられます。損益勘定が貸方残高となるとき、その残高は当期純利益を意味します。そして、この当期純利益は、損益勘定から繰越利益剰余金勘定へ振替えられます。

キ. 売上原価は、「期首商品棚卸高＋当期商品仕入高－期末商品棚卸高」により算出できます。商品の期首商品棚卸高と当期商品仕入高が同額の場合、期末商品棚卸高が多額な方が売上原価は少額となります。

**ここに注意!**

売上総利益は、「売上高－売上原価」で求めます。そのため、売上高、期首商品棚卸高、当期商品仕入高の３つが一定であれば、期末商品棚卸高が大きい方が売上原価が小さくなるので、期末商品棚卸高が大きくなると売上総利益は増加します。

応用 テキスト 第１～15章

# 74 第１問対策



## 解答

| | 借方科目 | 金額 | 貸方科目 | 金額 |
|---|---|---|---|---|
| 1 | オ | 302,000 | ウ | 300,000 |
| | | | ア | 2,000 |
| | | | | |
| | | | | |
| 2 | ウ | 505,000 | オ | 505,000 |
| | カ | 5,000 | エ | 5,000 |
| | | | | |
| | | | | |
| 3 | ウ | 145,500 | オ | 150,000 |
| | カ | 4,500 | | |
| | | | | |
| | | | | |
| 4 | エ | 10,000 | カ | 35,000 |
| | ア | 28,500 | オ | 3,500 |
| | | | | |
| | | | | |
| 5 | ウ | 600,000 | エ | 600,000 |
| | | | | |
| | | | | |
| | | | | |

| | 借方科目 | 金額 | 貸方科目 | 金額 |
|---|---|---|---|---|
| 6 | ア | 399,300 | ウ | 400,000 |
| | カ | 700 | | |
| | | | | |
| | | | | |
| 7 | カ | 315,000 | ウ | 340,200 |
| | イ | 25,200 | | |
| | | | | |
| | | | | |
| 8 | オ | 800,000 | ウ | 65,000 |
| | | | エ | 120,000 |
| | | | ア | 615,000 |
| | | | | |
| 9 | ウ | 4,000,000 | イ | 6,000,000 |
| | カ | 2,000,000 | | |
| | | | | |
| | | | | |
| 10 | オ | 85,000 | エ | 85,000 |
| | | | | |
| | | | | |
| | | | | |
| 11 | ウ | 1,800,000 | イ | 2,880,000 |
| | ア | 800,000 | | |
| | カ | 280,000 | | |
| | | | | |

| | 借方科目 | 金額 | 貸方科目 | 金額 |
|---|---|---|---|---|
| 12 | オ | 180,000 | イ | 720,000 |
| | エ | 360,000 | | |
| | カ | 180,000 | | |
| | | | | |
| 13 | イ | 3,000,000 | オ | 3,000,000 |
| | | | | |
| | | | | |
| | | | | |
| 14 | カ | 4,950,000 | ウ | 4,500,000 |
| | | | オ | 450,000 |
| | | | | |
| | | | | |
| 15 | ウ | 700,000 | カ | 700,000 |
| | | | | |
| | | | | |
| | | | | |

## 解　説

第１問では、基本から標準レベルの仕訳が15題出題されます。早くかつ正確に解答できる仕訳力が必要です。また、借方・貸方のそれぞれで同じ勘定科目は２回以上使ってはいけないルールで採点が行われます。

1. 仕入諸掛

負担者の明記されていない諸掛は当社負担と考えます。本問では、当社負担の仕入諸掛となるので、仕入原価に加算する処理をします。

| (借) | 仕入 | 302,000 | (貸) | 買掛金 | 300,000 |
|---|---|---|---|---|---|
| | | | | 現金 | 2,000 |

2. 売上諸掛

先方が負担する売上諸掛を支払った場合には、これを売上の金額に含めた上で、発送費や支払運賃として費用計上もします。これにより、実質的に、先方が負担していることにできます。また、売上諸掛を後日支払うため、未払金を計上します。

| (借) | 売掛金 | 505,000 | (貸) | 売上 | 505,000 |
|---|---|---|---|---|---|
| | 発送費 | 5,000 | | 未払金 | 5,000 |

3. クレジット売掛金

信販会社から受取る金額は信販会社への手数料が差引かれた金額になります。信販会社への手数料は、支払手数料で処理します。

| (借) | クレジット売掛金 | 145,500 | (貸) | 売上 | 150,000 |
|---|---|---|---|---|---|
| | 支払手数料 | 4,500 | | | |

支払手数料：¥150,000×３％＝¥4,500

4. 商品の売上・受取商品券

売上を税抜価格で計上し、消費税部分は仮受消費税で処理します。また、商品券を受取ったときは受取商品券で処理します。

| (借) | 受取商品券 | 10,000 | (貸) | 売上 | 35,000 |
|---|---|---|---|---|---|
| | 現金 | 28,500 | | 仮受消費税 | 3,500 |

売上：$¥38,500 \times \frac{100}{110} = ¥35,000$

仮受消費税：¥35,000×10％＝¥3,500

5. 電子記録債務

電子記録債務の発生記録が行われたため、電子記録債務の増加として処理します。

| | | | | |
|---|---|---|---|---|
| (借) | 買掛金 | 600,000 | (貸) 電子記録債務 | 600,000 |

6. 売掛金の回収

売掛金の回収にあたり、当社の負担する振込手数料分少ない金額が振込まれています。そのため、売掛金と入金額との差額を支払手数料で処理します。

| | | | | |
|---|---|---|---|---|
| (借) | 当座預金 | 399,300 | (貸) 売掛金 | 400,000 |
| | 支払手数料 | 700 | | |

7. 証ひょうの読取り・仕入

商品Ａと商品Ｂの金額(税抜価格)を仕入で処理します。また、消費税の金額を仮払消費税で処理します。なお、軽減税率の対象となっているため、税抜価格に８％を掛けた金額が消費税の金額になっています。

| | | | | |
|---|---|---|---|---|
| (借) | 仕入 | 315,000 | (貸) 買掛金 | 340,200 |
| | 仮払消費税 | 25,200 | | |

8. 給料の支払い

給料の支給総額をもって給料を計上します。また、所得税の源泉徴収額は所得税預り金で、社会保険料(健康保険と厚生年金保険の保険料)の従業員負担分は社会保険料預り金で処理します。

| | | | | |
|---|---|---|---|---|
| (借) | 給料 | 800,000 | (貸) 所得税預り金 | 65,000 |
| | | | 社会保険料預り金 | 120,000 |
| | | | 普通預金 | 615,000 |

9.　有形固定資産の修繕

建物の修繕代金の中に建物という資産の価値の増加分があるときは、資産の増加としてその支出額を取得原価に加えます。また、修繕費は、老朽化した部分を修繕して元の状態に戻すなど、メンテナンス的な費用を意味します。

| | | | | | |
|---|---|---|---|---|---|
| (借) | 建　　　物 | 4,000,000 | (貸) | 当 座 預 金 | 6,000,000 |
| | 修　繕　費 | 2,000,000 | | | |

**ここに注意！**

**修繕をした有形固定資産の取得原価に加算する支出のことを資本的支出といいますが、例えば、次のような支出は資本的支出に該当します。**
**資本的支出の例：改良、建物の耐震構造強化のための支出**
**耐用年数延長の効果がある支出**

10.　月次決算・減価償却

月次決算を行っている場合、減価償却費を毎月計上します。そのため、1年分の減価償却費を求めたあと、1ヵ月分の減価償却費を計算して仕訳します。

| | | | | | |
|---|---|---|---|---|---|
| (借) | 減 価 償 却 費 | 85,000 | (貸) | 減価償却累計額 | 85,000 |

1年分の減価償却費：(￥51,000,000－￥0)÷50年＝￥1,020,000
月次決算分：￥1,020,000÷12ヵ月＝￥85,000

11.　車両の売却

売却代金と売却時の帳簿価額との差額を固定資産売却損益とします。

| | | | | | |
|---|---|---|---|---|---|
| (借) | 車両減価償却累計額 | 1,800,000 | (貸) | 車　　　両 | 2,880,000 |
| | 未 収 入 金 | 800,000 | | | |
| | 固定資産売却損 | 280,000 | | | |

期首減価償却累計額：(￥2,880,000－￥0)÷8年×5年＝￥1,800,000
売却時点における帳簿価額：￥2,880,000－￥1,800,000＝￥1,080,000
売却損益：￥800,000－￥1,080,000＝△￥280,000 (売却損)

12．賃貸借契約と差入保証金

オフィスビルの賃貸借契約に際して支払った家賃部分は支払家賃で処理します。また、敷金は差入保証金で、不動産会社への仲介手数料は支払手数料で処理します。

| | | | | |
|---|---|---|---|---|
| (借) 支払家賃 | 180,000 | (貸) 普通預金 | 720,000 |
| 差入保証金 | 360,000 | | |
| 支払手数料 | 180,000 | | |

13．株式の発行

会社の設立時や増資時に株式を発行した場合には、払込金額を資本金の増加として処理します。

| | | | |
|---|---|---|---|
| (借) 当座預金 | 3,000,000 | (貸) 資本金 | 3,000,000 |

資本金：@￥3,000×1,000株＝￥3,000,000

14．剰余金の配当等

決議された配当金は、後日、株主に支払われるため未払配当金で処理します。また、配当金の10分の１を基本として利益準備金を積立てます。そのため、積立てる分だけ、利益準備金を増加させます。また、配当等で使い道の決まった分だけ、繰越利益剰余金を減少させます。

| | | | |
|---|---|---|---|
| (借) 繰越利益剰余金 | 4,950,000 | (貸) 未払配当金 | 4,500,000 |
| | | 利益準備金 | 450,000 |

15．資本振替

損益振替が終わった後の損益勘定の残高は、当期純利益または当期純損失を意味します。この損益勘定の残高を繰越利益剰余金勘定へ振替えます。なお、本問では、損益勘定が借方残高で￥700,000となるので、当期純損失のパターンです。

当期純損失のときは、損益勘定の借方残高を繰越利益剰余金勘定の借方に振替える仕訳をします。

| | | | |
|---|---|---|---|
| (借) 繰越利益剰余金 | 700,000 | (貸) 損益 | 700,000 |

損益勘定の残高：費用総額－収益総額
＝￥7,000,000－￥6,300,000
＝￥700,000（借方残高＝当期純損失）

応用 テキスト

# 75 第２問対策



## 解　答

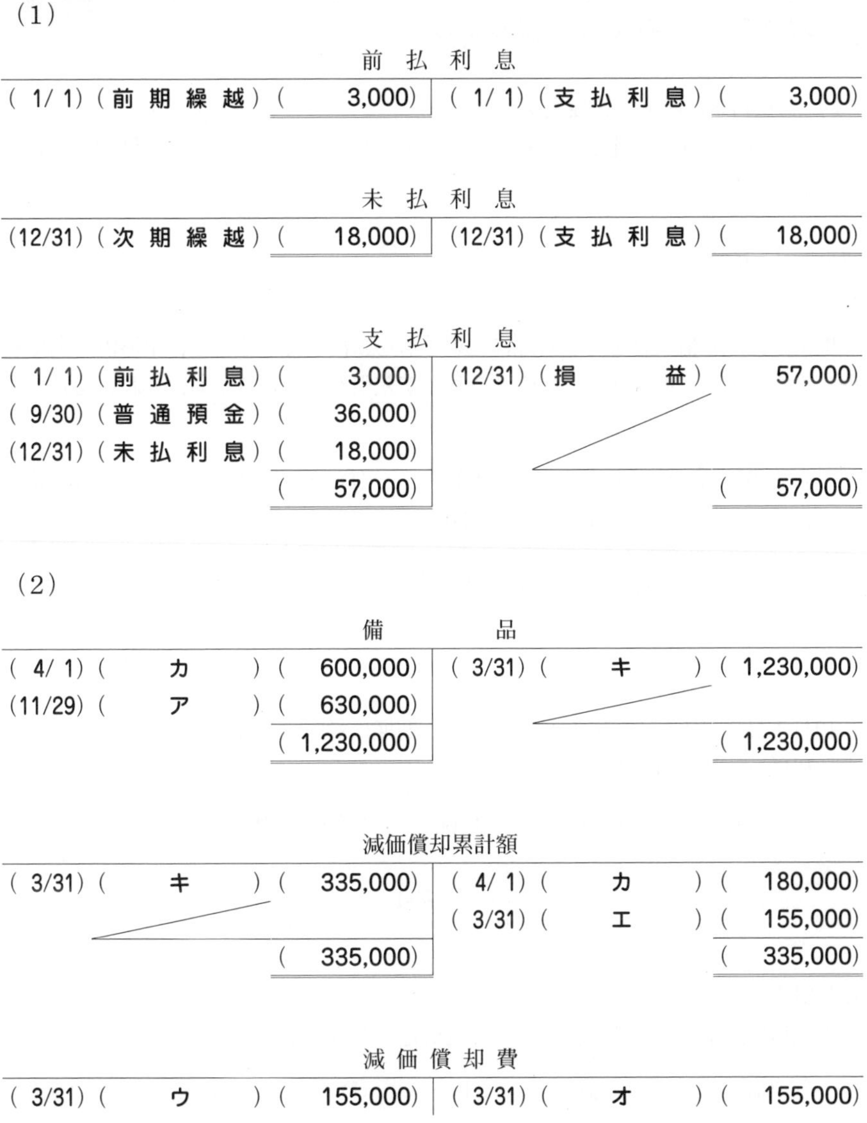

（1）

前　払　利　息

| 日付 | 摘要 | 金額 | 日付 | 摘要 | 金額 |
|---|---|---|---|---|---|
| (1/ 1) | (前期繰越) | (3,000) | (1/ 1) | (支払利息) | (3,000) |

未　払　利　息

| 日付 | 摘要 | 金額 | 日付 | 摘要 | 金額 |
|---|---|---|---|---|---|
| (12/31) | (次期繰越) | (18,000) | (12/31) | (支払利息) | (18,000) |

支　払　利　息

| 日付 | 摘要 | 金額 | 日付 | 摘要 | 金額 |
|---|---|---|---|---|---|
| (1/ 1) | (前払利息) | (3,000) | (12/31) | (損　益) | (57,000) |
| (9/30) | (普通預金) | (36,000) | | | |
| (12/31) | (未払利息) | (18,000) | | | |
| | | (57,000) | | | (57,000) |

（2）

備　　品

| 日付 | 摘要 | 金額 | 日付 | 摘要 | 金額 |
|---|---|---|---|---|---|
| (4/ 1) | (カ) | (600,000) | (3/31) | (キ) | (1,230,000) |
| (11/29) | (ア) | (630,000) | | | |
| | | (1,230,000) | | | (1,230,000) |

減価償却累計額

| 日付 | 摘要 | 金額 | 日付 | 摘要 | 金額 |
|---|---|---|---|---|---|
| (3/31) | (キ) | (335,000) | (4/ 1) | (カ) | (180,000) |
| | | | (3/31) | (エ) | (155,000) |
| | | (335,000) | | | (335,000) |

減　価　償　却　費

| 日付 | 摘要 | 金額 | 日付 | 摘要 | 金額 |
|---|---|---|---|---|---|
| (3/31) | (ウ) | (155,000) | (3/31) | (オ) | (155,000) |

## 解　説

ここがポイント！ 第2問では、勘定記入や補助簿に関する問題を中心にして、2題出題されます。勘定記入の問題については、1年間の記帳の流れを理解しているかが問われます。特に、決算整理後に行う帳簿の締切りの手順をしっかりと理解するようにしましょう。

（1）支払利息に関する勘定記入

支払利息に関する勘定記入の問題です。20×3年度分について、日付順に、各勘定へ記入をします。

〔20×2年度〕

10月1日　手形による借入れ

取引銀行から借入れを行った際に約束手形を振出しているため、手形借入金で処理します。また、借入期間に対応する利息が差引かれているため、これを支払利息で処理します。

| | | | | |
|---|---|---|---|---|
| (借) | 普通預金 | 594,000 | (貸) 手形借入金 | 600,000 |
| | 支払利息 | 6,000 | | |

$$支払利息：¥600,000 \times 2\% \times \frac{6ヵ月}{12ヵ月} = ¥6,000$$

12月31日　決算整理

10月1日に計上した支払利息の中には、翌期に対応する分が含まれているため、支払利息の前払いの処理をします。

| | | | | |
|---|---|---|---|---|
| (借) | 前払利息 | 3,000 | (貸) 支払利息 | 3,000 |

$$前払利息：¥6,000 \times \frac{3ヵ月}{6ヵ月} = ¥3,000$$

12月31日　損益振替

支払利息勘定の決算整理後残高を損益勘定へ振替えます。

| | | | | |
|---|---|---|---|---|
| (借) | 損　　益 | 3,000 | (貸) 支払利息 | 3,000 |

12月31日　勘定の締切り

資産・負債・純資産(資本)の勘定の期末残高を次期に繰越します。前払利息勘定の決算整理後残高は借方残高￥3,000であるため、貸方に「次期繰越　3,000」の記入をします。

〔20×3年度〕

1月1日　開始記入

前払利息勘定の前期末残高にもとづいて、借方に「前期繰越　3,000」の記入をします。

1月1日　再振替仕訳

前期末に行った支払利息の前払いの処理にもとづいて、再振替仕訳をします。

| | | | | |
|---|---|---|---|---|
| (借) | 支払利息 | 3,000 | (貸) 前払利息 | 3,000 |

3月31日　手形借入金の返済

借入金の満期日となり、振出していた約束手形が決済され、当座預金口座から借入金の返済がされています。

| | | | | |
|---|---|---|---|---|
| (借) | 手形借入金 | 600,000 | (貸) 当座預金 | 600,000 |

4月1日　借入れ

取引銀行から借入れを行い、普通預金口座に入金されています。

| | | | | |
|---|---|---|---|---|
| (借) | 普通預金 | 3,000,000 | (貸) 借入金 | 3,000,000 |

9月30日　利息の支払い

借入金の利払日となり、6ヵ月分の利息を普通預金口座から支払っています。

| | | | | |
|---|---|---|---|---|
| (借) | 支払利息 | 36,000 | (貸) 普通預金 | 36,000 |

支払利息：$￥3,000,000 \times 2.4\% \times \frac{6ヵ月}{12ヵ月} = ￥36,000$

12月31日　決算整理

10月から12月までの３ヵ月分の支払利息が未払いとなっています。よって、支払利息の未払計上をします。

| (借) 支払利息 | 18,000 | (貸) 未払利息 | 18,000 |
|---|---|---|---|

支払利息：$¥3,000,000 \times 2.4\% \times \frac{3ヵ月}{12ヵ月} = ¥18,000$

12月31日　損益振替

支払利息勘定の決算整理後残高を損益勘定へ振替えます。

| (借) 損　　益 | 57,000 | (貸) 支払利息 | 57,000 |
|---|---|---|---|

12月31日　勘定の締切り

資産・負債・純資産(資本)の勘定の期末残高を次期に繰越します。未払利息勘定の決算整理後残高は貸方残高¥18,000であるため、借方に「次期繰越　18,000」の記入をします。

（２）固定資産台帳と勘定記入

固定資産台帳を読取り、勘定へ記入する問題です。備品取得年度の減価償却費を計算する際、取得日と使用開始日が異なる場合には、使用開始日から期末までの期間にもとづいて月割計算します。

４月１日　開始記入

備品勘定と減価償却累計額勘定の前期末残高にもとづいて、「前期繰越」の記入をします。

備品勘定は、備品Ａの取得価額¥600,000にもとづいて記入します。また、減価償却累計額勘定は、備品Ａの期首減価償却累計額¥180,000にもとづいて記入します。なお、期首減価償却累計額は、以下のようになります。

①　×1年度分の減価償却費

使用開始日が10月３日のため、10月から３月までの６ヵ月分を償却します。

償却額：$(¥600,000 - ¥0) \div 5年 \times \frac{6ヵ月}{12ヵ月} = ¥60,000$

② ×2 年度分の減価償却費

１年分の減価償却費を計算します。

償却額：(￥600,000－￥０)÷５年＝￥120,000

③ ×3 年度の期首減価償却累計額

期首減価償却累計額：￥60,000＋￥120,000＝￥180,000

３月31日　決算整理

備品Ａと備品Ｂの減価償却を行います。備品Ｂについては、使用開始日が12月２日なので、期末日までの４ヵ月分を償却します。

| | | | | |
|---|---|---|---|---|
| (借) | 減価償却費 | 155,000 | (貸) 減価償却累計額 | 155,000 |

備品Ａ：(￥600,000－￥０)÷５年＝￥120,000

備品Ｂ：(￥630,000－￥０)÷６年×$\frac{4ヵ月}{12ヵ月}$＝￥35,000

合計：￥120,000＋￥35,000＝￥155,000

３月31日　損益振替

減価償却費勘定の決算整理後残高を損益勘定へ振替えます。

| | | | | |
|---|---|---|---|---|
| (借) | 損　　益 | 155,000 | (貸) 減価償却費 | 155,000 |

３月31日　勘定の締切り

備品勘定と減価償却累計額勘定の期末残高にもとづいて、「次期繰越」の記入をします。

応用  テキスト

# 76 第3問対策

## 解答

（問1）

決算整理後残高試算表

×6年3月31日 （単位：円）

| 借方科目 | 金額 | 貸方科目 | 金額 |
|---|---|---|---|
| 現金 | 31,000 | 買掛金 | 400,000 |
| 普通預金 | 4,000,000 | 当座借越 | 80,000 |
| 売掛金 | 650,000 | （**未払**）給料 | 12,000 |
| 繰越商品 | 33,000 | 未払消費税 | 200,000 |
| 貯蔵品 | 1,000 | 未払法人税等 | 102,600 |
| （**前払**）家賃 | 21,000 | 貸倒引当金 | 13,000 |
| （**未収**）手数料 | 14,000 | 減価償却累計額 | 150,000 |
| 備品 | 300,000 | 資本金 | 1,000,000 |
| 売上原価 | 5,011,000 | 繰越利益剰余金 | 2,643,000 |
| 給料 | 900,000 | 売上 | 7,000,000 |
| 支払家賃 | 252,000 | 受取手数料 | 199,500 |
| 租税公課 | 13,000 | 雑益 | 300 |
| 貸倒引当金繰入 | 10,000 | | |
| 減価償却費 | 50,000 | | |
| その他費用 | 321,800 | | |
| 法人税等 | 192,600 | | |
| | 11,800,400 | | 11,800,400 |

（問2）

繰越利益剰余金の貸借対照表価額 3,092,400 円

## 解　説

ここが ポイント！

第3問は決算に関する問題が出題されます。決算整理後残高試算表と財務諸表との関係性を確認しておきましょう。繰越利益剰余金勘定については、決算整理の後に行われる資本振替により残高が増減するため、決算整理後残高に当期純利益または当期純損失を加減算した金額が、貸借対照表価額となります。



決算整理後残高試算表の作成と貸借対照表に記載する繰越利益剰余金の金額を求める問題です。

（問１）決算整理後残高試算表の作成

決算整理事項等は以下のとおりです。

［Ⅱ］決算整理事項等

1.　現金過不足

現金過不足のうち、手数料を受取った際の未記帳分は、受取手数料を計上します。残額は期末になっても原因が判明しない分です。これは、雑益または雑損に振替えます。

| | | | | | |
|---|---|---|---|---|---|
| (借) | 現金過不足 | 800 | (貸) | 受取手数料 | 500 |
| | | | | 雑　　益 | 300 |

2.　当座借越

当座預金勘定の決算整理前残高が貸方残高となっているため、銀行に対して借入金があると考えます。この場合、当座預金の残高を、当座借越または借入金へ振替えます。本問では、解答用紙の決算整理後残高試算表に当座借越が記載されているため、当座借越へ振替えます。

| | | | | | |
|---|---|---|---|---|---|
| (借) | 当座預金 | 80,000 | (貸) | 当座借越 | 80,000 |

3.　貯蔵品

租税公課として計上してある収入印紙について未使用分がある場合は、収入印紙の換金性に着目して、貯蔵品という資産があると考えます。そこで、未使用分を租税公課から貯蔵品へ振替えます。

| | | | | |
|---|---|---|---|---|
| (借) | 貯　蔵　品 | 1,000 | (貸) 租税公課 | 1,000 |

4.　貸倒引当金の設定

貸倒見積額と貸倒引当金の決算整理前残高との差額を貸倒引当金繰入として費用計上します。

| | | | | |
|---|---|---|---|---|
| (借) | 貸倒引当金繰入 | 10,000 | (貸) 貸倒引当金 | 10,000 |

貸倒見積額：¥650,000×２％＝¥13,000
繰入額：¥13,000－¥3,000＝¥10,000

5.　売上原価の算定

売上原価を売上原価勘定で算定するため、売上原価という費用の勘定の決算整理後残高が売上原価となるように仕訳します。まず、期首商品棚卸高を繰越商品から売上原価へ振替えます。次に、当期商品仕入高を仕入から売上原価へ振替えます。そして、最後に、期末商品棚卸高を売上原価から繰越商品へ振替えます。

| | | | | |
|---|---|---|---|---|
| (借) | 売上原価 | 44,000 | (貸) 繰越商品 | 44,000 |
| | 売上原価 | 5,000,000 | 仕　　入 | 5,000,000 |
| | 繰越商品 | 33,000 | 売上原価 | 33,000 |

＜比較＞

売上原価を「売上原価勘定で計算する場合」と「仕入勘定で計算する場合」を比較すると以下のようになります。

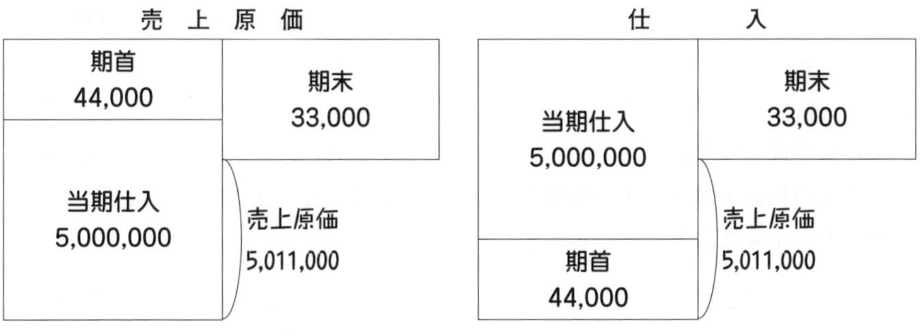


6. 備品の減価償却

定額法により、備品の減価償却をします。

| | | | |
|---|---|---|---|
| (借) 減価償却費 | 50,000 | (貸) 減価償却累計額 | 50,000 |

減価償却費：(￥300,000－￥０)÷６年＝￥50,000

7. 支払家賃の前払い

翌期４月分の家賃は、当期の支払家賃の集計から除く処理をします。

| | | | |
|---|---|---|---|
| (借) 前払家賃 | 21,000 | (貸) 支払家賃 | 21,000 |

8. 給料の未払い

翌期に支払う給料のうち当期分は、当期の給料の集計に含める処理をします。

| | | | |
|---|---|---|---|
| (借) 給料 | 12,000 | (貸) 未払給料 | 12,000 |

9. 受取手数料の未収

翌期に受取る手数料のうち当期分は、当期の受取手数料の集計に含める処理をします。

| | | | |
|---|---|---|---|
| (借) 未収手数料 | 14,000 | (貸) 受取手数料 | 14,000 |

10. 消費税

仮受消費税と仮払消費税との差額を未払消費税とします。

| | | | |
|---|---|---|---|
| (借) 仮受消費税 | 700,000 | (貸) 仮払消費税 | 500,000 |
| | | 未払消費税 | 200,000 |

11. 法人税等

決算整理後残高試算表に記入した収益の合計と費用の合計との差額により税引前当期純利益を求め、法人税等を計算します。そして、法人税等と仮払法人税等との差額を未払法人税等とします。

| | | | |
|---|---|---|---|
| (借) 法人税等 | 192,600 | (貸) 仮払法人税等 | 90,000 |
| | | 未払法人税等 | 102,600 |

税引前当期純利益：収益合計－費用合計

＝￥7,199,800－￥6,557,800＝￥642,000

法人税等：税引前当期純利益×30％＝￥642,000×30％＝￥192,600

未払法人税等：￥192,600－￥90,000＝￥102,600

（問２）繰越利益剰余金の貸借対照表価額

貸借対照表に記載する繰越利益剰余金の金額を求めます。繰越利益剰余金の期末残高は、決算整理後残高に資本振替により損益勘定から振替えられる金額を考慮した金額になります。

1. 損益振替

収益と費用の各勘定の決算整理後残高を損益勘定へ振替えます。

| | 借方科目 | 金額 | | 貸方科目 | 金額 |
|---|---|---|---|---|---|
| （借） | 売上 | 7,000,000 | （貸） | 損益 | 7,199,800 |
| | 受取手数料 | 199,500 | | | |
| | 雑益 | 300 | | | |
| | 損益 | 6,750,400 | | 売上原価 | 5,011,000 |
| | | | | 給料 | 900,000 |
| | | | | 支払家賃 | 252,000 |
| | | | | 租税公課 | 13,000 |
| | | | | 貸倒引当金繰入 | 10,000 |
| | | | | 減価償却費 | 50,000 |
| | | | | その他費用 | 321,800 |
| | | | | 法人税等 | 192,600 |

2. 資本振替

損益振替後の損益勘定の残高は、当期純利益または当期純損失を意味します。本問では貸方残高で￥449,400となるので、当期純利益が￥449,400あるということになります。この当期純利益を繰越利益剰余金勘定へ振替えます。

| | 借方科目 | 金額 | | 貸方科目 | 金額 |
|---|---|---|---|---|---|
| （借） | 損益 | 449,400 | （貸） | 繰越利益剰余金 | 449,400 |

資本振替後の繰越利益剰余金勘定の残高が、貸借対照表価額になります。本問では当期純利益なので、繰越利益剰余金の決算整理後残高に当期純利益を加算することになります。

貸借対照表価額：決算整理後残高＋当期純利益
＝￥2,643,000＋￥449,400＝￥3,092,400

日商簿記3級 光速マスターNEO 問題集〈第6版〉

2015年6月5日　第1版　第1刷発行
2022年3月30日　第6版　第1刷発行
2024年3月25日　　　　第3刷発行

著　者●株式会社　東京リーガルマインド
LEC総合研究所　日商簿記試験部

発行所●株式会社　東京リーガルマインド
〒164-0001　東京都中野区中野4-11-10
アーバンネット中野ビル
LECコールセンター　0570-064-464
受付時間　平日9：30〜20：00/土・祝10：00〜19：00/日10：00〜18：00
※このナビダイヤルは通話料お客様ご負担となります。
書店様専用受注センター　TEL 048-999-7581 / FAX 048-999-7591
受付時間　平日9：00〜17：00/土・日・祝休み
www.lec-jp.com/

カバーデザイン●株式会社エディポック
カバー・本文イラスト●いさじ たけひろ
本文デザイン●ティー エス エヌ
印刷・製本●倉敷印刷株式会社


ISBN978-4-8449-9936-2

合格の LEC（れっく）

# 日商簿記

## 簿記とは

すべてのビジネスパーソンに役立つ！！

簿記は世界で通用するビジネスの共通言語であり、ビジネスパーソンにとって必要不可欠な知識です。簿記を学習することで、企業活動や社会経済システムが分かり、企業のＩＲ情報や新聞の経済記事などを理解することができます。また、損益計算書や貸借対照表を読み取れるようになるため、企業の経営成績や財政状態を数字で分析するスキルが身に付き、ビジネスや投資活動に役立てることができます。さらに、簿記検定は会計系資格のベースであり、短期間で取得可能なことから、専門資格へのステップアップの第一歩となります。簿記検定の知識やノウハウを生かせる専門資格や活躍の場は多岐にわたり、キャリアアップの可能性がひろがります。日商簿記は、社内での昇給昇格や専門職への転職を希望する社会人、就職活動を控えた学生などにとって、履歴書にアピールポイントとして記載できる資格として、ビジネス社会で活躍するための強力な武器となる資格です。

## 日商簿記検定ガイド

日商簿記検定は、1級を除いた場合「上位何パーセント合格」といった競争試験ではなく、合格点をクリアしていれば、全員が合格となります。努力した分、確実に結果を得られる資格試験です。

**受験資格**　学歴・年齢・性別・国籍に制限はありません。（どなたでも受験できます）

**各級レベル**

| | 3級 | 2級 | 1級 |
|---|---|---|---|
| レベル | [簿記の基本]<br>商業簿記のみの学習ですが、小規模株式会社の経理実務を前提とし、現代のビジネス社会における新しい取引にも対応できる実践的な知識が身につきます。<br>（学習の目安：1.5～2.5ヶ月／約90時間） | [企業に求められる資格の一つ]<br>経営管理・財務担当者には必須の知識とされる財務諸表の数字を読み解く力が身につき、経営内容を把握できるようになります。<br>（学習の目安:3～6ヶ月／約250時間） | [簿記の最高峰]<br>公認会計士、税理士などの国家資格への登竜門。極めて高度な商業簿記・会計学・工業簿記・原価計算を学び、会計基準・会社法・財務諸表等規則などの企業会計に関する法規を理解し、経営管理や経営分析ができます。<br>（学習の目安：6ヶ月以上／約550時間） |
| 試験科目・試験時間 | 商業簿記／60分 | 商業簿記<br>工業簿記／90分 | 商業簿記・会計学／1時間30分<br>工業簿記・原価計算／1時間30分<br>（計3時間） |
| 点数配分・合格点 | 100点／70点以上 | 商業簿記60点<br>工業簿記40点<br>[計100点]／2科目合計70点以上 | 各科目25点<br>[計100点]／4科目合計70点以上（ただし1科目でも10点に満たない場合は不合格） |

**実施試験日**　統一試験：2月・6月・11月の年3回（1級は6月・11月のみ）
ネット試験：随時（試験センターが定める日時）

**LEC 日商簿記**　受験生の立場になって真剣に考えました

# 合格への安心サポート！

## 2級・3級

### 安心1 都合に合わせて学習が開始できる　～配信期間はお申込日からカウントします～

講座配信日を見直し、配信期間は申込日からカウントすることにしました。いつ学習を開始されても、２級210日間、３級150日間配信します。一律で配信終了日が決められている講座のように、申込日が遅いと学習期間が短くなってしまうというデメリットが解消されました。

### 安心2 選べる講義　～Web講義は一科目につき、二人の講師の講義が受講できる～

３級完全マスター講座のWeb講義は、１コマ150分のスタンダード講義と１コマ15分のワンポイント講義の２つを配信します。
２級完全マスター講座は、対象者・回数を変えた二つの講義が受講できます。予習と復習で講師を変えてみるなど、様々な使い方ができます。

### 安心3 ネット方式が体験できる　～Web模試を販売中～

新たに開始された「ネット試験」。本番前にはネット方式も体験しておきたいもの。LECでは本試験と同様の環境が体験できるWeb模試を、各級2回提供しています。受講期間中なら、何度でもトライアルできます。
３級Web模試　4,950円(税込)　/　２級Web模試　7,700円(税込)

## 1級

### 安心1 「安心の学習期間」　～次回の検定までWeb受講可能～

コースに含まれているすべての講座は、目標検定の次の検定試験日の月末までWeb講義を配信します！お仕事などで「目標検定までに講義が受講できなかった」「次の検定で再度チャレンジしたい！」という方も安心。追加受講料不要！安心して受講できます。
※質問サービスの教えてチューターも次回の検定までご利用できます。

### 安心2 選べる講義　～Webは一科目につき、２人の講師の講義で受講できる～

「１級パーフェクト講座」は、対象者の異なる２種類の講義を配信しています。
初めて１級を受験する方には「ベーシック講義」(全66回)、受験経験があり重要ポイントを中心に確認したい方には「アドバンス講義」（全40回）がおススメです。
Web講義なら、別途受講料不要で、２つの講義が視聴できます。
２種類の講義は、使い方次第で多くのメリットが生まれます。
■対象講座：「１級パーフェクト講座」

合格の れっく LEC

# 税理士

学習相乗効果を引き出し、学習時間を短縮「簿財横断」

## 税理士の仕事とは?

税理士は、国家資格を取得した税務に関する専門家です。合格者の多くが独立開業しているため、税理士会登録=個人事務所設立というイメージがありますが、近年では、企業内、さらにはインターナショナルな世界へと、その活躍のフィールドが広がってきています。また仕事内容も税務書類の作成業務だけでなく、財務のプロフェッショナルとして、企業からの経営指導や経営戦略の相談に応えうる、コンサルタントとしての顔も持ち合わせています。

## 税理士の活躍するフィールド

**独立開業**

合格者の多くが独立開業しています。仕事内容や収入、やりがいも自分次第。税制の専門家として常に必要とされ、社会で活躍しています。

**勤務税理士**

税理士事務所や公認会計士事務所、法律事務所などに所属。特に近年、設立が認められた税理士法人では、個人事務所の限界を超えた新たな業務展開の可能性も秘めています。

**企業内税理士**

銀行・証券・保険といった金融業界を始め、一般企業の財務部門に所属し、税務に関する業務に携わる。企業の M&A（買収・合併）に関わることもあります。

**国際税務**

日本企業の海外進出、外資系企業の国内参入などビジネス社会の国際化は進む一方。国内外の税法を把握し、国際税務に携われる人材のニーズは、年々高まってきています。

**税務・経営コンサルティング**

企業内の財政・経営状態を把握している税理士には、経営戦略のコンサルタントとしての活躍の場もあります。企業のパートナーとして、今後、更に重要視されていく職域です。

## 税理士試験ガイド

**会計学に属する科目の受験資格**　受験資格不要

**税法に属する科目の受験資格**（2023年1月現在）

［学識］　大学・短大・高等専門学校を卒業した者
（社会科学に関する科目を1科目以上履修）
［資格］　日商簿記1級または全経簿記上級合格者
［職歴］　実務経験2年以上　など

詳しくは、国税庁ホームページ(https://www.nta.go.jpf) をご覧いただくか、主催である国税庁内国税審議会税理士分科会（TEL03-3581-4161）へお問合せいただくようお願い致します。

**試験日程**　8月上旬～中旬の平日の3日間

**試験科目**　以下の科目から5科目選択し受験します。

**必須科目**

必ず合格しなければならない科目です。
この2科目は受験資格が不要です。

簿記論・財務諸表論

**選択必須科目**

2科目のうち1科目は
必ず合格しなければならない科目です。

法人税法または所得税法

**選択科目**

7科目から選択・受験できる科目です。

相続税法・酒税法または消費税法・国税徴収法・住民税または事業税・固定資産税

### 科目合格制度

**1科目ずつの受験が可能で
働きながらでも合格が目指せる。**

1回の試験で5科目全てに合格する必要はなく、1科目ずつ合格することも可能です。
1度合格した科目は生涯有効となるので、受験生一人一人のライフスタイルにあった受験計画を立てることができます。

### 科目選択制度

**勉強しやすい科目、得意科目などを選んで受験。
自分なりの受験プランニングができる。**

必須科目、選択必須科目もありますが、全11科目のうち5科目を自由に自分で選択し受験することができます。難易度、将来の必要性などを考慮して受験することができます。

# LECは
# “短答式1年合格カリキュラム”

## 3つの特長

### 特長1

**年2度の短答式試験とその免除制度**

**1度短答式試験に合格すれば、2年間は論文式試験に専念できる！**

現行の公認会計士試験は短答式試験と論文式試験の2段構成になっており、短答式試験に合格しなければ論文式試験の受験資格が得られません。しかし、5月と12月の年2度実施される短答式試験には、1度合格するとその後2年間は短答式試験を受験することなく論文式試験にチャレンジできるという免除措置が設けられています。この免除期間を有効に活用することで、短期合格へのアプローチが更に拡がりました。

### 特長2

**短答式・論文式試験の出題内容が明確に**

**新試験制度では短答式試験・論文式試験の出題内容が明確に分かれました。**

従来の両試験では同様の能力を問う出題があり、2つの試験の位置づけが不明瞭でした。そのため、短答式と論文式試験に対して併行学習を行う必要があり、その学習負担が多くの受験生の悩みの種となっていました。しかし、新試験制度下では両試験の出題内容は明確に分かれ、それにより学習すべき内容も明確になりました。

### 特長3

**初期投資の負担を軽減、始めやすい価格設定**

**短答式対策と論文式対策を明確に分けたからできた、始めやすい価格設定。**

旧来カリキュラムに潜んでいた余計な負担は、学習内容だけではありませんでした。LECでは、価格面においても見直しを図り、短答式対策と論文式対策を明確に分けることで、始めやすい価格設定を実現しました。公認会計士を目指そうとする皆さんを、費用面からもサポートします。

## LECの新カリキュラム　～合理的カリキュラムで学習の負担を軽減～

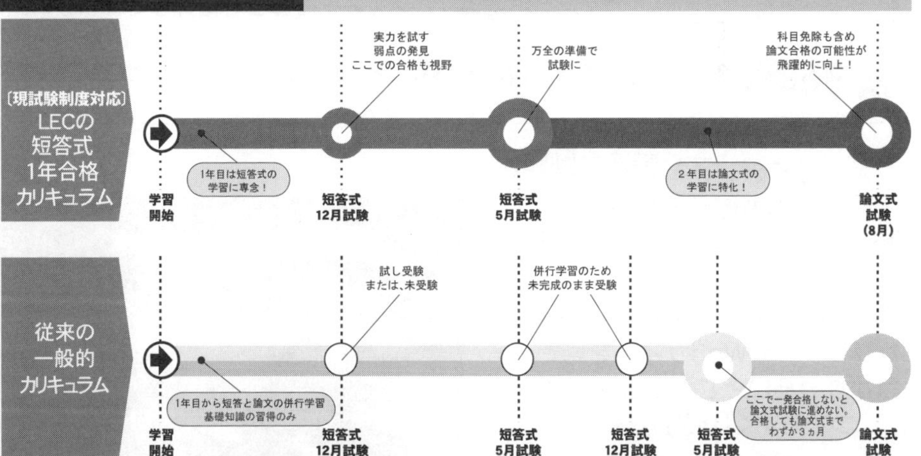

# LEC Webサイト ▷▷ www.lec-jp.com/

## 情報盛りだくさん!

資格を選ぶときも,
講座を選ぶときも,
最新情報でサポートします!

### 最新情報

各試験の試験日程や法改正情報,対策講座,模擬試験の最新情報を日々更新しています。

### 資料請求

講座案内など無料でお届けいたします。

### 受講・受験相談

メールでのご質問を随時受付けております。

### よくある質問

LECのシステムから,資格試験についてまで,よくある質問をまとめました。疑問を今すぐ解決したいなら,まずチェック!

### 書籍・問題集(LEC書籍部)

LECが出版している書籍・問題集・レジュメをこちらで紹介しています。

## 充実の動画コンテンツ!

ガイダンスや講演会動画,
講義の無料試聴まで
Webで今すぐCheck!

### 動画視聴OK

パンフレットやWebサイトを見てもわかりづらいところを動画で説明。いつでもすぐに問題解決!

### Web無料試聴

講座の第1回目を動画で無料試聴!気になる講義内容をすぐに確認できます。

# LEC全国学校案内

＊講座のお問合せ，受講相談は最寄りのLEC各校へ

## LEC本校

### 北海道・東北

**札　幌**本校　☎011(210)5002
〒060-0004 北海道札幌市中央区北4条西5-1　アスティ45ビル

**仙　台**本校　☎022(380)7001
〒980-0022 宮城県仙台市青葉区五橋1-1-10　第二河北ビル

### 関東

**渋谷駅前**本校　☎03(3464)5001
〒150-0043 東京都渋谷区道玄坂2-6-17　渋東シネタワー

**池　袋**本校　☎03(3984)5001
〒171-0022 東京都豊島区南池袋1-25-11　第15野萩ビル

**水道橋**本校　☎03(3265)5001
〒101-0061 東京都千代田区神田三崎町2-2-15　Daiwa三崎町ビル

**新宿エルタワー**本校　☎03(5325)6001
〒163-1518 東京都新宿区西新宿1-6-1　新宿エルタワー

**早稲田**本校　☎03(5155)5501
〒162-0045 東京都新宿区馬場下町62　三朝庵ビル

**中　野**本校　☎03(5913)6005
〒164-0001 東京都中野区中野4-11-10　アーバンネット中野ビル

**立　川**本校　☎042(524)5001
〒190-0012 東京都立川市曙町1-14-13　立川MKビル

**町　田**本校　☎042(709)0581
〒194-0013 東京都町田市原町田4-5-8　MIキューブ町田イースト

**横　浜**本校　☎045(311)5001
〒220-0004 神奈川県横浜市西区北幸2-4-3　北幸GM21ビル

**千　葉**本校　☎043(222)5009
〒260-0015 千葉県千葉市中央区富士見2-3-1　塚本大千葉ビル

**大　宮**本校　☎048(740)5501
〒330-0802 埼玉県さいたま市大宮区宮町1-24　大宮GSビル

### 東海

**名古屋駅前**本校　☎052(586)5001
〒450-0002 愛知県名古屋市中村区名駅4-6-23　第三堀内ビル

**静　岡**本校　☎054(255)5001
〒420-0857 静岡県静岡市葵区御幸町3-21　ペガサート

### 北陸

**富　山**本校　☎076(443)5810
〒930-0002 富山県富山市新富町2-4-25　カーニープレイス富山

### 関西

**梅田駅前**本校　☎06(6374)5001
〒530-0013 大阪府大阪市北区茶屋町1-27　ABC-MART梅田ビル

**難波駅前**本校　☎06(6646)6911
〒556－0017 大阪府大阪市浪速区湊町1-4-1
大阪シティエアターミナルビル

**京都駅前**本校　☎075(353)9531
〒600-8216 京都府京都市下京区東洞院通七条下ル2丁目
東塩小路町680-2　木村食品ビル

**四条烏丸**本校　☎075(353)2531
〒600-8413　京都府京都市下京区烏丸通仏光寺下ル
大政所町680-1　第八長谷ビル

**神　戸**本校　☎078(325)0511
〒650-0021 兵庫県神戸市中央区三宮町1-1-2　三宮セントラルビル

### 中国・四国

**岡　山**本校　☎086(227)5001
〒700-0901 岡山県岡山市北区本町10-22　本町ビル

**広　島**本校　☎082(511)7001
〒730-0011 広島県広島市中区基町11-13　合人社広島紙屋町アネクス

**山　口**本校　☎083(921)8911
〒753-0814 山口県山口市吉敷下東 3-4-7　リアライズⅢ

**高　松**本校　☎087(851)3411
〒760-0023 香川県高松市寿町2-4-20　高松センタービル

**松　山**本校　☎089(961)1333
〒790-0003 愛媛県松山市三番町7-13-13　ミツネビルディング

### 九州・沖縄

**福　岡**本校　☎092(715)5001
〒810-0001 福岡県福岡市中央区天神4-4-11　天神ショッパーズ福岡

**那　覇**本校　☎098(867)5001
〒902-0067 沖縄県那覇市安里2-9-10　丸姫産業第2ビル

### EYE関西

**EYE 大阪**本校　☎06(7222)3655
〒530-0013　大阪府大阪市北区茶屋町1-27　ABC-MART梅田ビル

**EYE 京都**本校　☎075(353)2531
〒600-8413　京都府京都市下京区烏丸通仏光寺下ル
大政所町680-1　第八長谷ビル

## LEC提携校

＊提携校はLECとは別の経営母体が運営をしております。
＊提携校は実施講座およびサービスにおいてLECと異なる部分がございます。

### 北海道・東北

**八戸中央校【提携校】** ☎0178(47)5011
〒031-0035　青森県八戸市寺横町13　第1朋友ビル　新教育センター内

**弘前校【提携校】** ☎0172(55)8831
〒036-8093　青森県弘前市城東中央1-5-2
まなびの森　弘前城東予備校内

**秋田校【提携校】** ☎018(863)9341
〒010-0964　秋田県秋田市八橋鯲沼町1-60
株式会社アキタシステムマネジメント内

### 関東

**水戸校【提携校】** ☎029(297)6611
〒310-0912　茨城県水戸市見川2-3092-3

**所沢校【提携校】** ☎050(6865)6996
〒359-0037　埼玉県所沢市くすのき台3-18-4　所沢K・Sビル
合同会社LPエデュケーション内

**東京駅八重洲口校【提携校】** ☎03(3527)9304
〒103-0027　東京都中央区日本橋3-7-7　日本橋アーバンビル
グランデスク内

**日本橋校【提携校】** ☎03(6661)1188
〒103-0025　東京都中央区日本橋茅場町2-5-6　日本橋大江戸ビル
株式会社大江戸コンサルタント内

### 東海

**沼津校【提携校】** ☎055(928)4621
〒410-0048　静岡県沼津市新宿町3-15　萩原ビル
M-netパソコンスクール沼津校内

### 北陸

**新潟校【提携校】** ☎025(240)7781
〒950-0901　新潟県新潟市中央区弁天3-2-20　弁天501ビル
株式会社大江戸コンサルタント内

**金沢校【提携校】** ☎076(237)3925
〒920-8217　石川県金沢市近岡町845-1　株式会社アイ・アイ・ピー金沢内

**福井南校【提携校】** ☎0776(35)8230
〒918-8114　福井県福井市羽水2-701　株式会社ヒューマン・デザイン内

### 関西

**和歌山駅前校【提携校】** ☎073(402)2888
〒640-8342　和歌山県和歌山市友田町2-145
KEG教育センタービル　株式会社KEGキャリア・アカデミー内

### 中国・四国

**松江殿町校【提携校】** ☎0852(31)1661
〒690-0887　島根県松江市殿町517　アルファステイツ殿町
山路イングリッシュスクール内

**岩国駅前校【提携校】** ☎0827(23)7424
〒740-0018　山口県岩国市麻里布町1-3-3　岡村ビル　英光学院内

**新居浜駅前校【提携校】** ☎0897(32)5356
〒792-0812　愛媛県新居浜市坂井町2-3-8　パルティフジ新居浜駅前店内

### 九州・沖縄

**佐世保駅前校【提携校】** ☎0956(22)8623
〒857-0862　長崎県佐世保市白南風町5-15　智翔館内

**日野校【提携校】** ☎0956(48)2239
〒858-0925　長崎県佐世保市椎木町336-1　智翔館日野校内

**長崎駅前校【提携校】** ☎095(895)5917
〒850-0057 長崎県長崎市大黒町10-10　KoKoRoビル
minatoコワーキングスペース内

**沖縄プラザハウス校【提携校】** ☎098(989)5909
〒904-0023　沖縄県沖縄市久保田3-1-11
プラザハウス　フェアモール　有限会社スキップヒューマンワーク内

※上記は2024年2月1日現在のものです。

# 書籍の訂正情報について

このたびは，弊社発行書籍をご購入いただき，誠にありがとうございます。
万が一誤りの箇所がございましたら，以下の方法にてご確認ください。

## 1 訂正情報の確認方法

書籍発行後に判明した訂正情報を順次掲載しております。
下記Webサイトよりご確認ください。

**www.lec-jp.com/system/correct/**

## 2 ご連絡方法

上記Webサイトに訂正情報の掲載がない場合は，下記Webサイトの入力フォームよりご連絡ください。

**lec.jp/system/soudan/web.html**

フォームのご入力にあたりましては，「Web教材・サービスのご利用について」の最下部の「ご質問内容」に下記事項をご記載ください。

- 対象書籍名（○○年版，第○版の記載がある書籍は併せてご記載ください）
- ご指摘箇所（具体的にページ数と内容の記載をお願いいたします）

ご連絡期限は，次の改訂版の発行日までとさせていただきます。
また，改訂版を発行しない書籍は，販売終了日までとさせていただきます。

※上記「2ご連絡方法」のフォームをご利用になれない場合は，①書籍名，②発行年月日，③ご指摘箇所，を記載の上，郵送にて下記送付先にご送付ください。確認した上で，内容理解の妨げとなる誤りについては，訂正情報として掲載させていただきます。なお，郵送でご連絡いただいた場合は個別に返信しておりません。

送付先：〒164-0001 東京都中野区中野4-11-10 アーバンネット中野ビル
株式会社東京リーガルマインド 出版部 訂正情報係

- 誤りの箇所のご連絡以外の書籍の内容に関する質問は受け付けておりません。
また，書籍の内容に関する解説，受験指導等は一切行っておりませんので，あらかじめご了承ください。
- お電話でのお問合せは受け付けておりません。